À tous les sommets de montagne,
sentinelles de l'idéal humain.

Données de catalogage avant publication (Canada)

Laforest, Yves, 1956-
    L'Everest m'a conquis
    Autobiographie

    ISBN 2-7604-0456-0
    1. Laforest, Yves, 1956- 2. Everest, Mont
    (Chine et Népal). 3. Alpinisme - Everest, Mont
    (Chine et Népal). 4. Alpinisme - Québec (Province)
    - Biographies I. Titre.

GV199.92.L33A3 1994   796.5'22'092   C94-940143-9

Les photos contenues dans ce livre ont été prises par l'auteur sauf indications contraires.

Photo de la première de couverture: Mark Richey
Conception graphique et montage: Olivier Lasser

© Les éditions internationales Alain Stanké, 1994

*Les éditions internationales Alain Stanké bénéficient du soutien financier
du Conseil des Arts du Canada pour leur programme de publication.*

ISBN 2-7604-0456-0

Dépôt légal: premier trimestre 1994

IMPRIMÉ AU QUÉBEC (CANADA)

L'EVEREST
M'A CONQUIS

L'EVEREST
M'A CONQUIS

RÉCIT D'AVENTURE PAR
YVES LAFOREST

Stanké

REMERCIEMENTS

Je voudrais remercier tout d'abord Richard
Chartier, qui a eu le courage de lire les toutes premières pages de
mon manuscrit. Sans ses commentaires précis, efficaces et francs
au début de mon travail d'écriture, je n'aurais probablement
jamais réussi à écrire un livre.

«Et puis, Richard, qu'est-ce que tu en penses?
- Eh bien! le sujet est intéressant, il y a des bonnes
  anecdotes, l'histoire est décrite en détail, mais il y
  manque quelque chose...
- Oui, quoi?
- Bien, le style est un peu monotone, pas assez éloquent.
  On se dit que l'aventure doit être passionnante. C'est
  ça qu'on veut lire. Ça ne décolle pas vraiment.
- Ah!»

Un an plus tard, je lui propose un nouvelle version d'un manuscrit entièrement réécrit.

«C'est bon. On voit que tu as fait tes devoirs.»
Merci, Richard!

J'aimerais remercier Jacques Boulerice, poète et enseignant,
pour sa patience, son support, son écoute. Il m'a non seulement
permis d'exprimer mes angoisses existentielles durant le difficile
processus d'écriture, mais il m'a supporté en me donnant une
critique juste et sincère du manuscrit remanié. Il m'a aussi dirigé
dans le monde parfois hermétique de l'édition.

Je voudrais aussi remercier plusieurs autres personnes. Mon
ami Wolfgang Dienes pour avoir lu et critiqué mon manuscrit et
soulevé quelques oublis et quelques incohérences qui s'étaient
glissés dans le récit. Un ami de la famille, imprimeur de son métier, M. Marc Veilleux, pour ses conseils éclairés dans l'édition et
ses corrections du manuscrit. Merci à Laurie Skreslet pour m'avoir

7

si aimablement prêté la photo qui a servi à indiquer le tracé de notre ascension, page 112.

Mais une personne est plus importante que les autres dans ce projet. C'est ma compagne Fernande, qui en plus d'avoir participé et de m'avoir supporté sans limites dans l'aventure de l'Everest, a récidivé pour mon livre. Elle m'a suggéré des idées, des pistes à suivre. Elle a fait la plus complète, la plus fouillée des corrections du manuscrit. Nous avons ensemble entrepris de corriger le texte après sa lecture. Je ne pouvais tout simplement pas faire face à la montagne de corrections qui devaient être faites. Elle m'a en plus supporté émotivement durant tout ce travail. Sans sa présence, son soutien indéfectible, je n'aurais pu venir à bout de cette tâche. Il n'y aurait probablement pas eu de récit de mon aventure à l'Everest. Je ne savais pas, avant de l'entreprendre, ce que signifie écrire un livre.

Je souhaite aussi remercier sincèrement l'équipe des Éditions Stanké, équipe réduite mais ô combien efficace. Merci à Louise Loiselle, Monique Thouin et Olivier Lasser.

En terminant, j'aimerais remercier toutes les entreprises et tous les individus qui ont cru en nous *avant* l'epédition et qui, par leur aide, ont contribué d'une manière ou d'une autre au succès de notre aventure. J'adresse un merci tout particulier aux membres de ma famille et à mes amis qui ont accepté la tâche parfois ingrate de vendre les tee-shirts qui nous ont aidé à financer une partie de ce périple. Un grand merci à tous.

PROLOGUE

Enfant, j'étais un petit d'homme chétif, malingre, timoré, renfermé. Je m'évadais de ma condition de vie trop banale, trop limitée grâce aux films d'aventure, aux livres et surtout par l'imagination.

Je grimpais dans un arbre pour devenir un homme de vigie prenant son quart lors d'un voyage de la *Bounty* du capitaine Cook. Je montais des buttes de terre et de gravier dans un terrain vague sous le soleil brûlant de juillet, avec mon vélo aux poignées hautes et *selle banane*, m'imaginant traverser le désert du Sahara sur un chameau avec Lawrence d'Arabie. Je passais sous le pont de la voie ferrée, le long de la berge, entre l'eau et les vieux piliers aux roches suintantes et j'étais un intrépide soldat, volontaire pour la mission dangereuse de faire sauter le pont avant l'arrivée d'un convoi des *panzers* de Rommel. L'idée que les chars d'assaut circulaient sur les routes, et non en convoi 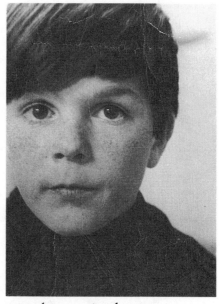 ferroviaire, semant la terreur et assurant la conquête du territoire par leur passage, ne m'aurait jamais effleuré l'esprit.

Je vivais mon aventure sérieusement, en prenant juste assez de risques, pas trop. J'essayais d'atteindre une vision idéalisée de l'aventurier. Dans mon esprit, l'aventurier explore de nouveaux horizons, nouveaux pour lui mais aussi pour le plus de gens possible. Il ne prend pas de risque inutilement, seulement en fonction de son objectif, qui est difficile mais réalisable. Il s'embarque dans l'aventure en toute connaissance de cause. Et surtout, il réussit sa mission. L'aventurier est souvent seul. Même au sein d'un groupe avec lequel il partage un but commun, il a sa tâche à remplir, son rôle à jouer, ses décisions à prendre, son autonomie. Il détermine ses actions selon sa propre évaluation de la situation. Exécuter les ordres donnés longtemps à l'avance par les autorités planquées loin du théâtre des opérations n'est pas son fort. L'autorité, le pouvoir, l'appât du gain n'ont pas d'emprise sur lui. Ses motifs sont nobles, élevés, purs. Souvent, il se les donne lui-même, parce que son évaluation claire et juste de la situation lui permet de planifier son action. Explorer et servir sont les fondements de ses actes.

Je modelais mes jeux d'enfant à cette vision. Jamais je n'ai eu l'idée de partager mes escapades avec mes camarades. Mes projets étaient trop imaginaires, les résultats pas assez concrets. Pas de gloire, pas de butin, pas de femme à conquérir. Je m'inventais une princesse à délivrer à l'occasion, mais c'était pour la rendre à sa famille. Je continuais ma route d'une mission à l'autre. Je n'avais pas de désirs précis. Mes aventures se suffisaient à elles-mêmes.

J'ai bien essayé d'entraîner mes frères plus jeunes dans mon imaginaire, mais j'ai eu peu de succès. Dire les choses, expliquer les situations, les buts, les motifs me donnaient l'impression de détruire la magie et rendaient ridicule, même à mes yeux, la mission. Elle redevenait alors un jeu d'enfant, imaginaire par manque de moyens, inutile par manque de but concret. Je n'ai pas essayé non plus d'imposer mon autorité. Je ne souhaitais pas qu'on me suive docilement. Je ne suis pas un meneur d'hommes. Les hommes doivent se conduire eux-mêmes.

Une des seules fois où je les ai convaincus, nous pêchions la baleine ou le monstre marin... bon, disons, l'achigan et la carpe. Suite à un faux mouvement de ma part, mon frère Jean est tombé du pilier du pont où nous nous trouvions, directement dans la rivière. Il ne savait pas nager. Moi non plus. Pendant un temps qui nous a semblé une éternité, mon autre frère, Denis, et moi regardions la scène, impuissants. Jean se débattait dans l'eau par-dessus la tête jusqu'à ce qu'il prenne pied sur une roche au fond de la rivière. Il réussit à résister au courant malgré l'eau qui lui arrivait sous le menton. Des adolescents qui pêchaient dans les environs en chaloupe avaient entendu le bruit de sa chute et sont venus le tirer de là en quelques minutes.

L'aventure comporte des risques qu'il vaut mieux ne pas forcer les autres à prendre. Et puis, le chef est responsable des membres de son groupe. En plus de lui-même, il doit s'occuper des autres, leur porter assistance au besoin. Manifestement, je n'étais pas encore conscient de cette responsabilité accrue qui échoit au *leader*. J'ai appris plus tard, beaucoup plus tard, au cours d'autres périples, que le *leader* doit savoir en plus jauger ses hommes.

Mes aventures d'enfant étaient essentiellement masculines. Les filles, les fillettes à l'époque, avaient un comportement si différent et particulièrement incompréhensible à mon esprit de garçon d'une dizaine d'années. Depuis lors, j'ai découvert que l'aventure au féminin était plus sentie, plus riche en couleurs, plus globale.

Même mes camarades de jeu demeuraient étrangers à mes motivations profondes. Les meneurs étaient autoritaires, sans vision. Les autres suivaient docilement, sans discernement. Du moins, je n'avais pas le recul nécessaire pour nuancer mes jugements. Valait mieux ne pas trop se livrer, de peur de vivre l'épreuve la plus humiliante qui soit: devenir objet de risée.

À l'adolescence, d'autres impératifs m'ont fait quitter ce monde imaginaire. Il fallait désormais me préparer à *gagner* ma vie. Il fallait trimer dur pour faire sa place, avoir une situation, s'établir, devenir quelqu'un. Comme si les livres et les films n'étaient là que pour distraire et occuper les petits garçons tandis que les grands étaient productifs, sérieux et affairés. L'adulte, lui, travaille. Mes camarades du moment, mes ex-amis, mes propres frères étaient tous occupés à devenir adultes. Il me semblait qu'il n'y avait plus de place pour le rêve. Il avait disparu. La réalité s'imposait. Plus forte, plus concrète, toujours présente, elle prend toujours toute la place. La vie, il faut la gagner, en profiter, en jouir, en vivre.

L'adolescent découvre la vie avec ses sens. Il apprend vite les règles du jeu. Il devient rapidement un adulte. Les engagements se précisent. Les obligations augmentent. L'engrenage s'enclenche. La vie s'enchaîne. Le temps s'égrène. Le rêve n'existe plus.

Je me sentais arraché à mon monde nourricier et sécurisant, propulsé en terre inconnue. La coupure était trop brusque. J'avais l'impression de ne pas avoir été suffisamment préparé...

Bon, aussi bien se faire une idée! La vie elle-même n'est-elle pas une grande aventure?

Puis un jour, j'étais alors étudiant à l'université, un copain m'a fait découvrir une nouvelle activité: l'escalade. Sur une petite falaise d'une cinquantaine de pieds (c'était l'unité de mesure à l'époque), j'ai appris à grimper du rocher. J'avais déjà quelque expérience avec les arbres, dans ma jeunesse. Mon corps était encore souple.

Je ne crois pas beaucoup au hasard. Tout n'est qu'expérience et choix. J'ai tout de suite été captivé par l'escalade. Je n'étais pas encore un homme, pas tout à fait. J'avais 20 ans. Au début, nous ne grimpions aux falaises qu'occasionnellement. Très vite, l'idée m'est venue qu'on pouvait gravir de plus grandes parois, de vraies montagnes. Celles que l'on voit dans les livres de géographie, en blanc sur les cartes. Les neiges éternelles, les glaciers.

Une lueur de jeunesse me revenait, un vent de fantaisie dans mon esprit d'homme en devenir. L'aventure existe. La vraie, celle qui demande habileté, autonomie, conscience, idéal élevé. Et c'est dans les montagnes que j'allais la trouver. Mais ce n'était encore que dans ma tête qu'elle existait. J'imaginais, avec ma petite expérience de grimpeur de falaises, ce que pouvait être l'ascension des Rocheuses, des Alpes, de l'Himalaya. Je n'étais pas en contact avec le petit cercle des vrais grimpeurs, qui existait bien avant moi mais qui, telle une confrérie semi-secrète, n'était ni visible ni facilement trouvable. Il fallait connaître quelqu'un qui connaissait quelqu'un qui...

Encore une fois, c'est par le biais du livre que j'ai trouvé ce que je cherchais. Ce n'est pas par hasard que j'ai mis la main sur le récit de Maurice Herzog, *Annapurna premier 8 000*[1]. J'y ai découvert une aventure exotique, dangereuse et riche en péripéties que des hommes vivaient sans espoir de gains matériels ou de gloire personnelle. J'ai retrouvé dans ce récit de montagne l'apparente futilité de l'effort et du motif. Lionel Terray, un des alpinistes de cette expédition, a d'ailleurs écrit par la suite un livre intitulé *Les Conquérants de l'inutile*[2].

Cette aventure était contemporaine. Cette histoire était vraie, vécue par de vrais hommes. J'étais conquis.

1.   Arthaud, Paris, 1951, 439 p.
2.   Gallimard, coll. exploit, Paris, 1974, tome I (185 p.) et tome II (187 p.).

L'action est le moyen de s'atteindre
Bob Audrey

1

UNE RENCONTRE DÉTERMINANTE

Le soleil est encore haut. Dans la tente, sur le glacier, il fait presque bon. La tasse de soupe que je bois avec délice calme mon gosier asséché par l'air extrêmement sec en altitude. Aussitôt qu'un nuage passe devant le soleil, la température baisse instantanément de plusieurs degrés. À 5 500 mètres, le froid occupe rapidement tout l'espace. En jetant un coup d'œil à l'extérieur par la porte entrouverte, j'aperçois 2 grimpeurs se diriger lentement vers l'emplacement de notre camp. Notre petite tente, ainsi que celles de 2 autres groupes d'alpinistes, occupe un espace dégagé sur le glacier à la rencontre de deux voies d'ascension différentes sur la montagne. Plusieurs minutes passent avant que je n'entende des bruits de pas sur la neige durcie. Je sors pour rencontrer les nouveaux arrivants. Ils montent sur le glacier, sans sac à dos ni matériel de bivouac. Les 2 hommes ont les traits tirés, visiblement fatigués par l'effort de la montée. Je m'informe de leurs projets et nous bavardons pendant quelques minutes. L'épaisse couche de neige fraîche qui recouvre la voie qu'ils avaient choisie leur a fait abandonner leur ascension vers le sommet. Ils remontent chercher du matériel laissé à l'abri, il y a quelques jours, 200 mètres plus haut. Ils projettent de regagner le camp de base avant la tombée de la nuit.

Je leur offre un bol de soupe et les forces semblent leur revenir. Le visage de l'un des deux hommes m'est familier. Je me demande un moment où j'ai pu le rencontrer. Il me dit s'appeler Rick Wilcox et demeurer à North Conway au New Hampshire. C'est là que je l'ai rencontré. Avec un copain, je visite régulièrement les parois d'escalade qui bordent cette coquette petite ville de la Nouvelle-Angleterre. Aussitôt restaurés, ils nous quittent. Le jour avance, il leur faut faire vite.

De notre côté aussi, les conditions nous obligent à modifier nos plans. Il y a 10 jours, une avalanche a complètement enseveli l'emplacement du camp établi sur le glacier. Trois grimpeurs ont péri sous des tonnes de glace. Seulement 2 des victimes ont été retrouvées. Depuis, la voie normale est bloquée. Le campement a été déplacé à l'endroit où nous nous trouvons présentement. Pour éviter ce passage dangereux et atteindre le sommet, il faut désormais emprunter une voie plus difficile encore. Étant à sa première expérience sur des sommets si élevés, ma compagne Fernande hésite à s'y engager. Je décide d'y aller seul.

Vers 6 h 00 le matin suivant, je quitte le camp. Je contourne les crevasses qui barrent le début de l'ascension. Au début, je gagne rapidement de l'altitude. La pente de glace et de neige se redresse au fur et à mesure que je progresse. Mon rythme ralentit, puis se stabilise. La journée avance. Tel que je le prévoyais, je n'atteindrai pas le sommet aujourd'hui. Vers 18 h 00, le soleil disparaît et je m'installe juste sous le sommet, à environ 6 700 mètres. C'est la première fois que je bivouaque si haut. Je veux vérifier si, après une nuit passée à une altitude si élevée, j'aurai encore de l'énergie pour continuer l'ascension. La nuit est glaciale. Je n'ai pas de tente. J'utilise un sac à dos spécial qui sert aussi de sac de bivouac. J'enfile mon sac de couchage à l'intérieur du sac à dos qui se déplie pour remonter jusqu'aux épaules. Comme seule protection contre les éléments, j'agrandis une petite cavité avec mon piolet et je m'allonge dans la neige pour m'abriter du vent le mieux possible. Pendant de longues minutes, je tente d'allumer mon réchaud pour faire fondre la neige. Je n'ai plus d'eau et j'ai très soif. Je n'ai bu que 1 litre d'eau durant la journée. Normalement, à cette altitude, il faut boire 5 litres de liquide par jour. Peine perdue, le vent souffle trop fort. J'abandonne complètement l'idée lorsqu'une bourrasque plus violente que les autres emporte le paravent du poêle. La nuit me semble interminable, j'ai la gorge en feu. Je ne réussis à dormir que par brèves périodes. À l'aube, malgré l'inconfort de ma situation, je suis encore relativement en forme. Je poursuis ma route pour franchir les derniers 100 mètres de montée en enfonçant dans la neige inconsistante. Chaque pas demande un effort conscient de la volonté. En accordant mon rythme de progression avec ma respiration, je parviens au sommet en un peu plus d'une heure, juste au moment où le soleil pointe à l'horizon. J'assiste émerveillé à son lever au-dessus de tout le paysage et je prends quelques photos. Tous mes efforts trouvent leur récompense dans ce spectacle magique. Mon esprit s'apaise enfin pendant quelques minutes. Une joie intense et silencieuse m'envahit progressivement, remplaçant la douleur de mes muscles surmenés et atténuant même le souvenir de la pénible nuit. On ne peut imaginer panorama plus grandiose. Je ressens tout à coup ma solitude et je veux revenir sans délai au camp pour partager ces instants parfaits.

Je redescends rapidement par la voie normale. Fernande m'accueille avec un breuvage chaud des plus réconfortants. Je peux à peine parler tant ma gorge me fait souffrir. Mieux que les mots ne sauraient l'exprimer, nos regards échangent toute l'intensité du moment.

Nos corps ont aussi besoin de repos après plusieurs jours d'efforts intenses. Le soir même, après une marche marathon de 12 heures, nous regagnons le village tout au bas de la vallée.

Nous sommes en juillet 1984, sur le mont Huascaran sud, le plus haut sommet du Pérou, dans la Cordillère des Andes.

Quelques jours plus tard, de retour dans la vallée, à Huaraz, je rencontre à nouveau Rick. Huaraz est une petite ville de montagne située au cœur de la Cordillère Blanche du Pérou, le lieu où tous les grimpeurs se retrouvent. C'est le Chamonix des Andes. Le soir, dans les restaurants bon marché de la place, on voit de nombreux *gringos**, dispersés parmi les autochtones aux pommettes saillantes, descendants des Incas. Américains, Anglais, Français, Suisses, Allemands discutent entre eux et planifient de nouveaux projets.

Rick est attablé avec un habitué des sommets de la Cordillère Blanche. Je reconnais aussitôt son camarade. J'ai fait sa connaissance ici même l'an dernier, lors de mon premier périple dans les Andes. Il s'agit de Mark Richey, un des meilleurs grimpeurs américains à avoir parcouru les montagnes du Pérou. Il a à son actif probablement plus de premières ou d'ascensions difficiles dans ce massif que quiconque. Depuis quelques années, il fréquente assidûment les montagnes du Pérou. Et pour cause: il nous présente sa fiancée, Teresa Sales y Morales, originaire de Lima, capitale du Pérou.

Pour finir notre voyage, nous sommes invités à assister 10 jours plus tard au mariage de Mark et Teresa à Lima. L'idée d'un bain de culture péruvienne, chaude et colorée, avant de rentrer au pays nous sourit. Tel que prévu, nous nous retrouvons dans une vaste église catholique décorée pour la circonstance. L'ambiance est à la fête. Avant la fin de la soirée, je réussis à approcher le marié et son garçon d'honneur, Rick. Nous échangeons adresses et numéros de téléphone. Nous allons nous revoir.

Plusieurs mois plus tard, je revois Rick dans les bureaux de son école d'escalade de North Conway. Il me propose d'accompagner un groupe dans les Andes l'année suivante avec Mark Richey. Je projette d'organiser moi-même une équipe en provenance de Montréal. Je me retrouve donc, à nouveau en 1985, dans la Cordillère Blanche du Pérou pour la majeure partie de l'été. Entre deux groupes, Mark et moi profitons de quelques jours de congé pour tenter une nouvelle voie dans une paroi particulièrement raide. La seconde journée de notre ascension, une abondante pluie de pierres interrompt notre progression. C'est un peu à contrecœur que nous devons renoncer à ce sommet puisque notre avance avait été très rapide jusque-là.

Durant ces semaines à vivre côte à côte dans les conditions exigeantes de la montagne, j'en viens à apprécier l'efficacité et le

---

*   La description des mots du présent ouvrage qui sont accompagnés d'un astérisque est donnée au Lexique, p. 263.

jugement de ce grimpeur. Nous apprenons à nous faire mutuellement confiance. L'été se termine un peu trop rapidement à mon goût et nous convenons de grimper ensemble à nouveau.

Au cours de l'automne 1985, je reçois un coup de fil de Rick Wilcox. Il organise avec Mark Richey une expédition à l'Everest pour le printemps 1991 et m'invite à me joindre à eux. J'hésite un peu. Je m'informe des conditions et des engagements financiers qu'un projet de cette envergure implique. Pour l'instant, il ne s'agit que de payer sa part du permis, soit 500 $US. Rick s'engage à nous donner bientôt une évaluation du budget global, mais il m'avertit à l'avance que la part de chaque participant se situera aux environs de 10 000 $US. Après cette première discussion, j'accepte d'inscrire mon nom sur la demande de permis. On verra bien. Nous ne sommes qu'en 1985. Il y a encore plusieurs années devant nous.

Le plus haut sommet de notre planète a commencé à m'attirer bien avant que je ne reçoive cette invitation. Mais la montagne me semblait si inaccessible que je n'osais même rêver de la gravir. Ce sentiment était à vrai dire alimenté par la lecture des récits d'ascension des plus hauts sommets de l'Himalaya, notamment le fameux livre d'Herzog sur l'Annapurna. L'ascension et surtout la dramatique descente qui a suivi coûtèrent à l'auteur tous ses doigts et tous ses orteils à cause d'engelures. Ce récit épique m'avait profondément bouleversé et du même coup avait aussi considérablement refroidi mes prétentions d'alpiniste.

L'escalade des falaises rocheuses telle que je la pratiquais durant mes premières années sur les parois du Québec et l'ascension des plus hautes montagnes comportent presque autant de différences qu'une balade en voiture et une course de formule 1. Évidemment, la promenade du dimanche après-midi peut se terminer de façon tragique, mais les risques d'accident lors d'une course automobile sont infiniment plus grands.

J'ai découvert l'escalade lentement, parfois avec insouciance un samedi ensoleillé, mais toujours avec l'attrait de la nouveauté. Dès la première sortie, j'ai éprouvé un sentiment de liberté que je n'avais jamais vécu auparavant. Peu de règles édictées par l'homme viennent régir cette activité. Seules les lois de la nature s'appliquent à celui qui veut grimper les montagnes: la gravité en premier lieu! Ces lois ne tolèrent que rarement les transgressions de la part des grimpeurs, qui sont les premiers à en subir les conséquences. La témérité y est souvent payée très cher.

Ces règles m'ont instantanément séduit et je les ai graduellement adoptées jusqu'à en changer mon mode de vie. Nulle part ailleurs, je n'ai trouvé joie plus pure que celle du succès obtenu grâce à mes seuls efforts, à mes seules initiatives. Plusieurs années vont s'écouler avant que je ne commence à comprendre les raisons profondes qui me poussent vers les montagnes.

Au cours du long processus qui lui a fait découvrir successivement les parois de rocher et de glace du Québec, les Rocheuses canadiennes, les Alpes, puis les Andes en Amérique du Sud, le grimpeur débutant que j'étais s'est aguerri. Malgré tout, l'idée de tenter l'ascension de l'Everest demeurait inconcevable à mes yeux. C'était paradoxal, puisque l'expérience acquise sur des sommets de plus en plus élevés aurait dû me rassurer. À chaque étape, cependant, je prenais plus profondément conscience de la difficulté, du danger et de l'exigence de la haute altitude. Les plus hauts sommets me semblaient inaccessibles. Je n'osais envisager l'ascension de l'Everest avant de me sentir tout à fait prêt.

L'invitation de Rick Wilcox survient au moment où je pro-

Sur les parois de glace du Québec...

20

jette de grimper dans la chaîne de l'Himalaya. Mon bagage d'expériences comporte plusieurs ascensions dans la Cordillère des Andes. J'ai à mon actif de nombreux sommets difficiles de plus de 6 000 mètres. Le bivouac à 6 700 mètres, sous le sommet du Huascaran, me convainc que je peux monter plus haut encore. Un sommet de 8 000 mètres m'apparaît comme une étape nécessaire avant l'Everest. Mais les années passent et les occasions ne se présentent pas. Ou bien elles se présentent, mais ne se concrétisent pas.

Au cours de 1989, il devient évident pour moi que je ne pourrai participer à aucune expédition sur un sommet de 8 000 mètres avant celle de l'Everest. L'échéance arrive dans moins de 2 ans. Je décide alors de m'engager par étapes dans ce projet exigeant et coûteux. La première consiste à me rendre au pied de la montagne séjourner au camp de base et m'imprégner de son ambiance. Je pourrai alors décider de ma participation à l'ascension en me laissant guider par mon intuition et par les sensations que j'aurai éprouvées en approchant l'Everest d'aussi près.

Tout en élaborant cette stratégie apparemment rationnelle, je sais au plus secret de moi-même que j'aspire depuis si longtemps à atteindre le toit du monde que peu de choses me feront changer d'avis. Seule une prémonition contraire particulièrement intense pourrait m'obliger à renoncer. Cela m'est déjà arrivé dans la Cordillère des Andes, en 1984. Un vif sentiment de mort m'a fait rebrousser chemin avant même d'avoir atteint le camp de base de la montagne que je projetais d'escalader. Je suis persuadé que je dois la vie à des décisions semblables.

Je ne vois pas de raison de me lancer dans l'aventure de l'Everest si je n'ai aucune chance d'atteindre le sommet. Évidemment, rien ne peut garantir le succès, mais je veux être convaincu de mes propres capacités afin d'être à la hauteur lorsque le moment sera venu. Et pour établir cette conviction, je dois aller sur place rencontrer l'Everest.

2

L'AVENTURE COMMENCE

Le 3 avril 1990, je débarque à Katmandou, la capitale du Népal. Fernande, avec qui je partage ma vie depuis cette expérience sur le glacier du Huascaran, m'accompagne. Ma sœur Brigitte et une amie, Chantal, sont aussi du voyage. Objectif: le camp de base de l'Everest.

À l'arrivée, le dépaysement est total. Nous nous entassons tant bien que mal dans une vieille Toyota bariolée. Un bref instant, j'ai l'impression que le chauffeur du taxi s'assied du côté passager. Au Népal, comme en Inde, le volant est à droite, reliquat de l'influence britannique en Orient. Nous nous dirigeons tous phares éteints vers l'hôtel *Bouddha*, à travers les rues désertées. Normalement, ces mêmes rues sont grouillantes de piétons, de vélos, de *rickshaws**, de motos et de camions, sans oublier les vaches sacrées!

À Katmandou, on vit d'ordinaire dans la rue. Tout se vend, se loue ou s'échange le long des rues, non pavées pour la plupart, ou dans de multiples échoppes qui les bordent. Dans plusieurs quartiers de la ville, les bruits de l'activité humaine vous assaillent littéralement. Les odeurs, mélanges d'épices, de thé et de gaz d'échappement, vous montent au nez. La pauvreté est partout visible. Les temples et monastères de foi bouddhiste et hindouiste abondent. À toute heure du jour règne une activité intense. De nombreux fidèles s'agglutinent autour des temples et psalmodient des heures durant les prières et chants sacrés. Beaucoup viennent des montagnes à plusieurs jours de marche pour faire leurs dévotions.

Tôt le lendemain de notre arrivée, nous entreprenons de visiter les environs à pied. Tout est calme en apparence. Il n'y a encore presque personne dans les rues. Les habitants se cachent derrière des volets clos. Les Népalais ont entrepris depuis peu de protester contre l'autorité toute-puissante du roi. Le Népal est l'un des derniers pays au monde à être gouverné par un monarque. Ce dernier contrôle le gouvernement en nommant lui-même le premier ministre. Ici, pas d'élections. Il n'existe officiellement qu'un seul parti politique. Les opposants sont contraints de s'organiser et d'agir dans la clandestinité. Aux yeux de ses sujets, le roi du Népal passe pour un des hommes les plus riches de la planète, dans ce pays où le revenu annuel moyen est inférieur à 300 $ par habitant. À tort ou à raison, le peuple attribue au pouvoir royal la pauvreté dans laquelle il est plongé. Il est vrai que l'enceinte du palais occupe une si grande superficie au centre même de Katmandou que cela laisse songeur. Comment ne pas être convaincu de l'opulence du propriétaire lorsqu'il faut marcher plus de 30 minutes pour parcourir un seul côté du quadrilatère réservé au domaine royal et entouré d'un rempart de béton de 6 mètres de hauteur? À travers les grilles de chacune des portes fortement gardées par des sentinelles aux habits colorés, on peut apercevoir de splendides jardins et plusieurs bâtiments. Je jette un coup d'œil rapide car les gardes nous obligent à circuler. Constatant le faste de ce qui est accessible à notre vue, j'essaie de m'imaginer ce qui se trouve au centre de la place.

Le palais royal offre un contraste extrême avec les constructions et les conditions de vie dans le reste de la ville, où les maisons sont petites, rustiques et bien souvent surpeuplées. L'électricité et l'eau courante manquent dans plusieurs quartiers.

Seules les plus grandes artères de circulation sont asphaltées. Les rues et les ruelles innombrables sont étroites et très souvent boueuses. Des caniveaux peu profonds et recouverts de pavés bordent les rues et servent de réseau d'égout. Les mesures d'hygiène paraissent à peu près inexistantes à nos yeux d'Occidentaux.

Dirigée par une faction communiste illégale, l'opposition organise depuis plus d'une semaine des rassemblements de plus en plus importants qui tournent rapidement à l'affrontement avec les policiers et soldats chargés de maintenir l'ordre. C'est dans cette ambiance incertaine que nous découvrons la cité légendaire, berceau de cultures millénaires à peine influencées par l'extérieur.

Malgré les attraits certains de Katmandou, nous préparons notre départ vers la montagne aussi rapidement que possible. En moins de deux jours, nous obtenons toutes les autorisations et nos places sont réservées pour le vol qui doit nous mener au cœur de la chaîne de l'Himalaya, le 6 avril.

Le matin du départ, je suis tout excité à l'idée de voir enfin l'Everest. En descendant les sacs pour prendre un taxi vers l'aéroport, je constate qu'une agitation anormale règne dans le hall d'entrée de notre hôtel. La nuit dernière a eu lieu devant le palais royal la plus importante manifestation depuis le début du mouvement de contestation. À l'aube, un couvre-feu général a été décrété. La capitale et les environs sont sous le contrôle de l'armée. Des rouleaux de barbelés sont déployés dans les rues. Toute circulation automobile et aérienne est interrompue. Katmandou est paralysée.

Jamais l'Everest ne m'a semblé aussi inaccessible. Les troubles vont durer une semaine.

Nous demeurons, la plupart du temps, confinés à l'hôtel. À un moment donné, on parle même de rapatrier les touristes si la situation s'envenime. Je suis sous une tension constante. J'ai peur de devoir renoncer à la randonnée ou, dans le jargon de la montagne, au trekking jusqu'à l'Everest. Mais je refuse d'envisager cette possibilité si près du but. Presque chaque nuit, lors de manifestations près du palais royal, nous entendons des coups de feu. Et le matin suivant, la rumeur circule: 30, 40 morts sont survenues au cours de la nuit. Après 5 jours de ce conflit social généralisé, mon moral est au plus bas. Mes compagnes de voyage sont tout aussi effrayées et à peine plus optimistes.

Puis, une nuit, se tient la plus importante manifestation depuis notre arrivée. Du moins, de notre chambre, le bruit est assourdissant. Il semble encore plus près que les nuits précédentes. Pas question de se pointer le nez dehors, ni même d'ouvrir les volets des fenêtres. Au matin, la mine déconfite par l'insomnie, nous nous attendons au pire. Mais quelle n'est pas ma surprise lorsque j'apprends que les bruits qui nous ont tenus éveillés la majeure partie de la nuit étaient en réalité des manifestations de joie. Après une semaine de tension extrême dans le pays, le roi a finalement donné son accord au principe d'un parlement élu. La crise est réglée. Durant la journée, des milliers de personnes descendent dans les rues de Katmandou pour fêter leur démocratie toute neuve.

    - Enfin! nous avons la démocratie, se réjouit le jeune commis à la réception de l'hôtel.

    - Vous allez bientôt avoir des élections.

    - Non, non, pas besoin d'élections, nous avons la démocratie!

La vie reprend lentement son cours normal et nous nous dépêchons de partir en montagne avant que les Népalais ne se réveillent dans le merveilleux monde de la démocratie...

L'accès à la vallée du Khumbu qui mène à l'Everest se fait par Lukla, petit village situé à 2 700 mètres d'altitude. Plutôt que

25

de marcher 5 jours à partir de Jiri, un autre village distant d'une dizaine d'heures d'autobus de Katmandou, nous franchissons la distance en avion. Quarante-cinq minutes suffisent, quand le temps le permet. Une piste d'atterrissage de gravier a été construite à Lukla il y a près de 25 ans par des volontaires népalais et étrangers sous la direction de Sir Edmund Hillary, le premier être humain à avoir atteint le sommet de l'Everest[1]. La piste est située sur le terrain le plus plat du village. Elle accuse néanmoins une forte inclinaison, compte tenu de la pente très prononcée de ces vallées profondément encaissées. Un mur de rocher noir et compact marque la fin de ce terrain d'atterrissage inattendu. Cette piste est tout juste assez longue pour permettre l'atterrissage des Twin Otter canadiens, avions de brousse à 16 places. «Juste assez», se dit-on en apercevant la carcasse d'un avion dans un champ voisin de la piste!

Autrefois, Lukla n'était qu'un petit village de quelques masures situé à flanc de montagne, à l'embouchure de la vallée du Khumbu. La construction de la piste a ouvert la voie au développement de toute cette vallée. Avant 1950, le Népal était complètement interdit aux Occidentaux. Grâce en majeure partie aux efforts diplomatiques déployés par les Britanniques établis en Inde, le Népal commence à accepter l'entrée d'étrangers au moment où le Tibet, lui, ferme ses portes, et ce, jusqu'en 1980. Durant cette période, les tentatives d'ascension de l'Everest se font toutes à partir du Népal. Au début, les premiers explorateurs devaient marcher plusieurs semaines à partir de Katmandou dans les basses vallées, par endroits couvertes de jungles et infestées de sangsues durant la mousson. La nouvelle piste d'atterrissage de Lukla a modifié graduellement le paysage du Khumbu en facilitant l'accès vers les hautes vallées de l'intérieur du pays. Dorénavant, on peut faire l'aller-retour jusqu'au camp de base de l'Everest en trois semaines de marche seulement.

Le village de Lukla est en pleine expansion. Depuis le début des années quatre-vingt, le trekking au Népal, et particulièrement dans la région de l'Everest, est de plus en plus populaire. Des milliers de trekkers visitent chaque année cette vallée. Pour

---

1. Voir les repères historiques concernant les expéditions au mont Everest, en annexe, p. 257.

les Népalais de la région, en majorité descendants des Tibétains férus de commerce, l'afflux de touristes constitue une véritable mine d'or. La demande d'hébergement a toujours dépassé l'offre. Cette année, plusieurs auberges sont en construction.

En débarquant à Lukla, j'ai l'impression d'être revenu environ deux siècles en arrière! N'était de la présence de l'avion qui nous y a amenés et de quelques radios transistors, on se croirait volontiers dans un village du Moyen Âge. À partir d'ici, il n'y a pas de route entre les villages. Pas de véhicules, pas de charrettes non plus. La roue n'existe pas dans les hautes vallées du Népal, les sentiers sont trop escarpés. Tous les déplacements et tout le transport de marchandises se font à pied, à dos d'hommes... et de femmes.

Dès notre descente d'avion, de jeunes sherpas nous abordent:
- *Everest basecamp? Need guide? Porter? Hotel?*

Je décline poliment les offres. Je préfère prendre contact avec le représentant à Lukla de l'agence qui a obtenu notre permis d'ascension pour l'Everest. À Katmandou, dans cette même agence, on m'a assuré qu'on nous aiderait à organiser notre randonnée jusqu'au camp de base de l'Everest sans trop de frais. Je débarque donc à Lukla avec un nom et une adresse. Je suis un peu inquiet de ne pas trouver rapidement l'endroit. Mes craintes se dissipent vite car la première personne à qui je demande le renseignement me conduit directement à l'auberge tenue par Nima Nurbu, le *Sherpa Coop Hotel*. L'établissement est construit à l'image des yourtes* des nomades tibétains: une grande pièce circulaire avec un énorme foyer au centre. En voyant le large banc de bois patiné par l'usure qui entoure presque toute la circonférence du foyer, je me dis qu'il doit faire plutôt froid ici le soir. Au bâtiment central de pierre ayant la forme d'une énorme tente ronde, s'ajoute une aile construite en bois, avec des chambres privées et tout au fond un grand dortoir. La maîtresse des lieux nous accueille chaleureusement. C'est une femme sherpa de constitution robuste, à la poitrine généreuse, au visage ouvert et si souriant qu'on a envie de courir se blottir dans ses bras. Elle nous sert une savoureuse soupe pendant que nous planifions notre trekking.

Je souhaite partir le plus tôt possible. Les événements de la semaine dernière nous ont fait perdre beaucoup de temps. Pour atteindre le camp de base de l'Everest, nous prévoyons de 12 à 14 jours de marche. Nous devons utiliser les services de porteurs, car nous avons un peu trop de bagages pour tout transporter nous-mêmes. Nima Nurbu nous conseille d'engager aussi un guide, même si cela augmente quelque peu nos frais. Il nous propose un jeune sherpa de 18 ans, Pemba Sherpa. Sa tâche est de nous indiquer le chemin, de trouver les porteurs et surtout de coordonner leur travail. Avec une bonne carte et une certaine dose de débrouillardise, nous pourrions arriver à trouver nous-mêmes notre chemin vers l'Everest, malgré l'absence d'indications sur la plupart des sentiers. Par contre, la présence du guide devient essentielle puisque nous avons besoin de l'aide de porteurs. Les porteurs de la vallée du Khumbu ne parlent en général que le tibétain ou le népalais. Pemba, en plus de ces deux langues, connaît quelques rudiments d'anglais.

Nima Nurbu nous explique les normes népalaises qui s'appliquent au travail des porteurs et guides. Les porteurs transportent une charge d'environ 25 kilos, en plus de leur nourriture et d'une couverture de laine pour dormir. Les étapes journalières sont d'une durée moyenne de 6 heures. Ces porteurs reçoivent pour salaire 100 roupies par jour, soit l'équivalent de 3 $, et doivent assumer leurs nourriture et logement. Le guide reçoit le même salaire, mais ses frais de subsistance sont à notre charge. Le tarif du guide me surprend un peu. Le salaire que reçoit un guide me semble un peu faible, compte tenu de ses responsabilités que j'imagine plus grandes que celles des porteurs. Mon interlocuteur lit l'étonnement dans l'expression de mon visage et s'empresse d'ajouter que si nous avons été satisfaits des services de notre guide nous pouvons bonifier son faible salaire par un substantiel pourboire à la fin. L'usage veut que le pourboire soit en argent ou en matériel. Les sherpas apprécient particulièrement les produits manufacturés aux couleurs attrayantes. Enfin, il conclut en disant que ces règles sont connues de tous et nous encourage fortement à les respecter si nous voulons éviter des complications.

Je me féliciterai à plusieurs reprises d'avoir suivi ses conseils. Je découvrirai rapidement que le guide profite largement de son allocation de subsistance. Il nous en coûtera en général plus que son salaire pour nourrir Pemba, surtout les jours de repos. Il semble qu'il y ait peu de choses plus importantes pour un sherpa qu'un estomac bien rempli!

Le 16 avril 1990, matin du départ, Pemba vient nous rejoindre avec nos porteurs. Il s'agit de deux robustes jeunes femmes, Nima Doma et sa sœur, et d'un homme assez âgé à peu près sourd. Ce dernier nous faussera compagnie à la fin de la seconde journée de marche, prétextant une charge trop lourde. En fait, il nous jouera un bon tour. Il demande avant de partir une avance sur son salaire afin d'assurer sa subsistance durant le trekking. Pemba nous certifie que c'est une pratique normale.

- Cinq cents roupies devraient suffire, nous dit-il.

Payé d'avance pour cinq jours, le lendemain, l'homme abandonne le travail.

- Sac trop lourd! apprenons-nous par l'intermédiaire de Pemba. L'homme doit en principe nous rembourser 300 roupies. Plus expérimenté que notre guide et que nous-mêmes, le fin renard prétend avoir laissé la somme à sa femme au départ et nous affirme qu'il nous la rendra à notre retour. Je commence à soupçonner le stratagème. Voyant la mauvaise humeur me gagner, notre guide s'engage à percevoir lui-même le montant ou à le payer de sa poche. Évidemment, au retour, ce fameux porteur restera introuvable. Finalement, nous ne pourrons nous résigner à prélever, sur la rémunération déjà peu élevée de notre guide, trois jours entiers de salaire. Il faut payer pour apprendre!

Par un beau matin de cet avril 1990, c'est donc enfin le départ vers le camp de base de l'Everest. Le soleil est radieux et la température idéale. Montréal est loin derrière. Nous marchons dans des sentiers plusieurs fois centenaires utilisés jadis pour le commerce entre le Népal et le Tibet. Nous voyageons au même rythme que les caravanes qui transportaient thé, épices et soieries. Nous nous arrêtons aux mêmes villages, dans un décor qui n'a presque pas changé. Les marchands ont été remplacés par des randonneurs voulant admirer les majestueux sommets de l'Himalaya en parcourant les vallées à pied. Les deux premiers jours, nous progressons entre les cultures en terrasse tout au fond de la vallée de la rivière Dudh Kosi. Nous traversons plusieurs villages et arrêtons pour notre première nuit à Phakding, à 2 800 mètres d'altitude.

Nous passons la nuit dans une auberge aménagée à même la résidence des propriétaires, appelée ici *tea house*. Construite selon le modèle traditionnel de résidence sherpa, cette maison de deux étages est faite de pierres taillées à la main, élevées sans mortier.

La nuit, les animaux, bœufs et yacks, occupent le rez-de-chaussée afin de procurer un peu de chaleur aux occupants: odeur garantie sans supplément! À l'étage, se trouvent une cuisine-salle à manger et un dortoir où on peut dormir sur des paillasses pour 5 roupies par nuit (0,15 $). La cuisine se fait sur un feu de bois entre des pierres servant de support aux larges chaudrons. Ici, pas d'électricité ni de réfrigérateurs. La conservation des aliments préparés est difficile. Tout est cuisiné au fur et à mesure. La moindre petite soupe peut demander jusqu'à une heure de préparation. Il faut attendre près de 2 heures pour le repas complet du soir. Et le tout coûte entre 30 et 60 roupies (1 $ à 2 $), selon le menu.

Pour cette première nuit, je dors mal. Dans mon sac de couchage hivernal, j'ai trop chaud. À l'extérieur, j'ai froid. Au matin, je me réveille couvert de petites marques rouges sur le corps et ça pique! La paillasse était infestée de puces. J'espère que mon sac de couchage n'abritera pas trop longtemps ces bestioles. Ici, les possibilités de nettoyage sont plus que restreintes. Heureusement, le désagrément ne durera pas. Après quelques nuits de démangeaisons, l'altitude et le froid auront finalement raison de ces désagréables parasites.

À la fin de la deuxième journée de marche, nous atteignons le village de Namche Bazar, situé à 3 450 mètres d'altitude, après une longue et pénible montée. Nous y prenons une journée de repos afin de faire un premier palier d'acclimatation à l'altitude[2].

À compter de 3 000 mètres, la baisse de pression atmosphérique commence à se faire sentir. Au début, les pulsations cardiaques et le rythme respiratoire s'accélèrent. L'organisme tente de capter plus de molécules d'oxygène. Puis, constatant que la carence en oxygène dans l'air persiste, notre corps commence graduellement à s'y habituer. Le nombre de globules rouges dans le sang augmente et les différentes pressions du système cardio-respiratoire se modifient à la baisse pour s'équilibrer avec la pression atmosphérique. Ce processus complexe prend un temps variable selon les individus et utilise beaucoup d'énergie. Règle générale, il faut éviter de monter plus de 300 mètres par jour à partir de 3 000 mètres et prendre au moins 1 journée de repos à chaque 1 000 mètres d'ascension. Au-dessus de 5 000 mètres, les

---

2. Voir en annexe le texte intitulé «L'acclimatation à l'altitude», p. 267.

Namche Bazar, village sherpa construit à flanc de montagne.

étapes de repos doivent être plus fréquentes et plus longues. Ne pas se conformer à ces règles simples de sécurité peut entraîner des conséquences graves telles que l'œdème pulmonaire ou cérébral, voire la mort. Le premier symptôme est un mal de tête lancinant et persistant. Si le mal de tête se fait encore sentir le matin au lever, cela indique qu'il faut éviter de monter cette journée-là.

Je connais le phénomène de l'acclimatation à l'altitude pour l'avoir étudié attentivement dans des livres de médecine spécialisée et surtout pour l'avoir vécu à plusieurs reprises auparavant. J'ai le souvenir de malaises pénibles au cours de mes premières ascensions en haute montagne où j'étais monté trop rapidement. Aujourd'hui, je sais prendre un rythme de progression plus modéré. Je sais aussi comment jauger le rythme d'acclimatation des membres d'un groupe. J'entends bien profiter de cette expérience pour simplifier le déroulement de notre voyage.

Lors de cette halte à Namche Bazar, nous en profitons pour flâner dans le village. Il est construit à flanc de montagne à la rencontre de deux importantes vallées. La vallée de la rivière Dudh Kosi, que nous allons remonter jusqu'à sa source, donne sur l'Everest et son camp de base. Celle du Nangpo Tsangpo constitue une ancienne voie d'accès et de commerce importante vers le Tibet par un col de montagne maintenant interdit.

Namche Bazar est en quelque sorte la capitale de l'ethnie sherpa au Népal. Les sherpas ont fui devant la menace chinoise pour s'installer dans cette haute vallée. Le projet des Chinois de conquérir le vaste Tibet pour agrandir leur propre pays n'est pas récent. À plusieurs reprises, au cours des siècles passés, des groupes de sherpas ont dû quitter le Tibet afin de conserver leur liberté devant la pression de l'envahisseur. L'armée chinoise occupe d'ailleurs l'ensemble du Tibet depuis 1959. Une importante colonie sherpa s'est développée dans les hautes vallées du Népal, à l'abri des invasions grâce à la barrière des montagnes.

La vie est rude à cette altitude et les habitants travaillent avec acharnement, sans aucun équipement mécanique, à tirer d'une terre rocailleuse suffisamment de nourriture pour subsister durant l'hiver.

À 15 minutes de marche de notre *tea house*, au sommet du promontoire surplombant le village, se trouve un musée. Un peu avant midi, Fernande et moi décidons de monter la pente abrupte qui y mène. Je suis curieux de visiter un bâtiment public dans un petit village de montagne et aussi de profiter d'un point de vue unique du haut de cet observatoire.

Au détour du sentier qui monte en lacets, on aperçoit la pyramide sommitale de l'Everest derrière la grande muraille de rocher de Lhotse. Nous sommes déjà essoufflés par la montée, mais la vue de ce géant nous coupe littéralement la respiration. Nous nous arrêtons plusieurs minutes devant ce spectacle grandiose. Après tant d'années d'attente, les larmes nous montent aux yeux malgré nous. La magnificence de l'Everest restera gravée dans mon cœur. Avec un nuage accroché à son sommet, il se dresse au-dessus de tout et de tous, auréolé de mystère. Pas étonnant que, dans les traditions locales, il soit considéré comme le séjour des dieux. Les Népalais le nomment Sagarmata et les Tibétains Chomolungma, la déesse mère de la Terre. Je vois bien que la montagne dépasse de loin ce à quoi je m'attendais et à quel point le projet de l'ascension est ambitieux. J'ose espérer atteindre ce sommet, qui me semble encore plus inaccessible maintenant que je le vois de mes propres yeux. Nous sommes encore à plusieurs jours de marche et la montagne m'apparaît gigantesque malgré la distance. Ce premier contact avec le toit du monde marque le début d'une longue aventure.

Aux abords du musée, on croise quelques visiteurs qui, tout comme nous, profitent de la vue splendide. En franchissant l'unique porte d'entrée, on s'aperçoit tout de suite que le musée est plutôt délabré. Curieusement, il n'y a ni gardien ni prix d'entrée. On y trouve quand même plusieurs vieilles photos expliquant la géographie des lieux ainsi que l'ascension des géants du Népal telle qu'elle se pratiquait dans les années soixante. La partie la plus intéressante, à mon avis, est toute la section du bâtiment qui présente le mode de vie des sherpas. Le feu de bois central et les ustensiles de cuisine recréent l'intérieur d'un foyer typique. Avec des moyens rudimentaires, ce peuple ingénieux a réussi à survivre malgré un climat particulièrement rigoureux. J'essaie de m'imaginer la force de caractère qu'il faut posséder pour passer sa vie dans des conditions si difficiles. Depuis notre arrivée dans les montagnes, j'ai remarqué à quel point la plupart des sherpas que nous avons croisés affichaient un sourire et présentaient une mine enjouée. Le contraste avec les visages préoccupés de bien des Occidentaux qu'on rencontre dans nos villes est plutôt frappant. Pourtant nous, les bien nantis de la Terre, aurions toutes les raisons de nous montrer satisfaits de nos conditions de vie.

Après cette journée de relâche fertile en émotions, nous retrouvons, tôt le matin suivant, guide et porteurs. La marche continue. Durant ces journées où l'on progresse vers le camp de base, mon esprit demeure engourdi. Je suis incapable d'envisager l'ascension de cette montagne qui grandit chaque jour, à mesure que l'on se rapproche, si bien qu'elle occupe bientôt tout le paysage de mes pensées. Je me sens si minuscule, si fragile devant cette immensité. Je sais, quoique confusément, que je ne suis pas au bout de mes peines. Je suis vraiment découragé.

L'étape suivante, c'est Tyangboche. Perché sur une arête au pied du mont Ama Dablam (6 858 mètres), le monastère de Tyangboche est le plus important de la foi bouddhique à l'extérieur du Tibet. Entouré de quelques auberges tenues par des moines, il est une étape reconnue de l'itinéraire vers l'Everest.

Une vision de désolation nous accueille. Il y a à peine quelques mois, en décembre 1989, le monastère plus que centenaire a été complètement détruit par les flammes. Seul un amoncellement de pierres noircies indique l'emplacement du vénérable bâtiment. L'incendie a été causé par une défectuosité de la génératrice nouvellement installée pour fournir de l'éclairage. De nombreux ouvrages religieux et des *thankas*, ces très anciennes peintures représentant les diverses divinités bouddhiques, n'ont pu être sauvés. Le moins qu'on puisse dire, c'est que le prieur du monastère, réfractaire au départ à l'idée d'installer cette génératrice, n'a guère été impressionné par la technologie moderne!... Devant l'auberge, une affiche annonce la reconstruction de la lamaserie et sollicite une contribution volontaire de la part des voyageurs.

Nous passons une agréable soirée dans la cuisine de notre *tea house* à regarder le jeune cuisinier sherpa et de nombreux assistants préparer les repas pour tout un groupe de randonneurs affamés et déshydratés. Il ne faut pas être pressé. Aussitôt le soleil couché, l'air se refroidit considérablement et nous nous réfugions avec plaisir autour du feu de bois dans la cuisine. De toute façon, il n'y a nulle part où aller par cette nuit noire, rien d'autre à faire. Ici aussi, un énorme foyer trône au centre de la place. De temps en temps, quelqu'un ajoute des bûches qui font jusqu'à un mètre de long. Pour toute cheminée, il y a un trou dans le toit. Une fumée âcre envahit totalement la pièce, si bien qu'on distingue à peine ce qui se passe à l'autre bout. L'éclairage se résume à un fanal au kérosène qui jette une lumière crue autour de l'équipe de cuisine qui s'affaire autour des chaudrons. Cette faible lumière ne parvient pas à percer le rideau de fumée opaque. Tout autour de la vaste salle, je devine plus que je ne compte une dizaine de clients qui, tout comme nous, attendent patiemment leur repas. À intervalles d'environ 15 minutes, une assiette tendue par une main émerge du cercle lumineux et vient rejoindre dans la noirceur son heureux destinataire. Tout près de nous, un vieux sherpa tout noirci par la fumée pèle avec ses ongles de petites patates bouillies. Je me félicite intérieurement de ne pas avoir demandé de patates pour souper. Deux heures plus tard, tout le monde a mangé et nous regagnons lentement à la lueur des lampes de poche le dortoir froid et obscur. J'ai l'impression de pénétrer dans une glacière. Après de longues minutes à frissonner, la douce chaleur du sac de couchage m'envahit et je m'endors calmement.

Il a gelé durant la nuit et au matin nous demandons un peu d'eau chaude au cuisinier pour nous laver la figure. La douche est un luxe qu'on ne se permet que sporadiquement. De toute façon, à cette altitude, il faut attendre la chaleur de midi pour se déshabiller complètement et oser se laver. Les sherpas, eux, enlèvent rarement tous leurs vêtements. Habitués à cette vie rude et sans confort, ils ne se lavent presque jamais.

Le jour suivant, nous arrivons à Phériche, à 4 240 mètres d'altitude. Dernier village habité toute l'année, il compte plus d'une vingtaine de maisons dont une infirmerie construite récemment par la Fédération de montagne du Japon et exploitée par des volontaires. Avant la construction de ce dispensaire, plusieurs randonneurs ont péri de problèmes reliés à l'altitude. La présence de liquide dans les poumons, détectable au stéthoscope, indique un début d'œdème pulmonaire. La mort peut survenir en aussi peu que 12 heures si on n'intervient pas promptement. Il devient impératif de descendre là où la pression atmosphérique est plus élevée. Quelques centaines de mètres avant d'arriver à Phériche, nous rencontrons 2 sherpas qui transportent sur leur dos un homme en apparence vivant. Ils se dirigent vers le village où nous nous sommes arrêtés pour dîner. Peinant sous leur charge, ils nous croisent sans s'arrêter ni même nous adresser la parole. Conscients de l'urgence et de l'importance de leur mission, nous leur laissons le passage et les regardons remonter péniblement la colline qui barre l'entrée du village. En un rien de temps, ils disparaissent dans la longue descente qui les mènera à une altitude inférieure. Nous apprendrons plus tard qu'il s'agissait d'un Italien souffrant d'un œdème pulmonaire. La rapide intervention des sherpas lui a sauvé la vie et le jour suivant, environ 500 mètres plus bas, il était sur pied.

Après une nuit à Phériche, Fernande souffre d'une intoxication alimentaire et d'un solide mal de tête. Rien de très grave mais, après consultation à l'infirmerie, nous décidons d'attendre quelques jours avant de continuer.

Jusqu'à maintenant, tout s'est déroulé normalement. Mais à partir d'ici, au-delà de 4 000 mètres, la diminution de la pression atmosphérique causée par l'altitude commence à se faire vraiment sentir. Personne n'y échappe. Le mécanisme de la respiration est perturbé et soumis à un stress élevé. Tout le système cœur-poumons doit réagir et s'ajuster à la baisse de pression de l'air. La diminution d'oxygène affaiblit l'ensemble des fonctions du corps. L'organisme arrive à s'adapter progressivement, de lui-même, à ces conditions anormales si on lui en laisse le temps. Mais l'acclimatation est épuisante pour le physique et l'attente, éprouvante pour le moral. Le froid est plus cinglant aussi. Les arbres ont disparu. Le vent souffle et soulève des tourbillons de poussière qui s'insinuent partout, même à l'intérieur des maisons. Les conditions de vie deviennent de plus en plus exigeantes.

Cet arrêt forcé accentue encore un peu plus mon insécurité. Je trouve essentiel pour ma préparation à l'ascension de l'Everest de séjourner au camp de base. C'est en définitive le but de notre voyage actuel. Mais nous avons perdu beaucoup de temps. Je me demande s'il nous en reste suffisamment pour y arriver. Que se passera-t-il si une partie du groupe ne peut continuer? J'ai peur de devoir renoncer si près du but. Je suis déterminé à continuer et j'élabore plusieurs stratégies. Je songe même à retarder mon retour et à renvoyer le guide avec les personnes qui voudront rentrer. Je vis ces journées sous une tension constante, tantôt impatient de continuer, tantôt abattu à l'idée d'abandonner.

Quelques jours plus tard, mon moral reprend du mieux lorsque nous atteignons, tôt le matin du 19 avril, le dernier endroit qui mérite encore le nom de hameau: Lobuche, qui compte 4 maisons. On ne trouve à peu près plus de végétation. À 4 900 mètres d'altitude, il ne pousse que des herbes drues aux endroits abrités, sur les quelques rares bandes de terre qui résistent à l'action des vents. Nous sommes au milieu d'avril et il neige presque chaque nuit. Le jour, la neige disparaît rapidement, happée par le fort soleil. L'altitude de cette vallée, combinée avec une latitude identique à celle de la Floride, favorise l'ensoleillement. Durant le jour, le thermomètre peut atteindre les 20 °C et le soleil est cuisant à l'abri du vent. Par contre, on gèle aussitôt que le moindre nuage passe. La nuit, évidemment, le froid est intense. L'eau qui s'écoule du glacier et qui forme un torrent en aval n'est ici qu'un mince filet qu'on retrouve complètement gelé au matin.

Nous nous retrouvons devant le foyer du *tea house*, à siroter un thé sucré. Je remarque, empilé près des chaudrons servant à la cuisine, un nouveau combustible, plus facile à obtenir ici et moins coûteux: de la bouse de yack séchée au soleil.

Pendant ces quelques minutes de repos, je calcule mentalement notre horaire et me rends compte que le temps presse. Il ne nous en reste que très peu avant la date de retour. Je doute que l'équipe puisse soutenir le rythme et atteindre le camp dans les délais prévus. La crainte d'avoir à renoncer à me rendre au pied de l'Everest me reprend de plus belle. Je suis si impatient d'y arriver que je propose un arrangement qui me paraît convenable. Je monterai seul avec notre guide Pemba jusqu'au camp de base pour y passer la nuit. Nous prévoyons franchir la dernière étape en une très longue journée en forçant le pas. Pendant ce temps, mes compagnes se reposeront à Lobuche. Elles nous rejoindront le jour suivant, à mi-chemin entre Lobuche et le camp de base, à un endroit appelé Gorak Shep. De là, nous gravirons un éperon rocheux pour atteindre un point de vue unique sur l'Everest: Kala Patar (5 600 mètres).

Mon plan est finalement adopté plus par nécessité qu'avec entrain. Je laisse mes compagnes de voyage profiter du reste de la journée pour se reposer à Lobuche avec les porteurs et, sans perdre de temps, je pars avec Pemba. Nous franchissons la distance quasiment sans nous arrêter. Nous arrivons à destination à peine quelques minutes avant que le soleil ne se cache derrière les hauts sommets qui entourent la vallée. Je suis à bout de forces et passablement hébété par l'altitude: 5 400 mètres. Je ne suis pas encore acclimaté à cette altitude. Heureusement, un oncle de Pemba se trouve au camp de base avec une expédition de l'armée népalaise et nous invite à prendre le thé dans leur immense tente-salle à manger. Ce thé me réconforte quelque peu et plusieurs sherpas nous aident à constituer une plate-forme sur la glace avec des pierres plates pour monter notre tente.

Cette nuit-là, je dors peu et mal. Il fait froid durant la nuit, très froid. Je frissonne dans mon sac de couchage et j'ai peine à respirer. J'accueille avec plaisir le lever du soleil. Nous plions bagage rapidement et redescendons le glacier rejoindre nos compagnes de voyage au point de rendez-vous à Gorak Shep. J'ai vu ce que je voulais voir ici. Le camp de base est situé sur un glacier assez tourmenté, recouvert de blocs de rocher parfois énormes. La température reste somme toute assez agréable le jour grâce au soleil très intense, mais il fait très froid aussitôt qu'il se cache. Je reconnais qu'il est possible de vivre au camp pendant une assez longue période malgré les conditions difficiles et de conserver suffisamment d'énergie pour l'ascension.

Mais l'expérience n'est pas encore complète. Malgré la proximité de la montagne, on ne peut voir le sommet de l'Everest à partir du camp de base. L'éperon ouest culmine à 7 200 mètres et cache entièrement la pyramide sommitale. Pour l'apercevoir dans toute sa splendeur, nous devons nous rendre à Kala Patar, un point d'observation situé à quelques heures de marche du camp de base. Tel que prévu, Pemba et moi arrivons vers 10 h 00 le matin à Gorak Shep. On entend des rires joyeux fuser derrière des rochers. Mes 3 compagnes de voyage se sont blotties avec les 3 porteurs à l'abri du vent. Leur journée de repos leur a été salutaire, leur moral est meilleur. Quelques heures de montée abrupte plus tard, nous voyons enfin le plus haut sommet de la planète, tel qu'on le reconnaît sur la plupart des affiches et photos.

La vue du sommet de l'Everest, plus de 3 000 mètres plus haut, m'impressionne énormément. Des sommets enneigés l'entourent de tous côtés: Nuptse, Lhotse et l'éperon ouest, si imposant qu'il constituerait une montagne à lui tout seul s'il n'avait pas un si colossal voisin. La présence de ces géants qui barrent la vue renforce le sentiment d'inaccessibilité que j'éprouve face à cette montagne aux dimensions excessives. Malgré mon amour de la montagne, aujourd'hui, debout devant l'Everest, je considère ce projet d'ascension comme une souffrance que je voudrais éviter. Pourquoi moi? Je me sens petit, minuscule, et si faible. En fait, je suis complètement anéanti par cette idée. De sombres vapeurs envahissent mon cerveau et alourdissent mes membres. La peur me paralyse. J'ai l'impression de ne plus contrôler mon corps. Je me déplace comme un automate. Instinctivement, je m'abrite du vent derrière quelques rochers. Machinalement, je prends quelques photos. Bientôt, un très fort vent se lève et il commence à faire froid. Il faut songer à regagner notre abri au village de Lobuche.

Au début de la descente, des rochers instables nous portent à la prudence. La concentration et le mouvement me font lentement sortir de ma torpeur. J'essaie de mettre de côté l'appréhension que je ressens face à cet ambitieux projet. De toute façon, je ne peux rien y faire pour l'instant. L'ascension n'est prévue que dans un an environ.

Je demeure néanmoins préoccupé. La démarche incertaine, je retourne vers le confort relatif de notre auberge de Lobuche. Cette nuit-là et les jours qui suivent ne me laissent aucun répit: le simple fait de voir l'Everest me tourmente à chaque instant. Je ne peux m'empêcher de me croire incapable d'en réaliser l'ascension. Quels que soient les arguments que mon esprit oppose à cette idée, je ne parviens pas à me convaincre du contraire.

Seul l'éloignement de cette région chargée de la présence de l'Everest amènera une certaine accalmie dans mon esprit. Mais

notre voyage n'est pas encore tout à fait terminé. Le mauvais temps et l'afflux de voyageurs créent un embouteillage sur le minuscule terrain d'atterrissage de Lukla. Nous devons attendre 5 longues journées un avion qui met normalement 45 minutes pour rejoindre Katmandou. Durant cet épisode inattendu, je remarque à quel point les mentalités orientale et occidentale sont différentes. Les Népalais et les sherpas acceptent de bonne grâce, à ce qu'il me semble, les caprices du climat. Les Occidentaux, du moins un certain nombre d'entre eux, démontrent un manque total de courtoisie quand ce n'est pas une franche agressivité face au calme quasi imperturbable des préposés népalais. Le pauvre vendeur de billets ne peut évidemment indiquer avec certitude quand les vols reprendront. Il doit subir chaque jour les foudres de certains touristes de plus en plus impatients. Évidemment, tout le monde veut rentrer chez lui, à cause d'un emploi ou pour retrouver une famille, après un long voyage dans les montagnes.

Pour ma part, je profite pleinement de cette pause imprévue pour calmer mon esprit et apprendre un peu mieux la leçon de patience que nous sert la montagne. Lorsque, enfin, la circulation aérienne reprend, je constate à quel point les pilotes népalais peuvent être compétents. Ils nous pressent de partir car la tour de contrôle de Katmandou annonce un violent orage directement sur notre route. Ils volent à vue dans l'enfilade des vallées. Après à peine 15 minutes, de gros nuages menaçants nous obligent à atterrir dans un champ vallonné. La piste en terre battue faiblement balisée est à peine visible du haut des airs. Bientôt, un violent orage s'abat sur nous. La pluie poussée par le vent pénètre jusque dans le bâtiment où nous nous sommes réfugiés avec les autres passagers. Les avions sont ballottés sur leurs positions et je me demande ce qui serait arrivé si nous n'avions pas rejoint la piste à temps ou si les calculs de la vitesse de l'orage s'étaient avérés erronés.

Nous reprenons la route deux heures plus tard et atteignons enfin Katmandou sans encombre. Ici, la vie a repris son cours normal. Après la crise sociale inquiétante des dernières semaines, le calme est revenu au Népal. Je profite de notre retour dans la capitale pour faire un bilan de notre expédition exploratoire. Malgré les difficultés et le contexte politique troublé du Népal, j'ai atteint mon objectif de voir la montagne et de m'imprégner de l'ambiance de son camp de base. Mais ce que j'y ai vu a rendu plus nette mon angoisse d'en faire l'ascension. Pourquoi me suis-je lancé dans pareille aventure?

Le retour au pays se fait très rapidement. Les obligations ramènent chacun dans son propre monde. Je prends une décision, celle de ne pas prendre de décision... immédiatement! Nous sommes au début de mai 1990. Je me donne jusqu'à la fin juillet, soit après ma quinzaine de vacances, pour me fixer définitivement quant à ma participation à l'ascension. J'essayerai durant cette période de ne pas m'inquiéter, surtout de laisser le temps faire son œuvre et la décision se présenter d'elle-même.

3

LE CALME AVANT LA TEMPÊTE

Au retour, tout rentre dans l'ordre, ou presque. Chacun retourne à son travail. J'essaie de me faire petit et d'éviter autant que possible de faire des rencontres. J'esquive toute discussion concernant l'ascension de l'Everest. Mais un projet d'expédition éveille la curiosité et on me pose régulièrement des questions. Mal à l'aise, je réponds de façon évasive, car j'ai besoin d'une période de réclusion, de repos et de réflexion afin de prendre la décision d'y participer ou non. Je veux pouvoir décider sans pression de l'extérieur, autant que possible.

L'été passe lentement. Je demeure partagé entre l'attrait qu'exerce sur moi la plus haute des montagnes et les obligations de la vie quotidienne. Plus le temps avance et plus l'instabilité me gagne. Je résiste autant que possible au désir de prendre une décision hâtive. Je ne suis pas encore sûr.

Je me rappelle avoir accepté, il y a quelques années, de participer à une expédition au Népal malgré des sentiments contradictoires. Mon désir d'aller sur l'Himalaya prenait alors le dessus. Je voulais y aller à tout prix. Durant la préparation de l'expédition, plusieurs événements vinrent modifier mon point de vue. J'ai finalement renoncé quelques mois avant le départ et aussitôt, je me suis senti soulagé. Mon intuition m'avait bien servi cette fois-là. Ce n'était ni le bon moment ni la bonne expédition pour moi. Une autre fois, par contre, j'ai regretté d'avoir refusé d'accompagner un groupe sur un sommet du Népal. Les occasions ne se présentent pas souvent et j'ai regardé partir l'équipe avec envie, mais il était trop tard.

L'été se termine enfin. Je dois prendre ma décision avant la fin des vacances, fin juillet, sinon il sera trop tard. Je m'isole volontairement plusieurs jours avec ma compagne Fernande sur les

42

plages de Cape Cod. Nous fuyons les foules de cette période acha-landée en n'allant à la mer qu'au lever et au coucher de soleil. Nous nous réfugions au camping déserté sur le coup de midi ou faisons de longues randonnées à bicyclette. Puis, un matin, la réponse s'impose à moi, simple et claire. Mes expériences anté-rieures m'ont préparé à l'Everest, et maintenant, JE SUIS PRÊT, J'IRAI!

Les premiers jours, j'hésite même à en parler à Fernande tellement cette réponse me semble ridicule face au pénible pro-cessus de réflexion qui m'a torturé durant les six derniers mois.

- Je suis prêt, j'irai.

Apparemment, ces quelques mots suffisent à convaincre Fernande lorsque je me décide enfin à lui en parler, quelques jours plus tard. Elle a dû suivre le même cheminement, me dis-je, tel-lement l'intensité de cette réflexion imprégnait nos vies.

- C'est bien, je t'aiderai.

Un silence significatif s'installe plusieurs minutes entre nous deux. Inutile de rien ajouter. Il y a quelque chose d'entier et de simple à la fois dans cette réponse. J'y sens toute la confiance qu'elle m'accorde. Confiance dans mon jugement, dans mes capacités. Une confiance que j'ai bien l'intention de ne pas trahir.

Je ne suis pas encore tout à fait conscient à quel point ce soutien inconditionnel va m'être précieux. Désormais, la vie sera plus nette. L'objectif est clair: faire l'ascension de l'Everest. Simple oui, mais pas facile! Je vais avoir besoin d'aide, de beaucoup d'aide.

4

LA TEMPÊTE DANS UN CIEL SEREIN

L'objectif est clair, c'est vrai. Le réaliser, c'est une autre histoire. Rapidement, les choses se compliquent. J'établis au début d'août 1990 ma stratégie de préparation: consacrer le plus de temps possible à l'entraînement, tout en respectant mes autres obligations; entraînement physique régulier deux à trois fois sur semaine et sorties en montagne la fin de semaine; con-

server mon emploi à temps plein jusqu'au départ vers le Népal; épargner le maximum à partir de mon salaire afin de pouvoir payer ma part si aucune autre aide financière ne se concrétise; participer à la préparation de l'expédition avec le reste du groupe. Concilier toutes ces activités demande une discipline et une planification serrées.

Les semaines passent rapidement. Le temps est tout entier consommé par l'entraînement quotidien, le travail et les démarches que j'entreprends pour trouver des commanditaires. Ma forme physique s'améliore graduellement grâce à la course en montagne. Deux ou 3 fois par semaine, je cours sur les pentes du mont Saint-Grégoire, tout près de chez moi. Au début, je peux à peine franchir la moitié de la distance à la course. Après quelques semaines, je cours jusqu'au sommet. Puis, j'enchaîne 2 montées et descentes en moins de 30 minutes. Bientôt, je dois ralentir dans les descentes, car un mal de genou lancinant apparaît.

Presque chaque fin de semaine, je vais faire de la randonnée dans les États de la Nouvelle-Angleterre, au mont Mansfield, au mont Washington ou ailleurs. J'y vais le plus souvent seul avec Fernande, et parfois avec des amis. Tout le monde est bien heureux que je décide de transporter tout le matériel pour m'entraîner: pique-nique, couvertures, etc. J'y ajoute aussi quelques pierres pour obtenir la charge voulue. Je monte jusqu'au sommet des montagnes aussi rapidement que possible avec des sacs de 25 kilos en moyenne, parfois 30. Je redescends lentement et avec précaution pour épargner mes genoux. Évidemment, je laisse les pierres au sommet ou tout près. Ces montagnes sont probablement un petit peu plus hautes désormais grâce à mes efforts!

Au cours du mois d'août, un collègue de travail de Fernande propose de rechercher pour nous des commanditaires. Je pourrai désormais me consacrer à l'entraînement, m'assure-t-il. Nous travaillons néanmoins à la production de tee-shirts pour financer une partie des coûts de l'expédition, au cas où...

Au début de l'automne, les contacts avec les autres membres de l'expédition se multiplient. La composition du groupe est arrêtée de façon définitive. Quelques changements affectent l'équipe initiale formée 4 années plus tôt. Trois grimpeurs se sont retirés, 2 autres se sont ajoutés. Notre groupe se compose désormais de 8 personnes: 6 grimpeurs[1] (Rick Wilcox, chef d'expédition; Mark Richey, chef adjoint; Marc Chauvin, Barry Rugo, Gary Scott et moi-même), ainsi que 2 médecins (Richard St-Onge et Frank Lawrence). Ce dernier se désistera fin novembre, jugeant qu'il ne peut se libérer de son travail pour une si longue période. Il sera remplacé à la dernière minute par un autre médecin, Mike Sinclair. Âgé de 49 ans, ce dernier a commencé à pratiquer l'alpinisme assez tard, soit vers 40 ans, mais il y a consacré beaucoup de temps et d'énergie: Tibet, Pérou, Alaska et Québec en escalade de glace durant l'hiver 1987. Il est même le seul du groupe à avoir participé à une expédition à l'Everest, par son versant nord, côté tibétain.

Tous les grimpeurs sauf un proviennent d'un petit groupe d'amis qui se connaissent bien. Nous avons vécu, par petits groupes de deux ou trois, de nombreuses sorties et expéditions en

---

1. Voir les notes biographiques des membres de l'expédition à l'Everest (grimpeurs, équipe de soutien et sherpas) en annexe, p. 251.

Debout: Rick Wilcox, Barry Rugo, Marc Chauvin, Mark Richey. Au premier plan: Gary Scott, Richard (Dick) St-Onge, Michael (Mike) Sinclair et moi-même.

montagne. J'ai grimpé personnellement avec Mark Richey et Mike Sinclair dans les Andes, Barry Rugo au Québec, et je connais bien Marc Chauvin et Rick Wilcox. Seul Gary Scott m'est inconnu. Il l'est d'ailleurs pour la majorité d'entre nous. Seul Rick le connaît personnellement. Avant d'emménager au Colorado en 1988, Gary a travaillé comme guide à l'école d'escalade d'International Mountain Equipment dont Rick est propriétaire. Ils ont gardé contact et ce dernier n'a eu aucune difficulté à nous convaincre d'inclure dans notre groupe son ancien employé et collègue de travail.

Aussitôt l'équipe rassemblée, le travail commence. De multiples rencontres se déroulent au cours de l'été et au début de l'automne à North Conway, New Hampshire. Chacun se voit confier un ou plusieurs mandats selon ses disponibilités et ses compétences. Je suis chargé de collaborer avec Marc Chauvin pour les secteurs alimentation et communication. L'élaboration du menu m'intéresse tout particulièrement, puisque j'ai, depuis quelques années, une diète végétarienne.

Notre stratégie d'ascension est confirmée de façon claire au tout début de nos préparatifs. Chaque membre de l'équipe aura la possibilité de monter au sommet. Nous calculons le matériel et l'horaire en conséquence. Nous prévoyons utiliser de l'oxygène pour la dernière journée d'ascension seulement, c'est-à-dire à partir du col sud, à 8 000 mètres.

L'équipe s'entend pour prendre ses décisions par consensus. En cas de litige, les deux chefs, Rick et Mark, se réservent une voix supplémentaire au chapitre. Notre groupe est d'ailleurs constitué de grimpeurs ayant vécu ensemble les situations exigeantes de la montagne. La confiance mutuelle est déjà en grande partie établie.

Au cours d'une des premières rencontres, Gary, par l'intermédiaire de Rick, nous présente une demande un peu surprenante. Il souhaite au cours de l'expédition tenter de battre le record de vitesse d'ascension de l'Everest: moins de 24 heures pour monter du camp de base jusqu'au sommet sans oxygène et en solo. Ce record a été établi en 1988 par un Français dénommé Marc Batard. Gary, lui, détient le record de vitesse pour l'ascension du mont McKinley en Alaska et souhaite vraisemblablement ajouter l'Everest à son palmarès. Rick nous expose ce projet comme une façon pour Gary de se démarquer des autres grimpeurs de l'Ouest américain qui ont déjà gravi l'Everest. Il espère ainsi obtenir plus de commanditaires. Au cours de la discussion, Rick nous confie, à mots à peine couverts, selon son style direct habituel, que toute cette idée de record n'est que de la propagande destinée à obtenir plus d'argent de la part d'éventuels commanditaires. Je me joins à l'hilarité générale, inconscient de l'engrenage dans lequel nous nous engageons.

Un peu plus tard, Mark Richey met la main sur un feuillet promotionnel produit par Gary pour soutenir sa recherche de commanditaires. Dans ce texte, que je n'aurai jamais l'occasion de voir personnellement, il ne serait question que de la tentative de record envisagée par Gary. Nulle part, il n'y est fait mention des objectifs de l'équipe, ce qui laisse supposer que les autres grimpeurs ne serviront qu'à soutenir la réalisation d'un tel exploit. Selon Mark, la présentation de ce projet ne cadre pas du tout avec la stratégie de notre expédition. En fait, tout le monde fronce un peu les sourcils en prenant connaissance de ce document et Mark est si offusqué qu'une réunion spéciale est convoquée chez Rick, au cours de l'automne. Gary prend l'avion à partir du Colorado et vient nous rejoindre dans l'est pour s'expliquer. J'assiste à la réunion, mais je me tiens un peu à l'écart de cette discussion, croyant, un peu à tort, que cela me concerne peu. Je laisse Mark, et Rick surtout, prendre la décision finale. En fait, je suis totalement ignorant de ce fameux record du Français Batard, de la façon qu'il a été établi et surtout de comment il faudrait procéder pour le battre. Plus expérimenté en Himalaya, Mark questionne Gary à ce sujet pour s'assurer que cette tentative ne viendra pas perturber notre stratégie commune. Gary répond de façon très éloquente et réussit à convaincre la majorité du groupe. Rick donne toujours l'impression qu'il ne s'agit que d'une astuce promotionnelle et que cela ne viendra pas déranger notre expédition. En fait, je ne serais pas du tout surpris d'apprendre que Rick croit qu'il ne sera plus du tout question de battre de record une fois arrivés au Népal. Mark se montre quant à lui plus sceptique. Il exige de Gary un engagement ferme. Sa tentative d'établir un nouveau record ne devra se dérouler qu'une fois nos propres essais d'atteindre le sommet, fructueux ou non, terminés. Gary accepte en précisant que sa présence ne viendra en aucun cas modifier le déroulement de notre expédition. Il s'engage à attendre que nous ayons terminé pour se lancer à l'assaut du sommet, seul et sans oxygène.

Je ne sais que penser du réalisme de cette idée et, de peur de passer pour un ignorant, je me tais. La majorité du groupe demeure silencieuse et se range de ce fait derrière la confiance et l'optimisme démontrés par Rick. Quant à Mark, il n'insiste pas. Apparemment, il est convaincu. À moins qu'il n'hésite à user de sa prérogative de chef-adjoint pour exclure une personne qui ne semble pas cadrer tout à fait dans le projet. Il n'ose peut-être pas aller à l'encontre de l'avis du chef de l'expédition sans aucun appui solide dans le groupe.

Personne n'ajoute de commentaire et le sujet est clos. Nous poursuivons la discussion sur d'autres problèmes. Les véritables enjeux commencent à se préciser. Le financement prend une importance grandissante à mesure que l'on se rapproche de la date du départ. Dans l'organisation d'une expédition himalayenne, comme ailleurs, l'argent est *le nerf de la guerre*. Rick propose une façon simple de s'entendre sur ce point. Nous sommes huit. Chacun devra fournir un huitième du budget global au fonds commun de l'expédition. Si un des participants réussit par ses démarches à intéresser des commanditaires, et ainsi à souscrire une somme quelconque au profit de l'expédition, sa contribution personnelle sera diminuée d'autant. Si le montant recueilli dépasse celui prévu pour sa cotisation, l'excédent demeure évidemment dans le fonds commun et sert à diminuer celle des autres membres du groupe. Cette méthode de financement offre un avantage certain: responsabiliser chacun. De plus, puisque chacun contribue financièrement à part égale, son poids décisionnel est identique, du moins théoriquement. Pour avoir expérimenté moi-même avec plus ou moins de succès dans le passé d'autres façons de procéder, cette règle me convient parfaitement. De cette manière, personne n'attend sagement dans son coin que la recherche de commanditaires soit effectuée par d'autres, tout en bénéficiant des sommes amassées. Le seul désavantage de cette méthode serait de réduire l'intérêt d'un membre du groupe à poursuivre sa recherche de financement une fois sa contribution personnelle établie. Mais la difficulté que chacun éprouvera à conclure le moindre engagement avec d'éventuels commanditaires rendra sans effet cette faiblesse de notre système. En fait, seul Rick dépassera sa quote-part.

Lors d'une de nos réunions, nous convenons d'exclure du groupe un nom inscrit au départ. Il s'agit d'une figure connue dans le monde de l'alpinisme américain, mais cette personne ne veut pas s'engager financièrement. Notre équipe est basée sur l'égalité des membres à tous les niveaux: même contribution financière, partage du travail sur la montagne et chances équitables d'atteindre tous le sommet. Qu'une de ces conditions ne soit pas respectée nous semble suffisant pour exclure un éventuel partenaire.

De même, d'autres candidats plus fortunés se verront refuser l'accès à notre équipe. Plusieurs personnes nous offrent des sommes importantes, plus de 30 000 $ parfois, dans l'espoir d'être guidées jusqu'au sommet de l'Everest. La responsabilité d'un guide face à son client est trop importante pour qu'un membre de notre groupe envisage de jouer ce rôle. Nous estimons que nous serons tous trop près de nos propres limites pour prendre l'engagement de veiller sur quelqu'un d'autre. L'autonomie est un des critères premiers de sélection des participants.

J'entreprends aussi au cours de l'automne un traitement spécial avec un chiropraticien-kinésithérapeute, le Dr Jean-François Lafleur, traitement qui consiste à rééquilibrer tout le système musculaire. En relâchant les tensions et les nœuds dans les muscles trop stressés et en réactivant ceux qui sont inactifs, on aide le corps à retrouver un fonctionnement plus harmonieux. Après quelques séances, je me sens plus détendu, j'ai plus de force et d'endurance à l'entraînement. Je me sens aussi un peu plus confiant. Je sais qu'en altitude la charge de travail est énorme et que j'aurai besoin de toute mon énergie.

La marche du temps semble s'accélérer encore un peu plus vers la fin de l'automne. En novembre, les dernières questions trouvent des réponses. Les sommes d'argent importantes promises au départ ne se concrétisent pas. Les résultats sont décevants. Il est vrai que la crise difficile que traverse notre économie n'aide en rien. Peu importe. Je me sens prêt physiquement et moralement à me lancer dans l'aventure. Ce ne sont pas quelques milliers de dollars en plus ou en moins qui vont y changer quelque chose.

Je confirme malgré tout quelques ententes touchant en majorité de l'équipement et des services. Je n'obtiens que 1 700 $ en argent. C'est peu, comparé aux 25 000 $ que j'aurai investis en tout.

Nous décidons d'aller de l'avant avec notre idée de produire un tee-shirt. Tout un réseau d'amis et de membres de ma famille sont mis à contribution pour le vendre. Durant tout l'automne, j'organise plusieurs diaporamas à travers la province et nous vendons plusieurs centaines de ces tee-shirts.

Durant les derniers mois qui précèdent le départ, je conclus des accords avec différents médias. Une chronique hebdomadaire débutée de façon sporadique plusieurs semaines avant notre départ se poursuivra quasi sans interruption durant les trois mois que durera l'aventure. J'enverrai du camp de base des articles, communiqués et photos au journal *Le Canada-Français* de Saint-Jean-sur-Richelieu. Cette information sera aussi transmise à *La Presse* de Montréal.

De plus, le réseau N.T.R., qui regroupe quelque 70 stations de radio francophones, diffusera régulièrement une chronique intitulée *Everest 91*. Ces messages seront produits grâce aux cassettes que j'enregistrerai en montagne et qui seront transportées par coursier d'abord, puis par avion jusqu'à Katmandou, et retransmises par téléphone jusqu'à Montréal.

La période des fêtes de 1990 met, à toute fin pratique, un terme à mes démarches. Les cartes sont jouées. Il est trop tard de toute façon pour prendre d'autres initiatives. Le départ est imminent.

Je consacre les deux derniers mois avant le départ à parfaire ma forme physique en salle, à faire les derniers choix d'équipement et à me procurer tout ce dont j'aurai besoin pour participer à cette expédition. Je me sens hors du monde, hors du temps. L'ascension de l'Everest prend toute la place. Tout le reste me semble accessoire, inutile, voire banal en comparaison. J'oriente toute mon énergie vers l'essentiel, je fais comme si le reste n'existait tout simplement pas. Cette concentration des forces m'a toujours bien servi dans mes projets d'escalade auparavant. Cela ne laisse pas beaucoup de temps et d'énergie à consacrer à mes proches et à mes amis. Les choix sont parfois déchirants. J'en souffre autant sinon plus qu'eux. Je me sens terriblement seul, avec une tâche presque trop lourde sur les bras. Il me faut constamment contrôler mes pensées pour ne pas me laisser envahir par mes peurs, mes manques. Mais j'ai choisi l'Everest. Cela seul compte à présent. Mon monde se rapetisse, se concentre à la dimension des quelques centimètres carrés de glace et de neige les plus hauts de la planète. Je ne peux emmener personne dans mon monde. Je ne peux que les prendre dans mon cœur. L'image de mes proches va m'habiter tout au long de l'expédition, mais à quelques jours du départ, même leur présence me dérange. Ils restent, moi je pars. Le doute m'effleure. Mon équilibre mental vacille. Pourquoi est-ce que je décide de m'astreindre à ce régime spartiate? Pourquoi est-ce que j'abandonne tout et tous pour une aventure si incertaine et si risquée? Seule Fernande peut partager cette expérience avec moi. Dans un univers aussi rétréci, aussi simplifié, j'ai l'impression qu'elle seule peut me comprendre, mieux que moi-même parfois, et me supporter inconditionnellement. Elle sait. Tout simplement.

Les derniers jours avant le départ, je fais mes bagages lentement, calmement, comme si j'allais passer une semaine de vacances dans un chalet de montagne. Tout questionnement est inutile. Toute déviation de la ligne de conduite, impensable. Pendant les trois prochains mois de mon existence, toutes mes pensées et énergies seront dirigées vers une étroite plate-forme de glace quelque part dans la stratosphère, de l'autre côté du globe.

5

BON VOYAGE

Le 1er mars 1991 enfin, cinq ans après les premières démarches en vue de l'obtention du permis, j'embarque à Dorval en direction de Katmandou, Népal. Une sensation bizarre m'habite. L'effervescence des semaines précédant le départ semble ne pas vouloir s'arrêter. Quelques minutes avant de prendre l'avion, j'accorde une dernière entrevue pour la télévision. Je rejoins quelques amis et membres de ma famille venus me souhaiter bonne chance. Mais c'est déjà l'heure de partir. Fernande m'accompagne jusqu'à la barrière. Un dernier regard complice et je dois monter dans l'avion.

Et là, tout bascule. Le départ est trop brusque, la cassure trop nette. Quelques heures plus tôt, j'étais encore dans les préparatifs. Même à l'approche du jour J, le départ m'a toujours semblé lointain: trop de choses à faire, trop de détails à régler, car il ne faut surtout rien oublier. J'ai l'impression que mon univers s'est inversé d'un seul coup. Le temps lui-même semble changer de rythme. Avant, il n'y avait pas assez de minutes dans les heures pour tout faire. Maintenant, le temps s'est arrêté. Le rituel des attentes, transferts et enregistrements des bagages commence. Il faut patienter partout: dans les avions pour la prochaine escale, dans les aéroports pour le départ du prochain vol, dans les hôtels pour la prochaine journée de voyage. Il nous faudra en tout 28 heures de vol réparties sur 3 jours et 5 escales pour arriver à Katmandou. L'itinéraire prévu nous fait franchir plus de la moitié de la circonférence du globe. Premier arrêt: Boston, où je rejoins la majorité des membres du groupe. Je revis une seconde fois la scène du départ, avec un peu moins d'intensité cette fois. Brenda et Teresa, les épouses de Rick et Mark Richey, sont là. Elles doivent venir rejoindre leur mari au camp de base au début du mois de mai pour participer à la fin de l'expédition. Fernande doit les accompagner.

Escale suivante: Chicago. Mike Sinclair nous y rejoint. Autre vol, autre escale: Seattle. Cette fois, ce sont Gary Scott, John Villachica, qui prendra la charge du camp de base, et Jane Gindin, journaliste pigiste, qui rejoignent le groupe. Pour la première fois, nous sommes tous réunis.

Le nombre de bagages empilés près du comptoir d'enregistrement est impressionnant: 75 sacs de 25 à 30 kilos chacun. Rick réussit à confirmer les arrangements déjà prévus avec la compagnie aérienne. Cela nous économise quelques milliers de dollars qu'il aurait fallu payer en excédent de bagages. Ce ne sera pas la dernière fois que les talents de négociateur de Rick vont nous être utiles. La marge de manœuvre de notre budget est si mince qu'à plusieurs reprises toute l'expédition risque d'être compromise. Presque chaque fois, c'est Rick qui trouve la solution, et on continue!

En allant vers l'ouest, on remonte les fuseaux horaires. Il faut constamment reculer l'heure de sa montre et, au-dessus de l'océan Pacifique, avancer d'un seul coup de 24 heures. Quelque part au-dessus de l'océan, se produit le changement de date. En passant par minuit, on avance d'une journée pour conserver la continuité des dates sur le globe. Évidemment, cela complique la lecture du billet d'avion. À chaque escale, il faut vérifier dates et heures des transferts pour éviter d'avoir à attendre l'avion du lendemain. Plusieurs fois, j'ai l'impression que des erreurs se sont glissées dans mon horaire de vol, mais à chaque nouvel aéroport mes craintes se dissipent en vérifiant l'heure et la date locales!

Nous passons une nuit à Bangkok. À 22 h 00, il fait 28 °C. Cela est agréable et inattendu pour un début de mois de mars. On en profite pour se baigner dans la piscine extérieure de l'hôtel avant d'aller au lit.

Le 3 mars, nous arrivons enfin à Katmandou. Nous franchissons sans trop de problèmes les douanes népalaises avec tous nos bagages. Souvent, les expéditions doivent payer des frais de douane pouvant atteindre jusqu'à 25 % sur tout le matériel qui entre au Népal. Mais Rick nous tire une fois de plus des méandres de l'administration sans trop de problèmes. Il faut cependant laisser nos radios à la consigne de l'aéroport. Pour entrer des radios au Népal, il faut un permis. Tous les papiers pour obtenir ce précieux document ont déjà été fournis à notre agence de Katmandou, mais le permis n'est émis qu'une fois l'expédition entrée au pays. Je ne comprends pas encore les motifs de cette pratique mais, en attendant, je dois laisser tout le matériel de communication à la consigne et je ne suis pas enthousiasmé par cette idée. J'ai pris la responsabilité de cet équipement radio, sophistiqué et dispendieux, au départ du Canada. Je ne veux pas le perdre de vue, afin de le rendre, après notre périple, à la compagnie Midland Canada, qui nous l'a prêté.

J'accompagne le préposé dans un dédale de corridors. Nos échanges se limitent à quelques gestes et mimiques. La consigne est un local nu, crasseux et encombré de toutes sortes de boîtes et de paquets hétéroclites. J'enjambe des sacs de riz, des ballots de laine, et je nettoie un peu le dessus d'une étagère pour y déposer mon précieux colis. La gorge serrée, je jette un dernier coup d'œil et mémorise la disposition des objets dans la pièce. Je prie intérieurement afin de pouvoir retrouver et l'endroit et le matériel.

Lorsque je rejoins le reste du groupe, les formalités sont terminées. En un rien de temps, tous nos sacs sont hissés sur le toit de deux minibus qui nous attendent à l'avant du minuscule bâtiment de l'aéroport. Avec efficacité, de nombreux sherpas, sous la direction de Urgen, s'affairent et très vite nous sommes en route vers le *Tibet Guest House* dans le quartier Thamel. Les événements de l'année précédente me reviennent à l'esprit. Cette fois, notre hôtel est situé tout près du palais royal, juste à côté de l'endroit où ont été posées les premières barricades. Depuis l'an dernier, la situation a évolué et des élections sont prévues au cours du mois de mai 1991. La vie semble suivre son cours normal. La seule différence que je remarque dans le paysage citadin, ce sont les affiches électorales écrites en *devanâgari*, l'alphabet népalais tiré du sanskrit, illisible pour moi évidemment.

Les premiers jours, de nombreuses tâches d'organisation nous accaparent. Sous la direction de Rick, chacun se voit confier une responsabilité. Il faut obtenir les permis et visas pour la durée de l'expédition, compléter les achats de nourriture, classer tout le matériel, le répartir à nouveau en charges mieux équilibrées de 25 à 30 kilos, identifier tous les sacs pour ne pas les égarer durant la marche d'approche, etc. Cent soixante paquets s'empilent dans la cour intérieure de la maison d'Urgen. Il vit avec sa

famille dans une résidence typique de Katmandou: un seul étage aux murs de pierre finis de crépi blanc à l'extérieur, fenêtres de bois d'eucalyptus, toit de tuiles de style méditerranéen, et une cour intérieure entourée d'un muret de pierre où grimpent lierres et buissons. Sa cour est devenue notre centre d'opération durant la semaine que durent les préparatifs.

Déjà durant ces premiers jours, de petits groupes se forment par affinités réciproques. Les quatre grimpeurs de la Nouvelle-Angleterre, Rick, Mark Richey, Marc Chauvin et Barry Rugo, se connaissent depuis longtemps et forment un noyau solide, efficace et joyeux. Je partage une chambre à l'hôtel avec Marc Chauvin. Un phénomène! Il ne peut rester deux minutes inactif. Il m'étourdit presque. Il a toujours quelque achat à faire, quelque truc à régler. Marc s'occupe en plus, il est vrai, du groupe de trekking* qui arrive le 7 mars et qui doit nous accompagner jusqu'au camp de base. C'est sa façon à lui de gagner l'argent nécessaire à sa participation à l'expédition. Cela lui occasionne un surcroît de travail, mais il semble garder le contrôle de la situation. J'essaie au début de suivre son rythme, mais j'abandonne vite.

Les deux médecins, Mike et Dick, font équipe par nécessité professionnelle et s'occupent de trier le matériel médical. Gary Scott, quant à lui, fait plutôt bande à part. À sa demande expresse,

55

il occupe une chambre seul et se concentre surtout à organiser ses propres affaires.

Durant cette première semaine de travail collectif, nous faisons plus ample connaissance avec les quatre hommes choisis par Urgen comme porteurs d'altitude. Urgen, en sa qualité de *sirdar**, avait toute latitude pour sélectionner les personnes qu'il jugeait compétentes pour la tâche. Il s'agit d'Ang Nima, Ang Passang, Passang Tamang et Tshering Lhakpa. Les noms donnés aux sherpas correspondent souvent à leur jour de naissance: *dawa* en tibétain signifie lundi; *migma*, mardi... *passang*, vendredi. Auparavant, les Tibétains vivaient uniquement en petits groupes de nomades ou regroupés en bourgades. Les communautés étaient suffisamment limitées pour ne pas causer trop de confusion avec un nombre si restreint de noms. Mais les frontières se sont agrandies, surtout pour les jeunes sherpas qui voyagent beaucoup, et nous retrouvons dans notre petit groupe trois Passang. Pour éviter d'être confondus, ils adoptent parfois comme deuxième nom celui de leur tribu distincte. Ainsi, Passang Tamang fait partie de l'ethnie tamang, particulièrement présente dans les environs de Katmandou. Ang Passang et Passang Sherpa sont tous deux sherpas.

Même le mot *sherpa* porte parfois à confusion. Ils ont été les premiers et les seuls au début à accompagner les expéditions en montagne. C'est probablement grâce à leurs capacités physiques exceptionnelles en altitude ainsi qu'à leur caractère particulièrement serviable qu'ils ont été choisis en priorité devant les autres peuples par les premiers explorateurs britanniques. Le terme *sherpa* a depuis été souvent réduit à la signification de porteur d'altitude. Mais les sherpas sont plus que des individus aux poumons et aux jambes surdéveloppés. Ils forment un peuple distinct. Aujourd'hui, d'autres jeunes hommes, tel Passang Tamang, originaires des plaines ou des basses vallées, sont attirés par ce métier difficile et dangereux.

Je suis chargé d'obtenir les permis d'utilisation des radios. Le cauchemar! Avec Lalit Thapa, représentant de notre agence de Katmandou, je prends plus de trois jours pour réunir tous les documents nécessaires. Lalit Thapa, petit homme grassouillet au visage rond et au sourire affable et énigmatique, représente pour moi le marchand oriental type des récits d'aventure que j'ai dévorés dans ma jeunesse. Il ne dément pas sa physionomie de commerçant. Le premier jour, nous visitons pas moins de huit bureaux différents du ministère du Tourisme. Les jours suivants, il faut faire de même avec les ministères des Communications et des Finances. Partout, la même procédure. La journée débute par de longues discussions en népalais entre Lalit Thapa et un premier représentant des autorités. Puis, un lourd silence s'installe dans la pièce. J'imagine que cela fait partie de la stratégie de négociation, car lorsque je demande discrètement à Lalit Thapa ce qu'il faut faire, il me répond que nous devons rencontrer un autre fonctionnaire à l'autre bout de la bâtisse. Les pourparlers reprennent de la même façon avec ce nouveau personnage. Dans chaque bureau, j'ai amplement le temps d'étudier les lieux, pour la plupart encombrés de classeurs, de papiers et de meubles poussiéreux. Invariablement, une photo jaunie du roi et de la reine du Népal trône au centre de la pièce.

Enfin, il n'est rien que quelques *bakchichs** bien placés ne peuvent régler. En fin de journée, après avoir attendu en ligne plus d'une heure que le préposé à l'unique machine à écrire de l'édifice rédige les documents officiels, nous pouvons passer au ministère suivant. Trois jours et 600 $US plus tard, nous récupérons enfin les fameux appareils à l'aéroport.

Au cours de cette première semaine à Katmandou, j'apprends à apprécier les qualités d'organisateur de notre chef d'expédition, Rick, ainsi qu'à respecter son jugement. J'ai presque toujours été chef de groupe, lors de mes précédentes expéditions. Cette fois-ci, je ne joue pas ce rôle et je peux observer tout à loisir. J'apprécie surtout son sens de l'organisation et la justesse de ses décisions. Par contre, son leadership est un peu relâché. Il laisse les choses se régler d'elles-mêmes et jamais ne va imposer ses décisions. En général, tout fonctionne parfaitement bien parce que chacun est autonome, expérimenté, et travaille au succès de l'entreprise. Mais je ressens parfois une impression d'insécurité, de laisser-aller. À quelques reprises, ce laisser-aller suscitera des difficultés au sein du groupe. Mais l'ambiance reste excellente. Le voyage ne fait que commencer et chacun est rempli des intentions positives qui précèdent les grands projets.

6

EN ROUTE VERS
LE CAMP DE BASE DE L'EVEREST

Le 8 mars, nous quittons Katmandou pour Lukla. Même avion, même voyage que l'an dernier. Je suis malade la majeure partie de la nuit précédant ce vol. Les rouleaux aux légumes du restaurant chinois avaient un goût étrange. Durant toute la durée du vol, j'ai des haut-le-cœur et je suis près de vomir chaque fois que l'avion est secoué de soubresauts. Maigre soulagement, je tiens à la main le petit sac prévu à cette fin. Pendant ces interminables 45 minutes, le moindre courant d'air fait frémir la carlingue et le petit appareil de 16 places me donne l'impression de valser dans les airs. Et dire que ces montagnes ne sont même pas russes! Ultime épreuve, l'atterrissage. Le choc est particulièrement violent lorsque les roues touchent la piste de gravier et qu'au même moment le pilote freine à fond pour arrêter l'appareil avant le mur de rocher au bout de la piste. Je respire mieux lorsque, enfin, mon pied touche le sol.

L'avion n'a pu transporter que quelques-uns de nos sacs. Urgen est demeuré à Katmandou pour coordonner le transport de la plus grande partie de notre matériel par avion-cargo. Nous nous installons dans un *tea house* en espérant la livraison rapide de notre équipement pour débuter aussitôt que possible la marche d'approche. Notre groupe de huit, les six grimpeurs et les deux médecins, est augmenté d'une douzaine de personnes qui feront avec nous le trekking vers le camp de base, sous la responsabilité de Marc Chauvin. La maison, transformée en auberge pour accueillir les touristes de passage, a trois étages. La cave est habitée par les yacks. La salle à manger, la cuisine et une petite boutique occupent le rez-de-chaussée. À l'étage, se trouvent quelques chambres et un grand dortoir. La cour extérieure accueille les tentes d'une partie du groupe, puisque le nombre de lits disponibles à l'intérieur est insuffisant.

Il convient malgré tout d'appeler salle à manger cette grande pièce obscure et enfumée réchauffée le soir par un feu de charbon dans un seau, puisque nous nous y retrouvons pour le repas. Le souper est copieux et aussi long à préparer que de coutume. Il faut plus de deux heures pour parvenir à nous rassasier tous. Il se fait tard et aussitôt la dernière tasse de thé avalée, je monte au dortoir. D'étroits petits grabats de bois pourvus de matelas de mousse s'alignent en rangs serrés. À mon réveil, mon corps est marqué de plusieurs piqûres. Je rejette le matelas infesté de puces dans un coin de la pièce. La nuit suivante, malgré le froid, je dors mieux. On gèle. Ici, c'est encore l'hiver.

Un minuscule appentis juste à côté de la porte d'entrée du rez-de-chaussée sert de toilette. Un simple trou dans le plancher et les matières fécales s'accumulent dans une pièce de la cave. Régulièrement, cette pièce est vidée. À ma grande stupeur, son contenu est étendu dans la cour, dans le même champ où campe une partie de notre groupe!

Nous patientons plusieurs jours avant l'arrivée de notre équipement. Le doute commence à m'envahir. La promiscuité avec des individus aux caractères si différents du mien me dérange énormément. Cette période de préparation est pour moi de la plus grande importance. Depuis mon indigestion la veille du vol vers Lukla, mon physique va mieux, mais mon moral est plutôt bas. Je me demande ce que je fais ici, loin des miens. Je n'arrive pas à partager l'exubérance de mes compagnons. Même les réunions divertissantes du soir me laissent froid. Chacun y va de son anecdote, qu'il raconte dans un américain que je ne comprends même pas!

Je me sens seul. Et quand je me sens seul, je me renferme. Un après-midi, je décide de faire une marche dans la montagne derrière Lukla pour faire le point. La marche m'a souvent permis de voir plus clair à l'intérieur de moi-même. L'agitation me perturbe. J'ai l'impression de m'éloigner du but si élevé que je m'étais fixé, même si je m'en rapproche. Je dois réagir contre ce sentiment, sinon je serai toujours en marge du groupe. Je vais devoir me donner les conditions nécessaires pour respecter mon rythme et mon intériorité. Une pensée me vient à l'esprit: il me faut prendre les choses au jour le jour. Le précepte zen «ici et maintenant» prend toute sa signification dans une expédition comme celle-ci.

Enfin, le 12 mars au matin, Urgen débarque avec tout notre matériel. Un seul avion est disponible pour faire le transport de marchandises, les autres sont en réparation. C'est pour cela qu'il nous a fallu attendre 4 jours. Le Twin Otter doit faire la navette 3 fois entre Lukla et Katmandou et, vers 10 h 00 du matin, environ 200 sacs et boîtes sont empilés dans la cour intérieure du *tea house*. En quelques heures, tout est distribué. Près de 70 yacks et autant de porteurs sont chargés des colis. Tout se déroule rapidement et apparemment sans problèmes, sous la direction experte d'Urgen. J'aperçois même à un certain moment dans le groupe le vieux porteur soi-disant sourd qui nous avait donné du fil à retordre l'an dernier. Cette fois-ci, il ne nous fera pas faux bond.

Urgen, en *sirdar* expérimenté, saura garder le contrôle sur tout ce monde. Chaque pièce de bagage atteindra sans encombre le camp de base une dizaine de jours plus tard. Cette étape est cruciale dans une expédition. Plus d'une fois, la marche d'approche a contribué au succès ou condamné l'équipe à l'échec, suivant les qualités de son *sirdar*. Les responsabilités qui incombent à celui-ci sont grandes. Urgen s'affairera sans relâche à vérifier que tous les colis trouvent preneur le matin, et que chaque

porteur complète l'étape de la journée. Le lendemain, avant l'aube, ça recommence. Mais la pression de sa fonction le rend nerveux. À l'arrivée au camp de base, il sera soigné discrètement par un de nos médecins pour des brûlures d'estomac.

Vers midi, je quitte enfin Lukla. Quelques kilomètres, aisément franchis en moins de 3 heures, dans une profonde vallée encaissée nous amènent à Phakding. Le paysage agrémenté de bouleaux et de pins m'est quasi familier. Le climat est doux à moins de 3 000 mètres d'altitude. Le rythme de la marche me réconforte. Nous sommes en route vers notre destin.

Nous campons dans un champ aux limites du village. Phakding est une petite bourgade d'une vingtaine de maisons regroupées de part et d'autre du premier pont suspendu qui traverse la rivière Dudh Kosi. De notre campement, on remarque de hautes falaises rocheuses entrecoupées de vires herbeuses où poussent rhododendrons et eucalyptus. Elles ont un aspect plutôt rébarbatif. Je scrute avec mes jumelles le versant de la montagne pour trouver des traces de passage. C'est dans des falaises comme celles-ci que s'exerce le métier de chasseur de miel. J'ai lu un reportage très impressionnant sur ces hommes. Ils font d'abord un feu qui dégage beaucoup de fumée sur une vire à mi-paroi pour éloigner et étourdir les abeilles. Ensuite, ils descendent les parois dans des échelles de lianes et recueillent le miel à l'aveuglette en suffoquant dans l'épaisse fumée au milieu d'une nuée d'abeilles affolées. Ils manœuvrent d'une seule main une longue perche et tiennent un large sac entre les orteils. Ils s'agrippent de l'autre main à l'échelle qui oscille dans le vide. L'article parlait des derniers des chasseurs de miel, qui déploraient l'absence de relève pour ce travail dangereux et douloureux! Je me demande si c'est dans ces falaises-ci qu'on peut rencontrer ces hommes remarquables.

L'isolement qui régnait dans ce pays avant l'arrivée des grimpeurs et de la masse des randonneurs a permis la perpétuation de

cette occupation séculaire. Grâce aux moyens de transport modernes, on trouve aujourd'hui au Népal du miel récolté à moindres frais en des contrées éloignées. L'ouverture au monde, ici aussi, est en train de modifier profondément les habitudes de vie des habitants, pour le meilleur et pour le pire.

Ce premier campement est l'occasion d'instaurer le rituel de fonctionnement du groupe. L'équipe de cuisine, partie plus tôt le matin, est déjà en train de s'installer lorsque le reste de la troupe arrive. Les porteurs, ainsi que les provisions et le matériel de cuisine qu'ils transportent, sont sous la responsabilité du chef-cuisinier, Ang Dawa. Aussitôt arrivé, celui-ci assigne les tâches: chercher l'eau, peler les patates, monter les réchauds au kérosène, etc. Toute l'équipe de cuisine a reçu la consigne stricte de se laver les mains avec un produit désinfectant avant de préparer quoi que ce soit. Les légumes et la vaisselle sont aussi lavés avant la cuisson. Cela nous permettra d'éviter les empoisonnements alimentaires. De cette façon, presque personne de notre groupe ne souffrira de troubles intestinaux dus à la contamination de la nourriture. Le problème est si fréquent au Népal que nous avons décidé d'employer les grands moyens. En fait, seulement les repas pris dans des *tea houses* provoqueront à quelques reprises des malaises chez certains membres de l'expédition.

Le lendemain matin, à 7 h 00, un sherpa apporte des tasses de thé au lait sucré dans chaque tente. Dawa nous sert ensuite un solide déjeuner. Le camp est levé rapidement et, vers 9 h 00, nous partons. Chacun marche à son rythme et on se retrouve en fin de journée à l'emplacement fixé à l'avance pour le campement suivant. Ces quelques heures de marche m'offrent chaque jour un intermède de sérénité essentiel à ma concentration. Je prends conscience à quel point le voyage exploratoire de l'année dernière m'est utile. Je connais bien l'itinéraire et ne me laisse pas distraire par les surprises de la découverte. Les autres, Marc en tête, semblent bénéficier de sources intarissables d'énergie. Longues discussions le soir au camp, parties de cartes, rencontres avec des randonneurs qui commencent à affluer dans la vallée et même quelques conquêtes féminines pour Marc! Presque chaque jour, Mark Richey et quelques autres organisent une partie de football. Un après-midi, dans une vaste prairie à 3 600 mètres d'altitude, je les vois s'escrimer après le ballon et s'arrêter quelques minutes plus tard, à bout de souffle. Les sherpas, toujours joueurs, pallient leur manque de technique avec un ballon qui n'est pas *assez rond* pour eux par une capacité pulmonaire de loin supérieure. Ils sont parfaitement acclimatés à cette altitude où ils vivent normalement. Il nous faut, nous, habitants des plaines, plusieurs jours, voire deux à trois semaines, pour atteindre un niveau d'acclimatation comparable à celui des sherpas. Et encore, ils déploieront presque toujours une énergie supérieure à la nôtre, rompus aux travaux exigeants dans un milieu de vie des plus difficiles.

Je me tiens surtout avec Mike, Gary et George McKinley, tous au caractère plus calme, plus retiré. George est le guide accompagnateur du trek organisé par Gary pour financer sa participation à l'expédition: un groupe d'environ 16 personnes qui doivent venir nous visiter durant le dernier tiers de l'expédition.

Nous arrivons à Namche Bazar en fin de journée, le 14 mars, après la longue montée de 500 mètres, qui m'a paru moins pénible que l'an dernier. Nous nous arrêtons 2 jours pour permettre à nos organismes de s'habituer graduellement à cette altitude. Durant ces journées, malgré la consigne de repos, chacun planifie de multiples projets.

Les médecins décident de monter jusqu'à Khumjung, petit village situé sur un vaste plateau, 400 mètres au-dessus de

Namche Bazar. Ils visitent la famille de Pema et de Passang Sherpa. Ayant atteint le sommet de l'Everest à trois reprises, Pema est un des plus forts grimpeurs sherpas de sa génération. Il a accompagné Dick St-Onge dans ses voyages au Népal au début des années quatre-vingt. Passang Sherpa, le jeune frère de Pema, est handicapé depuis sa naissance par une main infirme. Dick, spécialiste de la chirurgie orthopédique, l'a opéré à plusieurs reprises et aujourd'hui Passang peut utiliser sa main presque normalement. Pour ce faire, il a dû passer près de deux ans aux États-Unis, le temps nécessaire pour subir ces interventions. Au contact de la culture américaine, il a rapidement adopté un nouveau *look*. Il faut le voir, vêtu de lycra fluo, écoutant de la musique rock en route vers le camp de base. Il fait partie de notre expédition en tant que courrier. Il fera la navette entre le camp de base et Lukla, portant lettres et messages.

Les deux médecins sont le point de mire de la famille et du village tout entier. Lors de leur court séjour, ils font même l'inauguration de la première douche de Khumjung. Personne n'avait encore senti le besoin d'utiliser cette installation d'inspiration étrangère installée dans la maison de Pema depuis plusieurs semaines déjà.

Je profite d'une des journées de repos pour faire une excursion avec George et Gary vers Thami, un monastère installé dans une vallée parallèle à celle que nous devons emprunter pour remonter jusqu'à l'Everest. Cette vallée a été longtemps le seul point d'accès entre le centre du Népal et le Tibet, situé au nord. Le col Nangpa La au bout de la vallée est interdit. Une route a été construite dans une autre vallée, plus à l'ouest. Notre randonnée nous amène dans un paysage féerique. Le sentier serpente à flanc de vallée sur plusieurs kilomètres et croise au passage deux petits villages. Je suis rapidement distancé par les autres. Je ne peux tenir le rythme. Bientôt, il se met à neiger. Les rares habitations, aux murs de pierres empilées, me semblent beaucoup plus rustiques que celles des villages que nous avons traversés. Elles prennent un aspect encore plus vétuste dans cette neige qui masque tout. Lors d'une brève éclaircie, j'aperçois le monastère principal perché sur un promontoire très élevé, loin, tout au fond de la vallée. Je décide plutôt de m'arrêter dans un petit lieu de culte, un peu en contrebas. Je rejoins George qui s'y trouve déjà. Une moniale au visage parcheminé par l'âge nous accueille plutôt froidement. Par de petits gestes secs, elle nous invite à visiter les lieux. Il s'agit de deux bâtiments contigus et miniatures construits on dirait aux dimensions de cette dame qui paraît encore plus petite dans la position recourbée de recueillement qu'elle garde constamment en notre présence. En quelques minutes, nous avons fait le tour de l'endroit. Par un escalier branlant, nous accédons à la salle de prière, située à l'étage de l'une des bâtisses. C'est une pièce assez spacieuse, couverte de *thankas* sur trois murs. Ces peintures tibétaines sacrées représentent dans un style naïf et très coloré la vie des différents dieux du panthéon bouddhiste et lamaïste. Au fond de la pièce, un sombre rideau aux motifs décolorés par le temps camoufle une bibliothèque où reposent de vieux manuscrits. L'unique fenêtre jette un peu de lumière sur le plancher de bois patiné. Durant notre brève visite, la moniale psalmodie ses mantras. Elle ne s'arrête même pas lorsqu'elle nous vend de minuscules statuettes en glaise séchée. Je ressens un profond sentiment de recueillement, comme si les murs étaient imprégnés des prières des générations de moines qui ont dû s'y succéder. L'effet est rendu plus intense encore par l'exiguïté de la pièce et l'incessante récitation de notre hôtesse.

Sur le chemin de retour vers Namche Bazar, nous restons silencieux George et moi, chacun absorbé dans sa méditation. La neige a cessé et tout est silencieux, feutré. Encore une fois, un rythme différent nous sépare et je fais une rencontre inattendue. Au milieu d'un champ, je vois quelque chose bouger. Avec précaution, je me rapproche. Je n'en crois pas mes yeux: il s'agit d'un *danphe*, l'oiseau national du Népal, une sorte de faisan au plumage multicolore intense. Il fut longtemps pourchassé pour la qualité ornementale de ses plumes, mais est maintenant protégé. Seul le roi du Népal porte sur ses photos officielles un chapeau orné de ses plumes. L'oiseau ne semble pas farouche et j'essaie de m'en approcher suffisamment pour prendre une photo convenable. Mais la nuit approche, il n'y a presque plus de lumière. Je ne réussis qu'à prendre un cliché de piètre qualité de cet oiseau qu'on ne voit que rarement à l'état sauvage.

De retour à Namche Bazar, le groupe se réunit. Chacun est imprégné de ce qu'il a vécu au cours de cette journée. On se croirait volontiers à une époque différente, en route vers une autre quête, tellement le dépaysement est total. Introduits par les sherpas au cœur même de leur quotidien, nous avons un contact privilégié avec ce peuple qui ne cesse de me fasciner.

Notre séjour se termine et nous reprenons la route. Prochain arrêt, Tyangboche. Comme l'an dernier, je suis ébloui par la beauté de l'emplacement de cet important monastère bouddhiste, au pied de l'Ama Dablam. Décidément, c'est la plus belle montagne que j'aie vue! J'ai eu la même impression l'an dernier. L'esthétique des formes et des lignes me ravit. Sa silhouette ressemble à s'y méprendre à celle d'un être humain, la tête étant le sommet et les épaules, les éperons nord et sud. On dirait une femme bras ouverts pour nous accueillir. Les femmes sherpas portent même au cou un pendentif pour imiter la forme du sommet avec son glacier suspendu.

Notre troupe quelque peu bruyante détonne dans le paysage. Pendant un court moment, j'ai l'impression que nous brisons un silence solennel. Mais les sherpas, toujours enjoués, entrent dans le jeu. Une partie de football est même organisée dans une étroite prairie au pied de la majestueuse montagne. Encore une fois, compensant leur manque de technique par une capacité pulmonaire de beaucoup supérieure, les sherpas distancent rapidement, et de loin, les meilleurs d'entre nous. Personnellement, je ne participe pas car je n'arrive même pas à courir, tellement je manque d'air. Après quelques minutes, la partie se termine dans un éclat de rire, faute de participants.

L'an dernier, il n'y avait ici qu'un amoncellement de pierres. Un nouveau bâtiment se dresse maintenant au centre de la place. Imposante construction de grosses pierres taillées et empilées sans mortier, cet édifice remplace l'ancien monastère entièrement détruit par un incendie deux ans plus tôt. Nous campons dans un vaste champ dégagé au pied du monastère. Le lendemain matin, au moment du départ, chaque membre du groupe reçoit le *tsédou*, une cordelette de couleur orange avec des *nœuds de vie* que l'on doit garder attachée au cou durant toute la durée de l'expédition. Cette petite corde d'apparence banale constitue pour les sherpas un puissant talisman qu'il est indispensable de porter lors d'une ascension. Cependant, la cérémonie est pratiquement avortée. En effet, Rick, la seule autorité de notre groupe reconnue par les sherpas, ne fait pas grand cas des croyances religieuses de ces derniers. Il ne les condamne pas, mais demeure plutôt indifférent face à ce qu'il qualifie de superstitions. Cela ne va pas sans causer un

certain embarras chez les sherpas, qui ont pris l'initiative d'organiser cette cérémonie pour assurer leur propre sécurité ainsi que la nôtre au cours de l'expédition. Le malaise gagne l'ensemble du groupe lorsque Rick, qui détient les cordons de la bourse, hésite à payer les 1 500 roupies (environ 50 $) demandées pour cette célébration. Finalement, un arrangement est conclu. Pour le même montant, la cérémonie est limitée à la seule remise des *tsédous* et une seconde célébration sera tenue au camp de base avant le début de l'ascension.

Cinq heures de marche nous amènent à la prochaine étape: Phériche (4 200 mètres). Comme toujours, le rythme de la progression permet le nécessaire retour sur soi et favorise un contact intime avec l'environnement, contact si essentiel à l'ascension des hautes montagnes. Nous évoluons dans un paysage d'une grande beauté et croisons au passage plusieurs sommets, Kangtega (6 685 mètres), Tramserku (6 608 mètres), Taboche (6 367 mètres). Au loin, nous apercevons Cho Oyu, l'un des 14 sommets de plus de 8 000 mètres. À Phériche, nous prenons une journée de repos pour l'acclimatation. J'en profite pour faire une courte excursion sur une arête constituée de moraine* au confluent des vallées qui mènent à l'Everest au nord et vers le Lhotse à l'est. De ce point d'observation privilégié, je peux regarder tout à loisir la formidable muraille de Nuptse, la face sud de Lhotse puis, plus loin, Island Peak (6 189 mètres), Baruntse (7 220 mètres) et, plus loin encore, Makalu (8 475 mètres). Je ne peux m'empêcher de ressentir une fois de plus ma petitesse face à ce panorama surdimensionné. Suis-je vaniteux au point de penser faire l'ascension du plus grand de ces géants? Aurai-je suffisamment de ressources pour venir à bout de cette tâche formidable? *À chaque jour suffit sa peine.* Je redescends au campement profiter des derniers rayons de soleil, prendre un peu de repos et laisser à mon système le temps et l'énergie nécessaires pour fabriquer quelques millions de globules rouges supplémentaires!

Le 19 mars, Lobuche (4 930 mètres). Le vent souffle avec force. Un léger mal de tête me gêne. Je suis un peu étourdi et chaque effort m'épuise rapidement. À mon arrivée près de la barre des 5 000 mètres, mon organisme applique les freins. Le groupe se divise en deux. Mark Richey, Barry et Rick semblent moins affectés par l'altitude et continuent le lendemain jusqu'au camp de base avec Urgen et quelques-uns des sherpas. Le reste du groupe demeure à Lobuche une journée de plus. Marc Chauvin, toujours aussi énergique, prévoit une excursion sur un des sommets environnants avec son groupe de trekking. Il nous rejoindra au camp de base dans quelques jours.

À cette altitude, c'est le règne minéral qui l'emporte. Lobuche est installé sur une moraine latérale du glacier Khumbu qui descend directement de l'Everest. Partout, ce ne sont que blocs de rocher, gravier et poussière. Lorsqu'il vente, cette poussière s'insinue partout à l'intérieur des tentes. Après deux jours de ce régime, on devient habitué à broyer constamment du sable entre ses dents.

La traversée de la langue du glacier sur presque toute sa longueur constitue la dernière étape vers le camp de base. Le glacier de l'Everest, à l'instar de la plupart des glaciers du monde actuellement, est en régression. La fonte de la glace laisse à la surface des tonnes de roches arrachées à la montagne par le travail de l'érosion. La glace n'émerge que par endroits, cachée par plusieurs centimètres de poussière et par des blocs de roche de toutes les tailles. Nous sommes partis un peu tard de Lobuche, si bien que nous nous trouvons encore sur le glacier vers 14 h 00. Le soleil, intense au milieu de la journée, fait fondre la glace et forme de véritables rivières qu'il faut traverser tant bien que mal. Plus tôt le ma-

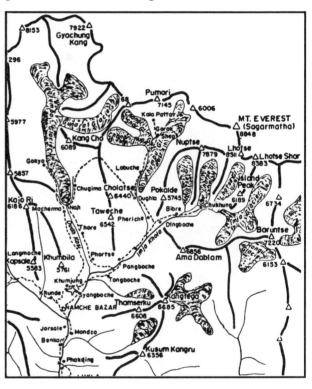

tin, tout est encore gelé et la marche s'en trouve facilitée. En équilibre sur des cailloux instables, je franchis néanmoins plusieurs torrents. La route est longue et le paysage aride. Nos pas et ceux des yacks soulèvent une poussière fine et âcre qui nous prend à la gorge. Nous arrivons vers la fin de l'après-midi au camp de base, fatigués, déshydratés... et les pieds mouillés.

7

LE CAMP DE BASE DE L'EVEREST

Vingt et un mars 1991 - 5 400 mètres. Je ne descendrai pas à une altitude moindre durant les deux prochains mois. À l'arrivée au camp, des sentiments contradictoires m'habitent. Je suis excité à l'idée que la véritable aventure commence. Je me sens en même temps intimidé et anxieux face au formidable défi qui nous attend.

L'équipe, dissipée, exubérante et plutôt éparpillée durant la marche d'approche, retrouve ici sa raison d'être. Les différences de personnalité semblent s'estomper devant l'objectif commun. La montagne est là, c'est tout ce qui compte.

La stratégie élaborée longtemps avant le départ est ravivée. Autonomie, partage équitable du travail et chances égales d'atteindre le sommet sont les principes de base qui prévaudront. J'ai d'ailleurs décidé de participer à cette expédition en grande partie à cause de ces conditions. Mais ces belles paroles doivent se concrétiser en actes et ne pas demeurer de vaines promesses rejetées du revers de la main à la première occasion. Jusqu'à maintenant, tout s'est déroulé plutôt harmonieusement. Mais les enjeux n'ont pas encore été très importants. Dans le feu de l'action, les choses peuvent changer. L'heure de vérité approche.

Je ne peux laisser mes pensées vagabonder longtemps, car il y a beaucoup de travail à faire. Nos éclaireurs ont déjà choisi l'emplacement et commencé l'installation de notre campement. L'endroit n'est pas totalement désert. En effet, nous avons été précédés par un autre groupe. Il s'agit de la première expédition entièrement constituée de sherpas. En fait, c'est la première fois qu'ils entreprennent l'ascension de l'Everest pour le sport, sans avoir été engagés par d'autres. C'est le monde à l'envers, puisqu'ils ont retenu les services d'un Américain, Peter Athans, pour les

aider à financer leur périple et à organiser leur expédition. Peter connaît bien les expéditions à l'Everest, puisqu'il en a réussi l'ascension en 1990, à sa cinquième tentative!

Nous sommes installés à plus d'une centaine de mètres du groupe des sherpas, dans une zone à peu près convenable malgré le relief tourmenté du glacier. Une première grande plate-forme d'environ trois mètres sur sept a été taillée dans la glace vive pour la tente qui servira de salle à manger, de salle de réunion, de local de communication, de salle de douche à l'occasion. Barry s'affaire d'ailleurs avec quelques sherpas à monter cette tente, que nous avons achetée usagée. Elle a déjà appartenu à une expédition espagnole. Cette tente ne possède pas de fond en toile. Le plancher sera composé d'un dallage de pierres disposées directement sur la glace. Je donne un coup de main pour consolider l'armature avec des dizaines de mètres de corde, aplanir la glace et disposer de larges plaques de rocher pour former le plancher. Nous creusons des rigoles à l'intérieur et autour de la tente pour recueillir l'eau de fonte du glacier. Seuls les sherpas, plus rapidement acclimatés à l'altitude, peuvent travailler quasi sans arrêt. Ils sont en pays de connaissance. Nous devons par contre prendre de fréquents repos, à toutes les 15 minutes environ, et laisser notre cœur reprendre des pulsations plus normales. Trois heures plus tard, la tente communautaire est utilisable. Il suffira de fignoler le travail dans les jours qui suivent.

Le soleil baisse rapidement et bientôt il se cache derrière le sommet de Pumori (7 145 mètres). Avec l'aide d'un sherpa, je fabrique en vitesse une petite plate-forme pour ma tente personnelle, quelques mètres derrière la tente principale. Au cours des discussions bien avant notre départ, Rick nous avait assurés que chacun disposerait de sa propre tente, d'un sac de couchage et d'un matelas à l'usage exclusif du camp de base. Le fait de pouvoir m'isoler lorsque j'en ressens le besoin a toujours été de la plus grande importance pour moi. Mais je n'ai jamais pu vérifier le nombre exact de tentes dont nous disposerions, ni avant le départ ni même depuis le début du voyage. J'ai été trop occupé à mes différentes tâches.

Depuis notre départ, l'ambiance a été un peu trop agitée à mon goût. J'aime me retirer parfois pour retrouver le calme dont j'ai bien besoin. L'excitation qui règne par moments me confirme la nécessité de disposer d'un abri isolé. Prévoyant, je me suis préparé. Je fais confiance à Rick, mais j'ai pensé amener mon équipement personnel pour le camp de base, au cas où. Malheureusement, je n'ai pas eu assez de place dans mes bagages, déjà suffisamment volumineux, pour prendre une tente. Par contre, j'ai amené un sac de couchage et un matelas de sol supplémentaire. Mon intuition m'aura bien servi. En effet, il manque deux tentes et deux sacs de couchage pour satisfaire tout le monde, car il faut aussi équiper les sherpas. Rick semble trop heureux de conclure un arrangement avec moi, en m'octroyant une tente. En contrepartie, je dois utiliser mon propre sac de couchage, qui est moins confortable, certes, que ceux prévus pour le reste du groupe. Mais le marché fait l'affaire de tout le monde et aussitôt l'entente est conclue. Dick St-Onge avait aussi amené un sac de couchage en plus, n'étant pas au courant de l'éventuelle disponibilité de sacs pour le camp de base. Lui et Mike, les deux médecins de l'expédition, partageront une des tentes suffisamment spacieuses pour deux. Tout s'arrange finalement.

J'installe ma tente sur une plate-forme de roches instables, que je suppose temporaire. Je n'aurai le temps d'agrandir et d'améliorer cet emplacement que trois semaines plus tard.

Toute la journée, le camp a bourdonné d'activité. Les tentes personnelles ont été montées. L'équipe de cuisine a construit son propre abri, constitué de hauts murs de pierres empilées, recouvert d'une large toile de plastique renforcé, de couleur bleue.

De bruyants réchauds au kérosène sont installés tout près de l'entrée alors que l'extrémité du fond sert de dépôt de nourriture, de salle à manger pour les déjeuners pris avant l'aube et de dortoir pour quelques-uns des sherpas de l'équipe-cuisine. La première journée se termine par un repas pris dans la tente communautaire, que nous sommes plus qu'heureux d'inaugurer. Aussitôt que le soleil se cache derrière les montagnes, le thermomètre descend brutalement. Nous sommes assis autour d'une longue table improvisée, faite de minces panneaux de contreplaqué en équilibre instable sur de légers supports d'aluminium. À nos pieds, des roches plates recouvrent la glace nue. Autant essayer de manger dans une glacière. Même le thé chaud que nous avalons à grande tasse ne parvient pas à nous réchauffer. Barry et moi discutons des moyens à prendre pour améliorer le confort de ce qui sera notre lieu de rencontre. Demain, il faudra faire quelque chose.

Sitôt le souper terminé, chacun se retire dans sa tente pour la nuit. Il fait vraiment trop froid pour rester à veiller. Avant d'aller au sac de couchage, il faut se plier aux exigences de nos médecins, soit l'évaluation de notre niveau d'acclimatation à l'altitude. Ce rituel fera partie de notre quotidien durant toute la première moitié du périple. Avec un appareil simple, Mike prend les pulsations cardiaques de chacun et le taux de saturation d'oxygène dans le sang. Cette mesure de l'oxygénation du sang indique avec assez de précision la capacité et la rapidité de l'organisme à réagir à l'altitude. Lorsqu'on le place dans un environnement pauvre en oxygène, l'organisme doit s'adapter. Comme premiers réflexes, la fréquence de la respiration et les pulsations cardiaques augmentent. Puis les globules rouges, fixateurs et transporteurs de l'oxygène dans le sang, se multiplient.

Mes résultats se situent dans la moyenne du groupe: 92 pulsations au repos, et taux de saturation O_2 de 72 %. Il est normal que les pulsations cardiaques soient si élevées, le premier soir à 5 400 mètres. Je ne m'inquiète pas outre mesure, mais à ce rythme, je me fatigue vite. Au moindre effort, les pulsations montent encore plus et je suis épuisé.

Le taux de saturation d'oxygène peut aussi permettre de prévoir les problèmes d'acclimatation. Normalement, au niveau de la mer, le sang est saturé de 98 à 100 % d'oxygène. Si ce taux descend aux environs de 60 %, le risque de problèmes graves, œdème pulmonaire ou autre, est grand. D'après le médecin, à

72 % mon cas est acceptable, mais je n'ai pas beaucoup de marge de manœuvre. En fait, je me sens assez bien, mais je sais que c'est au cours de la nuit que les difficultés se font habituellement sentir.

Au cours de cette nuit, j'ai le sommeil difficile, l'impression de manquer d'air aussitôt que je m'assoupis et un léger mal à la tête. Comme si mon corps ne me faisait pas encore assez souffrir, les pierres d'une plate-forme fabriquée trop vite m'entrent dans les côtes et me donnent des courbatures. Malgré mon matelas isolant, j'ai froid. Pour ajouter à cet inconfort, je dois me lever

constamment pour évacuer les litres de thé que j'ai bus avant de me coucher.

Au matin, je me sens à peine plus reposé que la veille. Avec Barry, j'entreprends d'améliorer le confort de notre tente communautaire. Nous travaillons à modifier le revêtement de pierres du plancher et le système de rigoles intérieures. À bout de matériel et d'idées, nous abandonnons tout simplement et décidons d'utiliser une autre tente plus petite pour les repas du soir. Cette tente, initialement prévue pour l'entreposage du matériel, est pourvue d'un fond imperméable. Qu'à cela ne tienne, nous empilons le matériel dans le fond de la tente et dégageons un espace suffisamment grand pour y monter une petite table.

L'ambition de terminer le travail aussitôt que possible nous fait prendre un rythme un peu trop rapide. Mon organisme me ramène durement à la réalité. Mes tempes vibrent, tellement mes pulsations cardiaques sont élevées. Je dois m'asseoir pour reprendre mon souffle.

Durant les jours suivants, je diminue le nombre de mes activités et je travaille plus lentement. Je sais bien qu'il ne faut pas se laisser aller à l'euphorie du moment et brûler toutes ses forces au début. Je suis malgré tout un peu mal à l'aise vis-à-vis le groupe, car les autres, sauf peut-être Barry, ne semblent pas ou si peu affectés. Durant plusieurs jours, Barry a de violents maux de tête et se sent très faible, probablement à cause des trop grands efforts fournis les premiers jours.

Au cours de la première semaine, nous complétons l'installation définitive du camp de base. Mark Richey, en sa qualité de responsable de l'escalade, dirige les activités et abat plus que sa part de travail. Il semble disposer de ressources d'énergie intarissables. Durant toute la durée de l'expédition, il jouera ces deux rôles à la perfection et se montrera sans contredit un *leader* incontesté et un travailleur infatigable. Tous les autres sont entraînés à sa suite et il faut beaucoup de discernement pour déterminer son propre rythme dans la fébrilité et l'enthousiasme généraux. Rick, le plus expérimenté de nous tous, saura le mieux contrôler ses énergies et je modèlerai plus d'une fois mon attitude sur la sienne. Au fil des jours, le reste du groupe oscille entre l'énergie débordante et l'abattement complet.

Les jours suivants, tout le matériel est déballé, trié, classé et rangé dans une tente prévue à cet effet. Je suis même un peu surpris de constater que tout est là. Pas une seule boîte, pas un sac ou contenant ne manque. En tout, 250 charges s'empilent dans tous les coins du camp. Je jette un coup d'œil du côté de la nourriture pour vérifier l'approvisionnement et savoir où sont rangées les choses.

John Villachica, recruté par Gary Scott, doit prendre en charge l'organisation du camp de base. Il est ici pour gérer l'équipement technique, maintenir le contact radio avec les camps supérieurs, prévoir les installations sanitaires et disposer des rebuts. Il est jeune et inexpérimenté. Il faudra quelque temps au groupe pour lui faire confiance. Mais le sérieux et l'énergie qu'il déploie pour s'acquitter de ses tâches lui donneront rapidement la crédibilité et les responsabilités qui vont de pair. Bientôt, chaque fois qu'on aura besoin d'une pièce d'équipement, il suffira de demander à John pour la trouver.

J'aide John à mettre en opération le système de communication radio. Je suis un peu inquiet. Les radios sont essentielles pour la coordination de l'expédition. Pour la première fois, tous les éléments du système sont réunis: source d'alimentation à l'énergie solaire, batterie de voiture pour l'appareil principal, antenne, radios portatives, chargeurs, etc. Pourvu que ça marche! Trois jours de travail plus tard, grâce surtout aux qualités de bricoleur de John, tout est en place et fonctionne parfaitement.

Après vérification auprès des autres expéditions, nous constatons que nous avons le meilleur système de communication de tout le  camp de base. À plusieurs reprises au cours des semaines et des mois qui suivront, les autres groupes vont utiliser notre système radio pour transmettre des messages aux leurs, dans les camps supérieurs. Grâce entre autres à notre puissante antenne, le contact radio sera presque toujours excellent. Seule la capacité limitée de recharge des plaques solaires causera des problèmes, jusqu'à ce que John emprunte une petite génératrice à gaz pour recharger la batterie d'auto.

Il aurait été quasi impensable de se passer d'un système radio dans une aventure comme la nôtre. À plusieurs reprises, j'ai douté que l'ensemble du matériel de communication arrive à bon port. Maintenant que tout est réglé, je peux enfin relaxer.

Graduellement, la routine s'installe. Réveil vers 7 h 00 par un thé au lait servi dans nos tentes par Kamé, un des sherpas qui travaillent à la cuisine. Déjeuner à 8 h 00, juste au moment où le soleil s'élève au-dessus de l'éperon ouest de l'Everest et frappe les tentes, ramenant la vie. Ensuite, chacun vaque à ses occupations jusqu'à midi, l'heure du dîner. Même chose durant l'après-midi, jusque vers 16 h 00, moment où le soleil se cache derrière Pumori. Le thermomètre plonge alors en quelques minutes sous zéro. C'est l'heure de s'habiller et de prendre du thé chaud, beaucoup de thé pour se réhydrater et se réchauffer en attendant le souper à 18 h 00. Vers 19 h 30, il fait si froid, surtout dans la glacière au cours des premiers jours, que le seul endroit confortable est son propre sac de couchage. Finalement, tout le monde se retire pour lire un peu à la chandelle et dormir.

Pendant que notre quotidien commence à se modeler au rythme du camp de base, d'autres groupes font leur apparition. Une imposante équipe d'une vingtaine de grimpeurs coréens s'installe tout près de notre emplacement. Puis, des Australiens, des Suisses, une autre expédition américaine et finalement des Français viennent compléter ce qui graduellement devient un petit village. Avec les équipes de cuisiniers, les porteurs d'altitude et le personnel de camp de base, c'est en tout plus d'une centaine de personnes qui séjourneront au pied de l'Everest pendant près de deux mois. Les tentes multicolores sont dispersées sur d'assez grandes distances à travers un terrain au relief accidenté, parmi des blocs de rochers parfois énormes. L'endroit ne nous semble nullement encombré et à aucun moment les activités des autres groupes ne viennent nous déranger. Par contre, les camps supérieurs seront surchargés. Six des sept équipes se retrouveront sur l'arête sud-est de l'Everest, même si seulement trois expéditions, les sherpas, l'autre équipe américaine et la nôtre, détiennent officiellement le permis pour cette voie.

Le 24 mars, nous essuyons notre première tempête. Il neige pendant plus de 24 heures, par moments très abondamment. Le vent souffle par bourrasques. Avant la tempête, la veille au souper, on pouvait voir et entendre éclairs et tonnerre au loin, plus bas dans la vallée. La nature suit son cours, sans égards pour les visiteurs qui souhaitent sa clémence. Nous sommes confinés dans les tentes. Cette période de repos obligatoire me fait comprendre à quel point nous sommes isolés: pas de radios, pas de journaux, pas de moyens de communication avec l'extérieur. Ici, seul l'objectif compte. Rien ne saurait nous en faire dévier. Nous avons tout le temps de nous y consacrer, il n'y a que ça à faire!

La tempête laisse quelque 30 centimètres de neige. En moins de 2 jours, le fort soleil va happer littéralement cette neige et nettoyer tout le glacier plus sûrement que la meilleure équipe de déneigement. Le soleil est si fort à cette altitude que la neige fraîche se sublime; elle s'évapore directement sans passer par l'état liquide.

Le matin du 26 mars, une surprise nous attend au déjeuner. Un gâteau est apporté au moment du dessert. C'est mon anniversaire et le cuisinier s'est surpassé pour la circonstance. Je suis ébahi par le talent de ce sherpa qui a réussi à confectionner un gâteau à plus de 5 000 mètres d'altitude avec un réchaud de camping au kérosène. Cela devrait figurer dans les annales de la haute cuisine! Évidemment, j'ai déjà goûté à un dessert au goût plus fin, mais ce gâteau est vraiment bon. Au cours de l'expédition, il rééditera son exploit chaque fois que l'un d'entre nous fêtera son anniversaire. On se sent ainsi grâce à lui moins loin de chez soi.

8

LA PUJA

Une fois la fatigue des premiers jours passée, tout le monde commence à avoir la bougeotte. Chacun est impatient de débuter vraiment ce pourquoi il a investi tant d'énergie, de temps et d'argent. Je suis comme tout le monde, mais je sais que nous ne perdons rien pour attendre et que le travail sera épuisant. Je profite pleinement du repos imposé pour parfaire mon acclimatation à l'altitude et accumuler des forces.

L'ascension ne peut commencer avant qu'ait eu lieu la *puja*, la cérémonie de consécration du camp de base officiée par un moine tibétain. Les sherpas y tiennent *mordicus*. Depuis le début des tentatives d'ascension de l'Everest, dans les années vingt, les statistiques indiquent que, pour deux personnes ayant atteint le sommet, il y a eu un mort. Plusieurs de ces morts sont des sherpas qui accompagnaient les groupes de grimpeurs. Pour ne pas s'aliéner le groupe des sherpas, si l'on veut s'assurer leur collaboration, la tenue de la cérémonie est essentielle. Je suis enclin à respecter les croyances de ce peuple. J'ai trop vécu et ressenti les forces et les énergies des montagnes pour considérer leurs croyances comme pure superstition. Pour eux, les sommets représentent le séjour des dieux. Ils sollicitent leur bénédiction avant de s'aventurer dans leur domaine.

Rick est quant à lui trop pragmatique pour accorder foi à ces croyances et suit d'un œil amusé les préparatifs. À la cuisine, quelques sherpas confectionnent gâteaux, pâtisseries et sucreries qui seront offerts aux dieux. D'autres s'affairent à ériger un autel en pierres de deux mètres de hauteur, avec un âtre pour y faire brûler des offrandes. Les drapeaux des nationalités présentes dans l'expédition et des drapeaux de prière aux couleurs vives flottent au sommet d'un mât qui sera fixé à l'autel.

La courte cérémonie débute vers 9 h 00 le matin du 29 mars. Un moine est venu spécialement de Tyangboche pour l'occasion. Assis à l'indienne à quelques mètres de l'autel, il récite d'une voix grave et monocorde des prières qu'il tire d'un cahier ancien: de vieilles feuilles de parchemin couvertes de signes élégants avec, en guise de couverture, deux plaquettes de bois reliées par des cordelettes. Je reconnais l'alphabet tibétain tiré du sanskrit, une écriture presque décorative tracée à grands traits d'encre noire sur du papier d'un autre âge. Je me plais à imaginer que ce livre usé par des centaines de mains pieuses a été témoin des joies et des peines de toute une communauté. La solennité du moment est accentuée par l'attitude recueillie du religieux et de tous les sherpas qui l'entourent. Je me sens hors du temps. Cette scène, il me semble, a dû se dérouler de façon identique depuis des époques lointaines.

Pendant que Tshering Lhakpa hisse le mât, Passang Tamang et Ang Passang font brûler du bois de genévrier qui, par ses effluves, est censé honorer les dieux. Après avoir terminé sa récitation, le moine se lève et distribue des grains de riz consacrés que chacun jette dans le feu et sur les nombreuses offrandes. Du beurre de yack et quelques bouteilles de rhum s'ajoutent aux gâteries, que les sherpas ne peuvent se permettre en temps normal.

Rick filme toute la scène sur vidéo en faisant quelques remarques amusées. Le reste du groupe adopte une attitude mêlée de curiosité et de respect. Nous prenons conscience que d'autres avant nous ont aussi tenu ce rituel. Un certain nombre d'entre eux ont atteint le sommet de la montagne, tandis que plusieurs autres, vaincus par cette même montagne, ne sont jamais rentrés chez eux. L'instant est sérieux, important.

Les prières terminées, chacun y va d'une courte déclaration. Le succès de l'expédition et la sécurité de ses participants sont les thèmes exprimés le plus souvent. Pour clore la cérémonie, nous honorons les dons faits aux dieux en consommant les mets consacrés. L'ambiance est à l'optimisme et on sent les liens du groupe se resserrer. Mark Richey prononce la phrase qui résume le mieux la pensée collective:

- Maintenant, la véritable aventure peut commencer.

9

LE DÉBUT DE L'ASCENSION:
LE GLACIER DU KHUMBU

La cérémonie de la *puja* terminée, nous sommes impatients de commencer l'ascension, mais nous devons attendre que le chemin dans la cascade de glace soit ouvert. Cette année, c'est le groupe des sherpas qui s'est engagé à établir et maintenir la voie ouverte sur le glacier. Cette pratique offre de multiples avantages. Une seule équipe prend la responsabilité de tracer le chemin sur le glacier et tous les autres groupes paient un droit de passage pour emprunter le même parcours. Il s'agit de trouver la meilleure voie à travers ce fouillis de crevasses et de séracs*, d'installer des cordes fixes aux passages dangereux et surtout de placer des échelles pour franchir les plus larges crevasses. Ces passerelles improvisées permettront à chacun de traverser cette zone périlleuse le plus rapidement possible avec de lourdes charges. Tout le matériel, tentes, nourriture, etc., servant à installer les camps supérieurs doit être acheminé par cet itinéraire. Tout le monde a le même souci, soit celui de bénéficier d'un parcours sécuritaire et rapide.

L'équipe des sherpas s'y affaire depuis le 14 mars. Chaque jour, lorsque le temps le permet, une colonne de grimpeurs se met en route avant l'aube. Ils travaillent sans relâche pendant quelques heures pour consolider le chemin franchi la veille et faire avancer la voie de quelques dizaines ou centaines de mètres. Vers midi, tout le monde redescend au camp de base pour éviter la chaleur de l'après-midi, qui rend plus instable, croit-on, le glacier. L'opération se poursuit jusqu'à ce qu'on puisse traverser tout le glacier rapidement avec de lourdes charges.

La tâche des sherpas est ardue. Ils installent des cordes fixes* et posent des échelles. Le plus dur est le transport des échelles. Je m'en rendrai compte par moi-même à la toute fin de l'expédition. Ces échelles en aluminium, les mêmes qu'utilisent chez nous les peintres et les bricoleurs, sont fixées en travers des crevasses trop larges et incontournables, telle une passerelle. Elles sont récupérées à la fin de chaque saison et réutilisées l'année suivante.

Nous surveillons étroitement la progression des sherpas. Presque chaque jour, Mark se rend aux nouvelles auprès de Peter Athans, qui est le porte-parole de leur groupe. Ils avancent rapidement. Peter nous avait affirmé que la voie serait ouverte le 30 mars, mais notre enthousiasme se trouve refroidi par l'annonce d'un délai additionnel de deux jours. Le travail est plus long que prévu et a été retardé par des chutes de neige fraîche.

Le matin du 30 mars, l'ambiance est plutôt terne. Il n'y a rien d'autre à faire que d'attendre. Au déjeuner, les conversations dégénèrent. Sujet: le sexe. J'avais déjà remarqué cette tendance lorsque le désœuvrement s'installe dans un groupe d'hommes confinés dans un même lieu durant une période suffisamment longue. Habituellement, en pareil cas, je m'éloigne en douceur pour lire ou faire autre chose, ou bien je me terre dans mon coin et je ris poliment lorsqu'il le faut. Je suis allergique à la grossièreté, mais ce matin Rick pique ma curiosité et déclenche les rires de tout le monde avec sa théorie personnelle sur l'acclimatation à l'altitude: l'érection du matin. Il prétend que la capacité de produire une érection le matin au lever indique que vous avez récupéré suffisamment d'énergie, et donc que votre organisme est bien acclimaté. Si vous avez en plus une éjaculation nocturne, alors là vous êtes parfaitement acclimaté. Si l'on se fie à la teneur des conversations de ce matin, on peut affirmer que pratiquement tout le monde est très bien acclimaté!

Je me mets à réfléchir un peu plus sérieusement à la question et me rappelle avoir constaté, lors d'expéditions précédentes longues et exigeantes, que le désir sexuel diminue effectivement et cesse complètement après un certain temps. En fait, toute l'énergie qu'on possède est canalisée par l'ascension et par la survie dans ces conditions extrêmes. J'observe, surtout au début de l'expédition, mes mécanismes d'utilisation de cette énergie. Aussitôt que je la sens plus forte, je m'applique à la canaliser vers la réalisation de mon objectif. Avec le temps, je parviens à identifier l'instant précis de l'apparition de la pulsion, alors qu'elle n'est pas encore un réel désir. Il est facile alors de bouger, d'être actif et productif et de diriger ses forces dans le sens qu'on veut leur donner. Si on laisse le désir prendre trop de place, on devient mélancolique, fébrile ou, pire, agressif. Plus tard, toute mon énergie sera spontanément utilisée pour ma survie, sans intervention spéciale de ma part, les conditions étant trop rudes.

Le 31 mars, c'est Pâques. C'est un peu la fête. Au déjeuner, nous avons même droit à des œufs en chocolat et à une poignée de M&M camouflés sous nos bols à déjeuner. La fébrilité augmente d'un cran. Selon l'horaire convenu avec l'expédition des sherpas, le glacier devrait être praticable dès demain, 1er avril. Durant la journée, on se prépare lentement, au cas où. Vers 14 h 00, la confirmation nous est donnée par Peter Athans lui-même. Le glacier du Khumbu est ouvert. Un premier groupe est aussitôt sélectionné par Mark Richey pour traverser le glacier et installer le camp 1. Il s'agit de Mark Richey, Barry Rugo, Dick St-Onge et moi-même. Le deuxième groupe, composé de Rick Wilcox, Gary Scott et Mike Sinclair, doit nous suivre dès le lendemain. Marc Chauvin n'est toujours pas arrivé. Aux dernières nouvelles, il était encore accaparé par son groupe de trekking.

Nous sommes tous un peu impatients, mais également anxieux devant la tâche et les dangers à venir. La longue période de réflexion et d'attente m'aura été salutaire.

J'ai pris conscience d'une chose importante: même si je souhaite ardemment atteindre le sommet, je n'y monterai pas à n'importe quel prix. Il est plus important pour moi de revenir en santé, avec tous mes membres, que d'atteindre le sommet mais en me plaçant dans une situation dangereuse. Je fais cette expédition pour moi-même, je n'ai de comptes à rendre à personne. Je vais bien sûr tout faire pour réussir, je vais donner tout ce dont je suis capable, mais à l'intérieur de mes capacités. Pas d'entêtement, le risque est trop grand.

J'espère que le travail de préparation que j'ai fait et celui qui me reste à accomplir me permettront d'atteindre cet objectif. Je n'ai pas l'impression de signer ici un abandon, mais une formule de dégagement.

En fin de journée, j'apprends que nos sherpas veulent faire la grève demain, première véritable journée de travail pour eux. La raison: ils souhaitent obtenir une prime de 5 $ pour chaque jour où ils devront transporter des charges du camp de base jusqu'au camp 2, c'est-à-dire faire 2 étapes en 1 journée. Ils sont déjà payés 100 roupies (3 $US) par jour depuis le début de l'expédition, soit 1 mois exactement, et ont reçu la moitié de leur allocation de 1 000 $ pour le matériel. Lorsque l'expédition sera terminée, chaque sherpa aura reçu environ 1 500 $. Ce n'est pas beaucoup selon nos propres standards, mais ce montant prend sa véritable valeur lorsqu'on le compare au salaire annuel moyen du Népalais, qui dépasse à peine les 300 $.

Nos compagnons demandent le même traitement que leurs congénères auraient négocié avec l'autre expédition américaine en provenance de Seattle. Ils nous croient sûrement aussi fortunés. Malheureusement pour eux et pour nous, notre expédition n'est pas celle d'un riche propriétaire d'une importante usine de motoneiges. Nos dépenses sont déjà plus élevées que prévu. Rick n'en parle pas, mais je sens qu'il faudra puiser encore un peu plus dans nos réserves ou sur nos cartes de crédit pour boucler notre budget. La pensée m'effleure que peut-être nos amis regrettent le choix de leur employeur!

Urgen discute longuement de l'affaire avec Rick et un arrangement temporaire est conclu. L'essentiel de l'entente porte sur deux points: nous garantissons en premier lieu le paiement de la totalité de ce qui leur est dû avant notre départ du Népal, ce qui, selon Rick, n'est pas toujours le cas, et si les Sherpas accomplissent leur tâche efficacement nous les gratifierons d'un pourboire appréciable à la fin de l'expédition. Urgen prend la liberté d'ajouter que les grimpeurs savent se montrer particulièrement généreux lorsqu'ils réussissent à atteindre le sommet grâce au travail des sherpas. Les arguments semblent porter. Les visages, tendus au départ, commencent à s'ouvrir. Jugent-ils que ce que nous offrons est encore mieux que rien du tout? Ou peut-être ont-ils senti que notre attitude s'accordait avec notre discours?

Nous avons exposé notre situation financière avec franchise. Notre budget est limité. Nous ne pouvons payer de gratifications plus élevées mais, en contrepartie, nous considérons nos amis sherpas à égalité et allons partager le travail avec eux. Un vent de soulagement souffle sur le camp. Nous pouvons continuer selon le plan initialement prévu. Les sherpas, quoique sans trop d'enthousiasme, acceptent de faire leur travail: participer au transport du matériel pour établir les camps supérieurs. La vérité est plus efficace avec ces gens que les promesses. Le différend est réglé, du moins pour l'instant.

Premier avril. C'est le grand jour de ma première montée sur le glacier. Enfin! J'ai attendu tellement longtemps ce moment que j'ai cru qu'il n'arriverait jamais. Que va-t-il se passer sur ce glacier? Comment se prémunir contre l'accident bête et imprévisible d'une chute de sérac*? Je suis à la fois intimidé et pressé. Pour calmer mon esprit agité, je me promets d'être plus vigilant que jamais. Si je ne confie pas entièrement mon destin aux divinités de la montagne, je m'en remets à mon intuition, qui m'a toujours conseillé et tiré d'embarras lorsque j'ai accepté de l'écouter.

Je suis réveillé bien avant trois heures du matin, l'heure prévue du lever. Je prête l'oreille et j'entends les réchauds ron-ronner dans la tente-cuisine. C'est le signal. Je me résous à mettre le nez hors de mon sac de couchage. Il fait très froid. Avant de me coucher, j'ai oublié de vider la bouteille thermos que j'utilise pour boire durant la journée. Elle est complètement gelée. Les doigts engourdis par le froid, je m'habille rapidement, ayant déjà placé mes vêtements à portée de main avant la nuit.

Au sortir de la tente, l'air est encore plus vif. Je grelotte quelque peu tellement l'air froid me gèle l'intérieur. J'ai l'impression que l'air glacé est encore plus pauvre en oxygène. Telles des lucioles hésitantes, les lampes frontales de mes compagnons se dirigent vers le centre de notre camp. Au-dessus de nos têtes, le ciel d'un noir d'encre est constellé d'étoiles. Malgré mes frissons, que j'ai du mal à réprimer, le spectacle m'émeut. Je suis émerveillé par la grandeur et la pureté du ciel. Pendant quelques instants, je me sens dilaté par les espaces infinis. Les montagnes semblent encore plus belles baignées dans la lumière irréelle de la lune. Magiques.

Le charme est brisé lorsque je m'engouffre à mon tour dans la tente-cuisine, réchauffée par les énormes réchauds au kérosène qui fonctionnent depuis plus de 30 minutes. Tout le monde est là, les 4 grimpeurs, les 2 sherpas qui nous accompagnent, Tshering Lkakpa et Passang Tamang, ainsi que Ang Dawa, le fidèle cuisinier toujours au poste avant tout le monde. Je réussis à ingurgiter un large bol de gruau, un œuf brouillé et une tranche de pain grâce à plusieurs tasses de thé au lait sucré. Ce n'est pas du tout l'idée que je me fais du déjeuner idéal. Je dois me forcer pour avaler tellement l'heure incongrue révulse mon estomac. Les automatismes que les semaines de vie en altitude vont développer sont encore lointains. Je termine péniblement mon déjeuner en pensant que ces précieuses calories seront rapidement dépensées. S'empiffrer ainsi fera partie de notre horaire pour les semaines qui viennent. Chaque fois que nous aurons à traverser le glacier, il faudra manger au milieu de la nuit pour accumuler suffisamment de forces pour la journée puis, sans perdre une minute, se préparer et partir, car il faut absolument éviter d'être sur le glacier lors du réchauffement de mi-journée.

Chacun semble un peu nerveux à l'idée de faire face au légendaire glacier pour la première fois. Les conversations sont rares. Seuls les 2 sherpas présentent un visage souriant. Leur tâche est de transporter chacun une charge de près de 20 kilos jusqu'à l'emplacement du camp 1 et de redescendre aussitôt au camp de base. Nous devrons par contre établir le camp, installer 2 tentes et y demeurer pour la nuit. Puisqu'ils progresseront plus rapidement que nous, les sherpas se permettent de retarder leur départ, buvant des litres de thé tout en discutant entre eux.

Le déjeuner expédié, nous sortons de la tente, cette fois pour de bon. La préparation de chacun prend du temps. Le froid ralentit les mouvements. Je m'arrête à plusieurs reprises pour réchauffer mes doigts ankylosés par l'air glacial. Une dernière fois, je vérifie mon matériel de sécurité pour m'assurer de ne rien oublier: lampe frontale, cuissards, poignée autobloquante, mousqueton à vis, casque, etc. Vers 4 h 30, je me mets en route. De nombreuses lampes scintillent sur plusieurs centaines de mètres devant moi. Presque toutes les expéditions attendaient aussi impatiemment que nous l'ouverture du chemin sur le glacier. Plusieurs grimpeurs débutent leur ascension.

Après la lumière crue de la lampe à kérosène de la tente, mes yeux doivent s'habituer au faible reflet de la lune et au minuscule halo de ma lampe frontale. Au début, les muscles et articulations raidis par le froid, je maintiens difficilement mon équilibre sur les pierres instables. Mon sac est lourd, environ 18 kilos. J'ai peut-être été un peu trop ambitieux en faisant mon sac pour la première montée. Le matériel devant être transporté au camp 1 a été placé dans la tente communautaire par ordre de priorité. Chacun y puise et constitue la charge qu'il juge appropriée. En voyant les lourds sacs des autres, surtout ceux de Mark et de Barry, j'ai eu tendance à gonfler un peu trop le mien. Nous avons convenu que chacun transportera ses effets personnels: vêtements, sac de couchage et isolant, etc., et se chargera en plus d'une certaine quantité d'équipement collectif: tentes, réchauds, nourriture, cordes, selon ses capacités. On fait confiance au jugement et à l'intégrité de chacun, quoique Mark, en sa qualité de responsable de l'escalade, ne se gênera pas pour faire des commentaires parfois directs sur les maigres efforts de certains.

L'ascension proprement dite commence par la dangereuse cascade de glace. Le glacier du Khumbu, qui descend du versant sud-ouest de l'Everest, se divise en trois sections: la combe ouest, la cascade de glace et la langue du glacier, que nous avons remontée pour installer notre camp de base.

La partie la plus haute, la combe* ouest, prend naissance à environ 6 500 mètres, au pied des faces ouest de Lhotse et de l'Everest. Elle descend en pente douce sur plusieurs kilomètres.

Puis, le glacier commence à se fissurer pour former la zone la plus dangereuse: la cascade de glace. Cette section, coincée entre le flanc ouest de l'Everest et la face nord de Nuptse, 2 parois très abruptes, tombe à pic sur plus de 600 mètres. Un glacier, c'est une rivière de glace qui coule au ralenti, à une vitesse normalement imperceptible à l'œil nu. La glace, accumulée par des décennies de chutes de neige qui ne fond jamais complètement à cause du froid extrême, descend lentement mais inexorablement. Ici, dans la

cascade de glace de l'Everest, à cause de la pente particulièrement raide, le rythme d'avance du glacier est d'environ 1 mètre par jour. La glace tombe et se casse en formant de gigantesques crevasses et murs de glace, les séracs. Certains de ces séracs, qu'il faudra parfois contourner, parfois grimper, peuvent atteindre jusqu'à 15 mètres de hauteur.

L'effet de la gravité ainsi que l'action du gel et du dégel rendent instables ces masses de glace qui peuvent s'effondrer à tout moment. Et comme si l'instabilité du terrain qu'il faut franchir n'était pas suffisante, la traversée de cette zone est constamment menacée par les avalanches provenant d'un autre glacier, suspendu celui-là sur l'éperon ouest de l'Everest, juste au-dessus de nos têtes. Des milliers de tonnes de glace risquent de nous dégringoler dessus sans aucun avertissement.

Des dizaines d'accidents se sont produits à cet endroit. Certains faits marquants me reviennent en mémoire. En 1982, lors de la première expédition canadienne à l'Everest, il y eut trois morts dans une énorme avalanche provenant de l'éperon ouest. Quelques jours plus tard, un sérac s'effondra sur le glacier. Bilan: un mort. Un autre grimpeur, enseveli jusqu'à la taille, s'en est tiré de justesse.

J'imagine avec horreur les corps broyés sous des tonnes de glace. Depuis notre arrivée, j'ai eu amplement le temps d'étudier le glacier. Je me rends compte à quel point Chomolungma est bien protégée. En attendant mon tour d'y monter, j'ai la gorge nouée et l'impression de faire face à un peloton d'exécution.

Toutes mes énergies sont canalisées par l'exigence de mettre un pied devant l'autre et de respirer pour absorber suffisamment d'oxygène car l'air est raréfié. Rapidement, le mouvement réchauffe mon organisme et bientôt je sens mes forces revenir. Après quelques centaines de mètres sur le glacier vallonné recouvert de pierres, j'arrive au début de la cascade de glace. À partir d'ici, il faut chausser les crampons. Les autres m'ont précédé et lorsque je parviens au pied de la pente, ils entament déjà la remontée des premières cordes fixes placées par l'expédition des sherpas. Je dépose mon sac, m'assieds pour reprendre mon souffle et avale quelques gorgées d'eau, car l'air extrêmement froid et sec me brûle la gorge. Le temps de fixer mes crampons lentement en respirant avec peine et déjà une demi-heure s'est écoulée. En reprenant mon sac pour continuer, je me rends compte à quel point il est lourd. Je débute la montée avec un sentiment mêlé d'exubérance et d'appréhension. Que vais-je trouver? Que va-t-il m'arriver?

Un mur de glace se dresse devant moi. Il remplit entièrement mon champ de vision. Ses dimensions sont surhumaines. D'ici, on n'aperçoit pas la pyramide de l'Everest ni même le camp de base. J'entre dans ce labyrinthe mortel avec comme seul repère une corde minuscule fixée par d'autres que moi.

La difficulté de la progression chasse rapidement ces pensées de mon esprit. Bientôt, tout mon être est absorbé par les exigences de l'ascension. Je me concentre sur chaque mouvement. Lentement, la respiration s'équilibre, le sang afflue dans les muscles tendus et le rythme s'établit. Concentration de l'esprit et du corps. Le terrain est nouveau et dangereux. Les pierres accumulées sur le glacier plat en contrebas se sont espacées jusqu'à disparaître tout à fait. La progression se fait sur une pente de glace luisante et nue. Il n'a pas neigé depuis quelques jours et l'intense soleil a vite fait de transformer la neige pour l'ajouter aux glaces éternelles. La pente s'est redressée considérablement. Je dois grimper et contourner de gros blocs de glace qui font plusieurs fois ma hauteur. Au début, dans la pâle lueur de la lune et de ma lampe frontale, j'aperçois de petits fanions orangés disposés à tous les 20 mètres qui m'indiquent la route à suivre. Plus haut, lorsque l'angle de la pente devient plus raide, une ligne continue de corde fixe, tel un fil d'Ariane, assure ma sécurité. Dans ce désert blanc et glacé, cette petite corde de 8 millimètres est rassurante. Elle constitue un lien de communication avec d'autres êtres humains, bien que personne ne soit à portée de voix pour le moment. C'est l'unique route sur le glacier et, à voir briller les lumières au-dessus de ma tête, j'en conclus que de nombreux voyageurs l'empruntent, y sont engagés.

Tous mes sens sont parfaitement éveillés. Je renoue avec joie avec ce sentiment que j'éprouve chaque fois que je me retrouve seul avec d'autres en montagne. Chacun progresse à son rythme avec un minimum de sécurité, grâce aux cordes fixes. Mark et Barry sont loin devant. Moins d'une heure après avoir débuté l'ascension du glacier, je rejoins et double Dick St-Onge qui respire péniblement. Un sentiment de liberté totale m'habite, liberté de mouvement, de décision et d'action.

Tous les 15 ou 20 mètres, selon les obstacles et la direction donnée à la route, j'arrive à un point d'ancrage des cordes: 1 ou 2 vis à glace reliées par une sangle. Au début, j'utilise systématiquement la poignée autobloquante, le jumar*, pour remonter sur la corde. Mais son utilisation s'avère plus encombrante qu'utile. La manipulation obligatoire à chaque point d'ancrage ralentit considérablement la progression et, après quelque temps, je relègue le jumar dans mon sac pour n'utiliser qu'un mousqueton à vis. Le mousqueton quant à lui se déplace librement sur la corde. Advenant une chute, je ne serais arrêté que par le point d'ancrage inférieur, mais le risque de faire une chute plus longue est compensé par la simplicité de maniement du mousqueton. Rapidité signifie sécurité. Le moins longtemps je resterai dans cette zone particulièrement instable et exposée du glacier, le mieux cela vaudra.

Environ une heure et demie après le départ du camp de base, j'arrive à l'emplacement de la première échelle. Le soleil se lève à peu près au même moment derrière la montagne. Bien qu'on ne pourra apercevoir l'astre que dans plus de trois heures à cause de la hauteur des sommets, la clarté de la glace immaculée permet d'y voir parfaitement. Cette échelle, ancrée solidement de chaque côté d'une petite crevasse d'un mètre de largeur, n'a pas l'air bien méchante. J'en profite pour me familiariser avec la technique de marche avec crampons sur une échelle horizontale. Mes crampons s'appuient sur deux barreaux en même temps, ce qui me permet de maintenir plus facilement mon équilibre. Il s'agit de bien calculer ses pas pour placer les pointes de crampons aux bons endroits. Les premières échelles sont faciles et bientôt, pour aller plus vite, je ne fais que placer mes crampons en équilibre sur un seul barreau et j'avance plus  rapidement. Je rattrape Barry et le dépasse. Je ralentis quelque peu pour souffler et j'en profite pour le photographier sous différents angles alors qu'il franchit les échelles.

L'itinéraire se complique. La partie centrale du glacier est barrée de nombreuses crevasses. La pente est plus prononcée. La voie zigzague sans arrêt et les séracs semblent plus instables. Traverser cette zone équivaut à jouer à la roulette russe. J'ai les

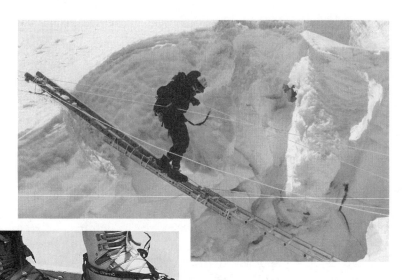

Photo:
Scott
Darsney

nerfs en boule. Les crevasses et les échelles aussi changent d'aspect. Les crevasses s'élargissent et maintenant plusieurs échelles sont jointes bout à bout avec de la corde pour traverser ces gouffres béants. Deux échelles, ça peut encore aller, trois, ça commence à m'énerver. Mon cœur bondit dans ma poitrine en traversant, sur quatre échelles liées ensemble, une crevasse dont je ne vois pas le fond. Elles ne sont pas tout à fait alignées. J'avance avec précaution sur cet échafaudage risqué. Sous mes pieds, le gouffre est insondable. Il me faut arrêter de longues minutes de l'autre côté pour reprendre mes sens. À cette altitude, la moindre inquiétude vous bloque la respiration. Au niveau de la mer, on ne se rend pas compte à quel point les émotions ont une influence sur le corps, mais ici, l'impact est immédiat. Par un effort de volonté, je reprends mon calme, je décontracte mes muscles et je respire mieux.

Au-dessus de la zone centrale, se trouve une longue pente de 250 à 300 mètres entrecoupée de courts replats et traversées. Cette pente constitue la première mise à l'épreuve à l'altitude. Je mets presque 2 heures pour la franchir. Je m'arrête à plusieurs reprises pour reprendre mon souffle et calmer mes battements cardiaques. Une tension à la limite de la crampe tourmente les muscles de mes jambes, indice que mon organisme réclame avec avidité l'oxygène que mes poumons ne parviennent pas à extraire de l'air. Je suis au bord de l'asphyxie. À respirer si rapidement dans l'air très sec, je me déshydrate très vite. Ma gorge est en feu. À chaque arrêt, je prends une gorgée d'eau et bientôt ma gourde est vidée.

Je ne suis pas le seul à subir le stress du manque d'oxygène. J'aperçois Mark plus haut dans la pente qui avance lui aussi à pas de tortue. Tous les 20 pas environ, je m'arrête, suffoqué. Je respire profondément pendant de longues minutes. Je repars pour une vingtaine de pas. La pente me semble interminable. Les 2 sherpas, partis plus d'une heure après moi, en profitent pour me dépasser, progressant à bon rythme.

Vers neuf heures, le soleil franchit l'éperon ouest de l'Everest qui projetait son ombre sur le glacier et nous frappe de plein fouet. La température monte rapidement. Il me faut enlever plusieurs couches de vêtements et ouvrir toutes les ouvertures de ventilation de ma combinaison prévues, heureusement, à cet effet.

Au-dessus de la pente, le chemin est bloqué par une gigantesque barre de séracs. À ma gauche, un mur de rocher presque vertical, l'éperon ouest de l'Everest, surmonté d'un énorme glacier suspendu plutôt menaçant. Sur la droite, la pente est recouverte de débris d'avalanches me semble-t-il récentes. Je me demande depuis un moment par où passer lorsque j'aperçois derrière un bloc de glace la corde indiquant la route. J'entame alors une longue traversée vers la droite à travers cette zone d'éboulis sous de gigantesques séracs. Le paysage est sinistre. Je tente d'accélérer le pas, mais j'en suis incapable. Mon esprit envoie des signaux d'alarme pour me forcer à aller plus vite, mais mon corps ne réagit pas, ne peut pas réagir. Je suis complètement épuisé par l'effort intense de la montée. Je jette un coup d'œil à ma montre. J'ai entrepris l'ascension il y a plus de 5 heures. Pour la première fois de l'expédition, j'atteins la barre des 6 000 mètres. J'avance à pas de tortue. Et cette traversée qui n'en finit pas...

À tout moment, je m'attends à voir tomber la muraille de glace que le tracé de la route m'oblige à longer. Tous mes sens aux aguets, j'épie la moindre fissure, je suis attentif au moindre craquement. La peur me noue l'estomac. Mais même si je

pressentais un mouvement de la glace, il n'y a nulle part où me réfugier. Je me trouve sur le dos d'une bête indomptable, endormie pour combien de temps encore?

À bout de forces, impuissant, avec une pointe d'irritation, je me résigne à remettre entièrement mon destin entre les mains des dieux de la montagne. Si ma dernière heure doit arriver ici, eh bien qu'elle vienne! La peur relâche bientôt quelque peu son étreinte. Je n'arrive pas à avancer plus vite, mais je me sens soulagé.

La voie traverse le glacier dans toute sa largeur. J'atteins enfin l'extrémité de cette éprouvante traversée. Encore quelques pentes à gravir en diagonale et le supplice va se terminer. Je longe les plus larges crevasses que j'ai vues jusqu'à présent. Dans la toute dernière pente, je croise Tshering Lhakpa et Passang Tamang, qui, leur charge déposée, redescendent au camp de base avant que le soleil n'ait frappé trop fort et rendu le glacier encore plus dangereux.

De loin, j'aperçois quelques tentes installées sur un large replat. L'esprit engourdi par l'intense effort de concentration des dernières heures, je franchis sans même ralentir deux échelles branlantes avant d'atteindre l'emplacement du camp 1. Je rejoins Mark déjà assis sur son sac et je m'effondre à ses côtés. Je suis à bout et ma gorge me fait horriblement souffrir. Il m'a fallu plus de six heures pour arriver jusqu'ici.

10

LE CAMP 1

Je reste une trentaine de minutes, affalé plus qu'assis, sans pouvoir bouger ni même parler. Je suis trop fatigué pour éprouver quoi que ce soit. Comme un automate, je déballe lentement mes affaires. Mark a déjà allumé le réchaud et commencé à faire fondre de la neige. La première gorgée de breuvage chaud est un délice pour mon palais en feu. L'intense chaleur du soleil et les multiples tasses de liquide que je consomme pour me réhydrater me redonnent lentement des forces. Mon corps reprend péniblement vie et je commence à prendre conscience de ce qui m'entoure.

Notre position ne me plaît pas du tout. Je constate avec inquiétude que le camp 1 est perché sur une des masses de glace

que je craignais de voir s'effondrer et m'engloutir à la montée. L'emplacement choisi forme le premier plateau plus ou moins horizontal que l'on rencontre au-dessus de la cascade de glace. À cet endroit, le glacier commence à se fissurer et à tomber dans la pente raide, comme au bord d'une chute. Le camp est installé sur un sérac, gros de plusieurs dizaines de milliers de mètres cubes, tout en haut de la falaise de glace, dans un équilibre obligatoirement instable. À l'extrême droite de cette étroite plate-forme se trouvent les tentes de l'expédition des sherpas, juste à côté de celles des Coréens, puis plus près de nous, l'autre groupe d'Américains. Tout le monde est occupé à monter son propre camp.

Je cherche des yeux aux alentours un endroit plus accueillant. Peine perdue. Plus bas, il n'y a aucun espace permettant de monter des tentes. De toute façon, le terrain semble y être encore plus instable. Plus haut, d'aussi loin que mon regard puisse porter, le relief est aussi tourmenté. Il me faut me résigner à accepter l'endroit. Dans une recherche de sécurité dérisoire, on monte les tentes aussi loin que possible du précipice inférieur, mais nécessairement près de la lèvre supérieure de l'énorme bloc où nous élisons domicile. J'espère seulement ne pas devoir m'éterniser ici.

Vers la fin de l'après-midi, deux tentes sont montées côte à côte et un espace pour faire la cuisine est aménagé entre les deux. Au moment où nous avalons une soupe assis tranquillement devant nos tentes, une grande partie du sérac qui surplombe notre camp tombe dans un bruit sourd au fond de la crevasse, juste en face de nous, à quelques mètres de notre emplacement. Nous restons tous bouche bée. Un silence lourd s'installe. Personne n'ose exprimer son émotion, mais l'inquiétude, presque tangible, emplit l'atmosphère. Qu'est-ce qui va bouger la prochaine fois? La glace sur laquelle notre tente est montée est-elle solide? Qu'est-ce qui serait arrivé si?... Nous savions tous que le camp 1, situé au cœur du glacier, nous exposerait aux avalanches de neige et de glace. Mais nous ne sommes pas suffisamment acclimatés à l'altitude pour éviter d'y séjourner. Je sens que tous souhaitent raccourcir cette étape. Même si rien n'a encore été dit, je suis sûr qu'aucun d'entre nous ne désire camper à nouveau au camp 1. Nous nous efforcerons d'atteindre à l'avenir le camp 2 d'une seule traite! Mais pour cette fois, l'arrêt est obligatoire: le processus d'acclimatation à l'altitude l'impose.

Encore sous le coup de l'émotion causée par la chute du sérac, nous regagnons nos tentes et entrons dans nos sacs de couchage. Il est environ 19 h 00 et le soleil se cache derrière les montagnes. Le froid se fait aussitôt plus vif. Je partage la tente avec Dick St-Onge. Celui-ci déballe un énorme sac de couchage en duvet. Avec ses six pieds et quelque, il occupe presque tout l'espace dans la tente. Nous tentons de le partager de façon équitable mais, au cours de la nuit, à cause de l'inégalité du sol, je me retrouve coincé entre le mur de toile tendue de la tente et le sac de couchage de mon partenaire. J'ai un léger mal de tête à cause de l'altitude nouvelle, mais je m'efforce de ne prendre aucune médication pour surveiller l'évolution naturelle de mon

acclimatation. Je passe la majorité de la nuit à surveiller, justement: forcer la respiration, tenter de contrôler une migraine pas trop forte mais lancinante, et surtout maîtriser la sensation de claustrophobie causée par l'exiguïté. Au matin, je ne suis guère plus reposé que la veille et c'est avec empressement que je me prépare à regagner le camp de base, tel que prévu.

Durant la descente, je rencontre successivement Ang Passang, Ang Nima, Gary, Rick et Mike en route vers le camp 1. Ils montent lentement, ployant sous leurs charges. L'effort se lit sur leurs visages. J'en profite pour photographier quelques spectaculaires traversées d'échelles. Au bas du glacier, les crevasses me semblent moins impressionnantes qu'à la montée. Elles prennent l'aspect d'inoffensives fissures que je franchis d'un bond pour aller plus vite. Le moins de temps je passe dans cette zone, le mieux je me porte.

De retour, à peine 700 mètres plus bas, je sens que l'air est plus riche en oxygène. C'est une bonne indication que mon processus d'acclimatation à l'altitude se déroule normalement. Je relaxe durant le reste de la journée pour refaire mes forces. J'en ai bien besoin après les efforts et émotions des dernières 24 heures.

Le jour suivant, le 3 avril, Mark et Barry ainsi que les quatre sherpas font la navette jusqu'au camp 1 pour y déposer du matériel. Je décide de prendre un jour de repos supplémentaire. J'estime ne pas être en mesure de fournir une deuxième fois un effort aussi grand après une si courte période de récupération. J'ai encore besoin de repos. Dick St-Onge, quant à lui, semble particulièrement éprouvé par l'altitude. Il ne quitte pas sa tente de la journée.

La nourriture copieuse du camp de base et le chaud soleil de l'après-midi ont vite fait de me réconforter. Oubliant les souffrances d'il y a deux jours, j'ai même hâte de remonter. Marc Chauvin arrive au cours de l'après-midi. Son groupe de trekking est en route vers Katmandou avec un guide sherpa. Son engagement est terminé. Il semble en pleine forme et impatient de commencer le travail sur l'Everest. Justement, ce n'est pas ça qui manque. Vers la fin de la journée, je prépare mon sac pour le lendemain.

Marc, Barry, Mark, 3 des sherpas et moi quittons le camp de base vers 3 h 30 du matin, pour transporter du matériel au camp 1. Le même rituel que la première fois se répète. Par contre, cette fois, ce n'est plus tout à fait l'inconnu. Même les crevasses me semblent moins impressionnantes. Mais ce sentiment de sécurité est trompeur, j'en suis conscient.

Je connais l'itinéraire et je peux mieux doser mes efforts. Nous sommes de retour au camp de base vers neuf heures du matin. Quelle différence entre les deux montées! Je me sens mieux et le rythme de progression est plus rapide. Je me rends compte à quel point je redoutais ma première excursion sur le glacier. Ces peurs ont drainé une part importante de mon énergie et contribué à nuire à ma performance, il y a deux jours. Par bouts, j'avais peine à mettre un pied devant l'autre. Plus que la contre-performance elle-même, ce qui m'inquiète le plus c'est que je n'en étais pas conscient sur le coup. J'ai laissé ma peur prendre le contrôle. Je me promets d'être plus vigilant face à la crainte de l'inconnu. Qui sait? Le succès en dépend peut-être.

En route vers Tyangboche au pied de l'Ama Dablam (6 856 mètres), étape obligatoire sur le chemin de l'Everest.

Toute l'équipe, grimpeurs, personnel de soutien, sherpas, à pied d'œuvre au camp de base.

Fernande et un de nos porteurs arrivent à Lobuche (4 900 mètres) lors de notre voyage de reconnaissance en 1990.

Temple bouddhiste au cœur de Katmandou.

Le glacier du Khumbu, barrière de glace parsemée de crevasses et de séracs.

Dans des sentiers plusieurs fois centenaires, yacks et porteurs acheminent nos deux tonnes de vivres et de matériel.

Sur le glacier, au-dessus du camp 1, la route zigzague entre crevasses et séracs.

La pyramide sommitale de l'Everest avec un nuage accroché au sommet, indicateur de grands vents.

Des blocs de rocher parfois énormes se retrouvent en équilibre instable à cause de la fonte du glacier.

Sur la moraine latérale, tout juste avant d'embarquer sur le glacier qui mène au camp de base.

Les crevasses les plus larges sont traversées sur des échelles attachées bout à bout avec de la corde.

Le col sud à 8 000 mètres. C'est un endroit désolé, un paysage quasi lunaire.

L'escalade dans les pentes supérieures, vers les 8 400 mètres. Par endroits, on enfonce dans la neige jusqu'aux genoux.

Le camp 3 à 7 300 mètres. Deux petites tentes sur une étroite plate-forme.

La dernière difficulté avant le sommet: une arête effilée qui mène au ressaut Hillary, 10 mètres de rocher vertical à 8 760 mètres d'altitude.

11

ACCIDENT SUR LE GLACIER

Chacun vaque à ses occupations. Toutes nos installations, quoique rudimentaires, sont en place et fonctionnelles. Maintenant que nous sommes affairés dans la montagne, John Villachica commence à prendre en main les responsabilités du camp de base. Avec l'aide principalement d'Urgen, il organise le quotidien: l'horaire des repas, l'entreposage et le contrôle du matériel, les tâches d'entretien de notre petit village, où jusqu'à 25 personnes vont séjourner.

Vers le milieu de l'après-midi, une nouvelle vient troubler la quiétude de notre petit monde. Un accident est survenu sur le glacier. La rumeur rend tout à coup la vie au camp de base inconfortable. Un accident: l'événement redouté entre tous. L'aisance relative avec laquelle s'est déroulée l'expédition jusqu'à maintenant avait endormi quelque peu notre sens du danger. Le silence est lourd de sombres réflexions. Risque, danger, insécurité, famille et amis forment un bouillon difficile à digérer.

On apprend qu'il s'agit de membres de l'expédition sherpa. Un des leurs est blessé, mais on n'en sait pas plus. Il faudra attendre plusieurs heures avant d'obtenir tous les détails. En fait, ce n'est qu'au retour du groupe qui s'est chargé du sauvetage que nous parviennent les nouvelles.

Le sérac sur lequel était appuyée la plus longue échelle (quatre sections verticales) est tombé. Trois grimpeurs descendaient le glacier. Un des sherpas se trouvait au sommet de ce sérac haut d'une dizaine de mètres. Lorsqu'il a senti la vibration sous ses pieds, il a tout juste eu le temps de s'échapper vers le haut avant que tout ne s'effondre. Un autre sherpa était dans l'échelle quand le mur de glace s'est écroulé sur lui. Il doit la vie uniquement à la poignée jumar qui le reliait à une corde fixe.

Bilan: une jambe cassée et de multiples contusions. Il a quand même été chanceux. Il aurait pu être complètement englouti. L'accident est arrivé vers le milieu de l'après-midi: le moment où nous craignons le plus de nous aventurer sur le glacier à cause du réchauffement.

Après plusieurs heures de difficile portage, les sauveteurs regagnent le camp de base avec le blessé en fin de journée. Aussitôt, Mike et Dick se rendent à son chevet et lui administrent les soins nécessaires. Grâce à notre trousse médicale très bien garnie, ils immobilisent sa jambe et lui donnent des analgésiques pour la nuit. Ce campement n'est pas un endroit de convalescence. La nuit a dû être pénible pour cet alpiniste blessé.

Le lendemain, le blessé est évacué. Transporté à dos d'hommes pendant quatre jours jusqu'à Khunde, l'infortuné sherpa rejoint le dispensaire où il pourra recevoir des soins.

Nous souhaitons tous connaître les détails de l'accident, mais personne n'émet de commentaires à haute voix. Mes appréhensions se confirment. Cette fois-ci, le grimpeur s'en est tiré, mais la montagne sera-t-elle aussi clémente la prochaine fois? À qui le tour? Notre nouvelle ligne de conduite se confirme tacitement: la cascade de glace sera évitée en après-midi.

Dans les jours qui suivent, l'accident se transforme lentement en incident dans l'esprit de chacun. La crainte se dissipe. Le temps adoucit les menaces. La vie normale et presque tranquille du camp de base reprend son cours.

12

CAMP 2

Après une brève période de remise en question indivi-
duelle, les impératifs de notre projet collectif reprennent le dessus.
Le 6 avril, nous montons à 6: Mark, Barry, Gary, Ang Nima, Ang
Passang et moi. Objectif: établir et consolider le camp 2 à 6 500
mètres. Départ à 5 h 00 du matin; arrivée au camp 1 vers 8 h 30.
Encore une fois, la traversée de la cascade de glace fait monter la
tension de plusieurs crans. Les dangers accaparent mon esprit au
milieu des séracs surplombants qui, surtout dans la partie centrale,
menacent de s'effondrer à tout moment. Depuis l'accident, personne de notre groupe n'était remonté sur le glacier. Le tracé contourne la zone de l'éboulis, devenue impraticable. Des amoncellements de blocs de toutes grosseurs sont éparpillés sur une très
grande surface. En fait, près du quart de la montée se fait sur du
nouveau terrain. Si cette fois l'inconnu ne m'effraie pas autant,
l'ascension est toujours aussi rude et harassante.

Arrivés au camp 1, il faut se faire à l'idée que nous ne serons
pas tous capables d'atteindre le camp 2 aujourd'hui. Seuls les 2 sherpas, Ang Nima et Ang Passang, poursuivent leur route, avec une
tente, une radio et leur équipement personnel. Résignés à la
pensée peu réjouissante de passer un nouvelle nuit à ce camp particulièrement exposé, Barry et moi préparons les charges à transporter le lendemain. En presque une semaine de va-et-vient quasi
ininterrompu, beaucoup de matériel a été acheminé jusqu'ici.
Nous devons vider les tentes de l'équipement empilé pêle-mêle
et trier le contenu des sacs. Nous préparons des charges de 12 à
15 kilos environ, en donnant priorité à la nourriture, aux réchauds et aux ustensiles de cuisine.

Pendant ce temps, Mark et Gary montent de quelques centaines de mètres au-dessus du camp 1 pour consolider les ancrages

et les cordes fixes installés quelques jours plus tôt par l'expédition des sherpas. Arrivés les premiers, les sherpas ont une longueur d'avance. Ils établissent la route devant toutes les autres expéditions. Cependant, en gagnant de l'altitude, le rythme de leur progression ralentit. L'avance des sherpas s'amenuise graduellement. Sans les rattraper tout à fait, nous pouvons participer au travail de consolidation des cordes fixes. Ils conservent la tête puisqu'ils ont commencé à s'acclimater à l'altitude quelques semaines avant nous.

Tout en vaquant à ma tâche, je me plais à penser que les radios vont enfin jouer le rôle pour lequel temps et argent furent investis. Ils ne seront plus les simples jouets qu'ils ont été jusqu'à maintenant. Pour tromper l'ennui des longues journées d'attente, certains se sont amusés à tenir des conversations avec les habitants des quatre coins du camp de base.

Au cours de l'avant-midi, le ciel se couvre. Vers 12 h 30, il se met à neiger, doucement au début, puis de plus en plus fort. Mark et Gary rentrent précipitamment vers 14 h 00. C'est le blizzard, on ne voit pas à 10 mètres. Confinés dans les tentes par la tempête, nous attendons avec anxiété l'appel radio d'Ang Nima et Ang Passang. Il n'y a rien d'autre que nous puissions faire par ce temps que de nous ronger les sangs. Pourquoi n'appellent-ils pas? La consigne était pourtant claire:

- Appelez en cas d'ennui quelconque. Nous restons à l'écoute.

Vers 18 h 00, nous recevons enfin un appel. Je reconnais avec soulagement la voix d'Ang Passang. Comme nous nous y attendions, la neige a considérablement retardé leur progression. La voix chargée d'émotion, Ang Passang nous raconte la chute d'Ang Nima dans une crevasse:

- Lorsque la neige a débuté, nous avions presque franchi la zone des grandes crevasses, juste au-dessus du camp 1. Très vite, il s'est mis à neiger de plus en plus fort et le vent s'est levé. Nous marchions très lentement dans plus de 30 centimètres de neige. La neige soufflée par le vent brouillait la vue et nous empêchait de voir les crevasses. On ne voyait rien du tout. On a pensé un moment rebrousser chemin, mais l'idée de retraverser le champ de crevasses avec une visibilité presque nulle ne nous plaisait pas du tout. On a décidé de s'encorder pour continuer. Les crevasses étaient plus petites, mais complètement recouvertes de neige. Il fallait être très prudents. Le premier faisait la trace en sondant le

Entourés de blocs de glace menaçants, on aperçoit nos tentes du camp 1, minuscules points noirs dans ce vaste décor.

terrain à chaque pas avec son piolet. On avançait à pas de tortue, si bien que, quand le second arrivait à la hauteur du premier, la trace avait presque disparu. Tous les 100, 150 mètres, on changeait de rôle pour se reposer. À un moment donné, Ang Nima était en avant et j'ai entendu un cri. J'ai bloqué la corde, mais je n'ai ressenti aucune secousse. Il était tombé dans une étroite crevasse couverte de neige et s'était enfoncé jusque sous les bras. Je l'ai aidé un peu en maintenant la corde tendue, mais il s'est sorti seul de sa position précaire. Je le distinguais à peine tant la neige était dense. Je l'ai rejoint. Il n'avait rien et j'ai pris la tête pour un bon moment. On avançait tellement lentement qu'on a mis plus de 3 heures pour franchir les 2 derniers kilomètres en pente douce du glacier.

Nous sommes soulagés. L'épisode de la cordée des sherpas s'est terminé sans mal. De notre côté, il faut songer à nous préparer pour la nuit. Le souper est expédié en vitesse. Le froid se fait bientôt cinglant dans les tentes et chacun se réfugie dans son sac de couchage. Ma seconde nuit à 6 000 mètres s'avère beaucoup meilleure que la première. Je ne me réveille que 3 ou 4 fois pour satisfaire des besoins naturels. Après avoir ingurgité plus de 2 litres de liquide durant le souper, il faut bien en évacuer le surplus. La routine quoi! Toute la troupe dort plutôt bien, quoique Gary se plaigne de maux de tête au lever.

La tempête se poursuit une bonne partie de la nuit. Au matin, la précipitation a cessé, mais 20 centimètres de nouvelle neige se sont ajoutés à ce qui était déjà tombé la veille. Tout est recouvert d'une couche de neige molle qui cache sournoisement les crevasses. Impossible de monter. Il nous faut attendre au moins une journée pour que le soleil ait transformé cette neige fraîche et surtout que les crevasses soient rouvertes.

Les éléments nous imposent leur rythme. Continuer dans de telles conditions serait suicidaire. Nous acceptons sans grande conviction de rester une journée de plus au camp 1. La journée se passe lentement, consacrée en grande partie au repos et à l'attente.

Vers 6 h 30 le lendemain matin, nous nous mettons tous les 4 en route: direction camp 2. À quelques mètres de nos tentes, d'énormes crevasses barrent la route. Je croyais avoir vu les plus importantes, je me trompais largement. Au-dessus du camp 1, le glacier se brise en larges blocs qui semblent faire la queue avant de se précipiter dans l'abîme de la cascade de glace. C'est d'ici que provient la matière première de la zone d'éboulis que nous avons traversée avant d'arriver à l'emplacement du camp 1. Chacun de

ces blocs est gigantesque et les crevasses qui les séparent, in-sondables. Pour remonter les premiers 100 mètres, la ligne des cordes fixes nous oblige à zigzaguer et à traverser à plusieurs reprises le glacier dans presque toute sa largeur. Plus d'une fois, le tracé descend à l'intérieur d'un de ces gouffres et remonte sur l'au-tre versant. Plusieurs heures après avoir quitté le camp 1, les tentes semblent encore tout proche.

Mark prend la tête, évidemment. Gary suit à bonne distance, loin devant Barry et moi. Incapable d'échanger la moindre parole, Barry et moi maintenons toutefois le même rythme. Mon com-pagnon semble accuser les mêmes difficultés. Mon sac à dos me pèse. L'altitude paralyse mes muscles. La volonté commande le rythme, mais sans grands résultats. Seul Mark avance comme si l'altitude n'avait pas d'emprise sur lui. Mais nous, nous sommes très éprouvés. Nous progressons à un rythme tellement lent que je me demande si, à cette vitesse, le mot *déplacement* s'applique en-core. Mon moral en prend un coup. Je suis exaspéré par une telle lenteur, mais mes jambes sont de plomb et mes muscles ne réagis-sent pas.

Vers 11 h 00 du matin, la zone de crevasses enfin traversée, il nous reste une longue montée en pente plus douce à effectuer. Trois kilomètres nous séparent encore du camp 2. La pente n'offre aucun replat, aucun repos. Malgré notre lenteur extrême, nous rattrapons presque Gary vers la fin de la montée. J'arrive en vue des tentes vers 13 h 00 en me traînant les pieds, complètement épuisé.

Le camp 2 est posté à l'extrémité de la combe ouest, à la nais-sance même du glacier du Khumbu, directement sous la formidable face sud-ouest de l'Everest. Longue et étroite bande coincée entre le glacier et les débris de rochers de la face, cette confortable plate-forme s'avère l'endroit idéal pour installer un camp. Le camp 2 deviendra rapidement notre camp de base avancé. Il est situé à une altitude juste assez élevée pour permettre d'atteindre les camps supérieurs rapidement, mais pas trop, ce qui permet à notre organisme d'y séjourner assez longtemps sans trop de fatigue. Le site est de plus protégé des tempêtes de vent par les trois larges murailles de l'Everest, du Lhotse et de Nuptse.

Mais en arrivant à l'endroit où se trouvent déjà deux tentes de l'expédition des sherpas, je ne suis pas en état d'apprécier la qualité stratégique de l'endroit. Je suis au bord de la faiblesse. Mes jambes ne me portent plus. J'ai trop forcé l'allure.

Notre périple à peine entamé, je n'ai pas encore trouvé mon propre rythme de progression. Habitué à être parmi les plus agiles, je m'efforce de modeler ma vitesse sur celle des plus rapides. Mais la cadence donnée depuis le départ de l'ascension ne me convient pas vraiment. Plus tard au cours de la journée, je m'accorde une période de réflexion. Habituellement, dans des expéditions de longue durée, je démarre plutôt lentement. Ensuite, mon rythme s'accélère. Il faut bien doser ses efforts pour se rendre jusqu'au bout. Nous ne faisons que commencer. Le plus difficile reste encore à venir.

Avec l'aide des sherpas, Mark monte une tente pour Barry et moi pendant que j'essaie de reprendre mes esprits et mon souffle. Je suis complètement déshydraté et, comble de malheur, nous n'avons pour six grimpeurs assoiffés que deux réchauds dont un ne fonctionne à peu près pas. Dans les meilleures conditions, il faut plus d'une heure pour produire un litre d'eau à partir de glace ou de neige et l'amener à ébullition. Lorsqu'un des appareils a des ratés, ça devient particulièrement frustrant.

Prostré pendant plusieurs heures dans la tente, je m'efforce de calmer mon gosier enflammé avec l'eau qui n'arrive littéralement qu'au compte-gouttes. Vers la fin de l'après-midi, je vais un peu mieux et j'entreprends de me préparer pour la nuit. En définitive, je vais me coucher sans redonner à mon corps qui les réclame les litres de liquide qu'il a évaporés pendant la journée. Je suis constamment réveillé au cours de la nuit par des quintes de toux sèche provoquées par la déshydratation. Je me console en constatant que je ne souffre d'aucun symptôme relié à l'altitude pour ma première nuit à 6 500 mètres.

Le lendemain, il fait tempête. Mais ne disposant ni de vivres ni de carburant en quantité suffisante au camp 2, il nous faut redescendre quand même. Tout se trouve au camp 1. Nous rejoignons néanmoins sans grand émoi le camp 1 malgré les quelque 15 centimètres de neige fraîche, le vent et la poudrerie. Le vent violent nous cingle le visage et nous oblige à porter un masque et des lunettes de ski. Malgré le traitement de protection contre les ultraviolets des lunettes de ski, mes yeux me font souffrir et je dois mettre mes lunettes de glacier en plus. Affublé d'une double paire de verres filtrants, j'avance à tâtons dans la tourmente avec l'impression de m'engouffrer dans un décor féerique et troublant.

L'arrivée dans la zone des crevasses juste au-dessus du camp 1 me ramène à des considérations plus pratiques. Il faut dégager les cordes fixes emprisonnées dans la neige, ce qui ralentit quelque peu l'avance. La perte d'altitude me redonne des forces. Je franchis cette section qui m'avait tant traumatisé à la montée avec célérité et aisance. Quoique plus impressionnantes, les crevasses ici comportent moins de risques que celles de la cascade de glace sous le camp 1. L'angle de la pente est moins prononcé, le glacier bouge moins vite et les séracs sont plus stables. Par contre, l'escalade est plus rude. Nous sommes trop loin du camp de base et seules quelques crevasses, les plus dangereuses, sont munies d'échelles. Ailleurs, il faut descendre le long des cordes fixes jusqu'au fond de la crevasse et remonter de l'autre côté. Cela demande des efforts considérables pour franchir à peine quelques dizaines de mètres.

Mon premier souci lorsque j'arrive au camp 1 est de me réhydrater complètement. J'avale des litres de thé, de chocolat chaud et de soupe.

Le camp 2 à 6 500 mètres, dans la combe ouest: un grand cirque entouré de l'Everest, du Lhotse et du Nuptse.

Notre plan est d'acheminer le plus d'équipement possible au camp 2 avant de retourner au camp de base. En faisant la navette entre les camps 1 et 2, il nous faut arriver à stocker suffisamment de matériel au camp 2 pour pouvoir y séjourner plus longtemps. Mais avant, il faut se résigner à passer une autre nuit au camp 1. J'espère bien que ce sera la dernière.

Cette nuit-là, je ne trouve que tardivement un sommeil agité. La fatigue commence à me peser. Je sens qu'il me faudra descendre au camp de base bientôt pour récupérer. Durant la nuit, selon le scénario qui commence à devenir habituel, une nouvelle précipitation laisse environ 20 centimètres de neige fraîche. Au matin, la chute de la neige diminue d'intensité, mais le vent persiste. Vers 6 h 30, Barry et moi décidons de monter vers le camp 2 avec une charge de matériel chacun. Nous avançons à pas de tortue dans la tourmente. En quelques minutes, les traces s'effacent derrière nous. Après une heure environ, la neige cesse et on aperçoit le ciel bleu. À peine quelques mètres au-dessus de nos têtes, l'air est parfaitement dégagé, mais le vent ne faiblit pas et soulève des tourbillons de neige. Pour nous, la tempête n'est pas terminée. Cette oasis de paix pourtant si près de nous à la verticale demeure inaccessible. Nous continuons à combattre les éléments. À mi-chemin, je dois me résigner: je manque de forces pour continuer. Depuis le départ, nous avons partagé la tâche d'ouvrir la voie. Celui qui est devant doit se frayer un passage dans l'épaisse couche de neige fraîche. On dit *faire la trace* quand on enfonce dans cette neige jusqu'aux genoux ou même plus profondément. Je laisse mon colis près d'un petit fanion de bambou qui marque la piste et je rebrousse chemin. Barry continue seul. En descendant, je rencontre Mark, seul. Au rythme où il avance, il va rattraper Barry en un rien de temps. À deux, ils vont pouvoir s'épauler, il n'y a pas raison de s'inquiéter.

Je m'arrête au camp le temps de me préparer un chocolat chaud. Je décide de redescendre aussitôt vers l'hospitalité du camp de base. J'ai besoin de repos. Gary, toujours affaibli par l'acclimatation à l'altitude, a pris avant moi la direction du camp de base. La véritable expédition ne fait que commencer et déjà il faut se replier pour refaire ses forces...

13

LE DÉPART DE DICK ST-ONGE

Après quatre jours passés en altitude, ma perception du camp de base s'est radicalement modifiée. De l'emplacement désolé et froid qu'il apparaissait à l'arrivée, il prend maintenant l'allure d'une oasis de chaleur et de confort en comparaison avec les camps 1 et 2. Lorsque notre cuisinier Ang Dawa m'accueille avec boissons chaudes et repas nourrissants servis dans de vrais couverts, j'ai l'impression d'être l'enfant prodige de retour au bercail! Ça change du thé et des bouillies qu'on se prépare soi-même et avale rapidement avant que le tout ne refroidisse.

Le 11 avril, c'est jour de repos pour moi. Après des journées entières à combattre le froid constant, le manque d'oxygène, la neige et le vent, je me sens presque en vacances à profiter du soleil et du confort de notre installation. Notre perception des choses et des situations n'est toujours que relative. Le camp de base m'avait paru pour le moins inhospitalier à mon arrivée. Depuis, j'ai découvert des conditions plus exigeantes sur la montagne. Pour sentir une amélioration de sa condition, il suffit d'aller vers un état plus exigeant et de revenir par la suite à sa condition première. Très simple. J'ai un peu peur de pousser la réflexion jusqu'au bout. Peut-être que, par le même effet de contraste, les conditions du camp 2 me paraîtront agréables comparées à la vie dans les camps supérieurs!

Je profite de ce repos que je crois mérité pour visiter nos diverses installations. Elles ont été grandement améliorées par John Villachica. Depuis le début de l'expédition, John n'avait pu assumer à part entière la charge du camp de base. Les membres du groupe et surtout les décideurs, Rick et Mark, ne lui laissaient pas suffisamment d'autonomie. Maintenant que nous sommes tous répartis dans les camps sur la montagne ou occupés par la progression de l'équipe, le camp de base revient à son respon-sable. Et John, d'inexpérimenté qu'il était au début, va assumer ses fonctions avec de plus en plus d'assurance et d'efficacité.

Au cours de la matinée, je vaque à mes occupations autour des tentes communautaires lorsque m'arrive une rumeur quelque peu préoccupante. Dans notre minuscule village, les nouvelles voyagent vite. On en parle comme si c'était déjà fait, déjà décidé: Dick St-Onge quitterait sous peu l'expé-dition. Je ne peux y croire. Pourquoi si rapidement? Pour éviter tout malen-tendu, je pose directement la question au principal intéressé lorsque celui-ci se présente dans la tente communautaire pour le repas.

- Je pars demain, me confirme-t-il.

- Aussi vite?

- J'ai peine à m'acclimater au-dessus de 6 000 mètres. Lorsque je suis monté au camp 1, j'ai eu de violents maux de tête, j'étais incapable de dormir. Je ne pense pas pouvoir y retourner, encore moins monter plus haut. Ça m'est déjà arrivé de ressentir des problèmes d'accli-matation à 6 000 mètres, il y a quelques années. J'ai déjà grimpé plus haut auparavant, mais la dernière fois, 6 000 mètres a été ma limite. Je pensais que ça irait mieux cette fois. J'ai l'impression de m'être trompé. Je ne crois pas pou-voir y arriver. Et puis, rester au camp de base pendant plus d'un mois, très peu pour moi! Je n'ai plus rien à faire ici. Je rentre.

La pertinence de ses arguments me convainc à moitié. Je sens l'assurance dans sa voix un peu feinte. En poursuivant la discussion, j'apprends qu'il éprouve d'importants ennuis finan-ciers. Il risque de perdre le bâtiment qui abrite sa clinique de chirurgie, chez lui au Massachusetts. Propriétaire de l'édifice depuis quelques années, il risque de perdre son investissement à cause des nouvelles règles de financement imposées par la banque. Une absence de trois mois n'aide évidemment pas les négociations avec les autorités de l'institution. Dans ces con-ditions, je comprends que rentrer pour lui devient impératif.

Le départ d'un des nôtres vient jeter un doute dans l'esprit de plusieurs et principalement dans le mien. Je n'arrive pas à trouver le sommeil. L'incertitude m'assaille. Pourquoi suis-je ici? Je serais bien mieux chez moi, dans la douceur de mon foyer. Pourquoi n'ai-je pas encore reçu de nouvelles de Fernande? Il y a presque un mois et demi que je suis parti. Est-ce qu'elle va venir me rejoindre tel que prévu? J'aimerais pouvoir lui parler, lui confier mes angoisses. Ici, je vis seul avec mes soucis. Mes compagnons sont aux prises avec leurs propres difficultés. En partie à cause de ma nature introvertie, en partie à cause des barrières de langues, ils partagent des moments de camaraderie desquels je me sens parfois exclus.

Au matin, je me plonge dans la lecture d'un livre de philosophie orientale: *Trois Upanishads, Isha, Kena, Mundaka* de Sri Aurobindo. Cela me réconforte quelque peu. Je retiens de ma lecture un passage sur la persévérance dans la réalisation des grands objectifs... Au jour le jour... Les grandes choses se font petit à petit, les grandes ascensions se font pas à pas. Je suis loin de comprendre toutes les subtilités de ces textes anciens, mais leur simplicité me persuade aisément. Ici, dans l'air limpide de la haute montagne, tout paraît plus facile à comprendre. Les relations avec les autres et avec soi-même me semblent épurées, débarrassées des conventions de la vie en société qui empêchent souvent de saisir l'essence des choses. Les stimulations extérieures sont réduites au minimum et je trouve plus rapidement réponse aux questions qui me tourmentent. Tout se déroule bien pour moi. Je découvre mon rythme au fur et à mesure. Je dois continuer sur cette lancée. C'est tout ce qui compte.

Vers 11 h 00, le 12 avril, Dick est prêt à partir. Les salutations et marques d'encouragement que nous nous échangeons constituent un des moments les plus émouvants depuis le début de notre aventure. Ce grand gaillard de 45 ans, chirurgien réputé, joueur de football et de rugby, a le visage baigné de larmes au moment d'entreprendre la marche de retour. Avec John, Mike, l'autre médecin, et Ang Dawa, le cuisinier du camp de base, je le regarde s'éloigner lentement sur le glacier.

J'ai songé à rentrer moi aussi, mais notre aventure se poursuit, mon objectif demeure inchangé, mes chances sont toujours aussi bonnes. Je suis content de rester.

Au fil des jours, le camp de base s'est transformé en une petite agglomération de tentes parsemées çà et là sur le glacier. On compte en tout 7 expéditions différentes: plus d'une centaine de personnes. Une heure après le départ de Dick, je fais une brève rencontre avec le dernier arrivant dans notre petite communauté d'intérêts. Il s'agit de Marc Batard: un Français plutôt petit (environ 1 m 65) pesant 60 kilos. Un phénomène. C'est lui qui détient le record de vitesse d'ascension de l'Everest, établi en septembre 1988. Il a franchi la distance du camp de base jusqu'au sommet presque sans interruption, en 22 heures et 29 minutes. C'est ce record que justement Gary Scott projette de battre.

Cette rencontre me fait le plus grand bien. Les quelques minutes passées en compagnie de Marc Batard me remettent en contact avec ma propre énergie. Dans les yeux de cet alpiniste de 38 ans, se lisent la détermination et la certitude de celui qui connaît ses forces et ses limites. Je peux sentir cette énergie comme une émanation qui me réchauffe le cœur. Cette discussion est un baume sur mon moral affecté par la nuit de réflexion que je viens de passer et par la fatigue accumulée.

Sa confiance est communicative. Pour réaliser cette ascension remarquable, il a établi sa propre stratégie et il a réussi. Par conséquent, il est reconnu. À cet instant, je prends conscience d'un aspect caché de ma personnalité. J'ai besoin moi aussi d'être reconnu. Un besoin profond, diffus de prouver aux autres ce que je n'ai pas besoin de me prouver à moi-même. Car aux yeux de la majorité, seule la réussite est valorisée. Mais pour moi, l'attitude compte plus que la réussite. L'attitude juste aide à prendre la bonne décision au bon moment et à rester en vie dans l'univers particulièrement dangereux de la montagne. La chance n'a rien à y voir. Peut-être vais-je faire la preuve que l'attitude juste permet aussi de réussir?

Au cours de la discussion, plusieurs interrogations me viennent. Le personnage m'intrigue. Je me demande comment il est possible de réaliser en moins de 24 heures l'ascension pour laquelle je m'acharne depuis déjà plusieurs semaines. Je n'arrive pas à éclaircir certaines zones d'ombre dans ses affirmations. Le processus d'acclimatation à l'altitude? Et le rythme de progression? Je n'ose pas poser des questions trop directes, de peur de passer pour ignorant ou de brusquer un interlocuteur que je rencontre pour la première fois. Il me prête le livre publié suite à son ascension record. Peut-être les explications s'y trouvent-elles? De toute façon, les réponses se trouvent sûrement en haut de cette montagne. Il me suffit d'aller les chercher...

14

LE TRAVAIL CONTINUE

Le 13 avril, Gary, Mike et moi remontons au camp 1. Je traverse pour la quatrième fois la cascade de glace. Je croyais que la force de l'habitude rendrait cette partie de l'ascension moins pénible. Je m'étais trompé. Au début, je me sens en pleine forme et je progresse assez vite. La montée à peine amorcée, une violente toux commence à m'incommoder. Je bois quelques gorgées d'eau. Je suce une pastille. Rien à faire. Les semaines passées dans l'air extrêmement sec de la haute altitude ont irrémédiablement affecté ma gorge. Je m'arrête constamment. Les quintes de toux se succèdent et me déchirent le pharynx. Je m'affaiblis considérablement. À tel point que l'envie de vomir m'assaille chaque fois que je tousse. Je ralentis l'allure et j'arrive à destination les jambes flageolantes. Gary m'a précédé de quelques minutes et s'affaire déjà dans une des tentes. Mike traîne un peu la patte. Visiblement éprouvé, il persévère et nous rejoint au moment où nous nous activons à remettre de l'ordre dans le camp. Il tousse lui aussi à s'en arracher les cordes vocales. Il n'attend pas que la glace soit entièrement fondue pour vider d'un trait la gamelle qui repose sur un réchaud à l'entrée d'une des tentes. Il se retire ensuite dans la tente pour récupérer.

Après un très court repos, j'entreprends de préparer les charges qui devront être transportées jusqu'au camp 2. De nombreux sacs se sont accumulés au camp 1 depuis le début d'avril. Il s'agit de choisir ce qui doit être acheminé en premier. Nous devons absolument consolider l'emplacement du camp 2 pour continuer la progression. C'est là que commencera le véritable travail: l'installation des camps supérieurs. Nous décidons de ne laisser que deux tentes et le minimum d'équipement au camp 1. Ce dernier ne servira dorénavant que d'étape ou d'emplacement de camping en cas d'urgence, lors des déplacements vers le camp 2. Douze sacs sont alignés et je les numérote soigneusement. Les précieux réchauds et le carburant sont placés dans les premières charges. Le souvenir de l'épisode douloureux où nous étions six à attendre impatiemment devant l'unique réchaud qui fonctionnait me convainc facilement de leur accorder la priorité. Huit grimpeurs et sherpas occupent en ce moment le camp 2. Je me demande comment ils se débrouillent.

Les quatre sherpas doivent venir de là-bas demain pour récupérer les quatre premières charges. Pendant ce temps, Marc et Mark, Barry et Rick prévoient redescendre jusqu'au camp de base pour prendre un peu de repos. C'est à notre tour de prendre la relève. Il n'y a pas raison de s'inquiéter pour le moment, mais nous n'avons pas de temps à perdre. Presque deux semaines se sont écoulées depuis le début de l'ascension proprement dite et le camp 2 n'est pas installé définitivement. Et nous n'avons pas encore entamé les pentes supérieures, là où nous attendent les vraies difficultés.

Tout en préparant mon espace dans la tente avec Mike, je n'ai qu'un souhait: ne devoir passer qu'une seule et dernière nuit ici. Je dors d'un sommeil sans rêves, comme si le froid ou le manque d'oxygène paralysait mon esprit. C'est peut-être un mécanisme de protection de l'inconscient: ne pas rêver à de meilleures conditions de vie, de peur d'avoir le goût d'abandonner. La motivation est une conviction fragile. Imaginer un endroit plus confortable ainsi que la douceur de s'y retrouver avec mes proches serait beaucoup trop risqué. Ma volonté de continuer menace de s'affaiblir vu les conditions actuelles, particulièrement pénibles. La nuit, je suis vulnérable aux images de volupté créées par mon inconscient. Mieux vaut ne pas rêver.

Je m'amuse à passer mes moments de répit à tenter de comprendre les phénomènes que je vis et à élaborer des théories pour les expliquer. Sans avoir aucune valeur scientifique, ces réflexions collent à ma réalité et m'aident à saisir les situations, à prendre des décisions parfois et aussi à passer le temps!

Tôt le lendemain, nous quittons tous trois avec soulagement l'emplacement du camp 1. Personne ne souhaite voir son nom inscrit dans les statistiques peu réjouissantes des accidents sur l'Everest. Chacun sait que, tôt ou tard, les séracs sur lesquels sont perchées les tentes vont se retrouver dans l'abîme de glace qu'ils surplombent.

Je trouve la montée jusqu'au camp 2 beaucoup moins pénible que la première fois. Il me faut tout de même près de quatre heures pour franchir la distance. Mon sac est assez lourd et me ralentit dans les passages raides. Tandis que je me sens en bonne forme et que je m'acclimate normalement, Gary, lui, est malade. Comme nous tous, il tousse fortement. Il dit se sentir faible. Il se réfugie dans une tente aussitôt arrivé. Mike, fidèle aux habitudes que je lui connais, parle peu, mais je peux lire la fatigue dans les traits tirés de son visage. Il se retire aussi dans sa tente. Si bien que je reste seul à préparer les breuvages pour calmer l'omniprésente déshydratation de nos organismes.

Comme toujours, les quatre sherpas ont bien rempli leur rôle en transportant les quatre premiers chargements. Passang Tamang s'est plaint, à juste titre selon moi, du poids de l'énorme bonbonne de gaz propane qui doit alimenter le réchaud principal du camp 2. Ce réchaud est essentiel, mais nous n'avons pas encore réussi à le faire fonctionner. Nous avons prévu, dans notre planification de l'ascension, une tente-cuisine, ainsi qu'un cuisinier au camp 2. Le rôle du cuisinier est important, tant pour assurer aux grimpeurs une alimentation équilibrée et de qualité que pour maintenir le moral des troupes! Depuis notre arrivée, nous avons apprécié à sa juste valeur la nourriture préparée par nos cuisiniers sherpas. Ils réussissent à apprêter des mets savoureux dans des conditions plus que rudimentaires.

Tout est en place maintenant au camp 2. Il ne manque plus que le cuisinier, Concha, qui est le frère de Passang Sherpa, notre courrier. Averti par notre fidèle *sirdar* Urgen de l'imminence de l'établissement de ce qui doit devenir notre camp de base avancé, Concha serait arrivé au camp de base hier. C'est du moins ce que j'ai appris au cours d'une conversation radio avec John Villachica.

Concha arrive vers la fin de l'après-midi. J'espère qu'il réussira à mettre un peu d'ordre dans l'anarchie permanente de la tente-cuisine. Sa tâche ne sera pas de tout repos. Il dispose ici de moyens encore plus réduits que précédemment. L'espace est minime et le réchaud principal inadéquat. Nous avons dû utiliser les petits réchauds d'altitude et entamer le précieux carburant dont nous ne disposons qu'en quantité limitée.

Durant la nuit, le vent atteint une force incroyable. Je partage une tente avec Mike Sinclair. Le vent souffle de mon côté et je dois soutenir le mur de la tente qui vient près de me recouvrir complètement. Pendant plusieurs heures, je résiste à la puissance des éléments. Coincé par la toile tendue à l'extrême, j'essaie de conserver suffisamment d'espace pour respirer. L'imposant Mike ne me laisse qu'une surface minuscule. La noirceur nous enveloppe complètement. Mon angoissante claustrophobie augmente jusqu'à la limite du supportable. Je dois régulièrement m'asseoir, ouvrir ma lampe et la porte de la tente pour reprendre mon souffle. Décidément, ce genre de situation semble être mon lot. Mes compagnons sont tous plus corpulents que moi.

Je demeure impuissant devant la tempête déchaînée. Je me cramponne dans mon coin et j'attends que la nuit soit passée. Je ne peux sortir de mon sac de couchage, il fait beaucoup trop froid. Vers six heures, je vois avec soulagement pointer la lueur de l'aube. La chaleur du soleil me redonne vie. Je peux enfin me lever pour aller me restaurer dans la tente-cuisine.

Le vent ne semble pas vouloir diminuer d'intensité durant la matinée. Il nous faut décréter une autre journée de repos forcé. Les quatre sherpas, notre cuisinier d'altitude, Mike, Gary et moi, cela fait en tout huit personnes à nourrir. Nous ne disposons encore que de très peu de nourriture, pour une ou deux journées à peine. Nous devrons impérativement rallier le dépôt de matériel du camp 1, où se trouve une grande quantité de vivres, pour continuer l'ascension ou même pour subvenir à nos besoins durant les périodes de mauvais temps.

Vers midi, le vent se calme un peu. Rapidement, avec les sherpas, j'élabore un plan en anticipant du beau temps pour le lendemain. Deux des sherpas descendront jusqu'au camp de base et remonteront le jour suivant avec de la nourriture et surtout un nouveau réchaud. Malgré toutes nos tentatives, le réchaud au propane ne fonctionne pas. Concha utilise en attendant un de ceux prévus pour les camps supérieurs. Les deux autres sherpas effectueront la navette jusqu'au camp 1 pour transporter de nouvelles charges.

Pendant ce temps, les trois grimpeurs doivent monter pour établir le camp 3. Je ne suis pas très rassuré quant à cette partie du plan. Mike ne parle pas plus qu'hier et semble visiblement épuisé. Il ne sort de la tente que pour le strict nécessaire. Gary, au contraire, nous tient informés presque à chaque heure de son état de santé. Il a été malade ces derniers jours, mais il va mieux même s'il a encore la voix enrouée.

En après-midi, nous tenons une réunion par la voie des airs avec Mark Richey pour établir la stratégie d'ascension à partir du camp 2. Mark, en sa qualité de responsable de l'escalade et de chef-adjoint de l'expédition, propose, en fait dicte la marche à suivre. Les autres grimpeurs présents au camp de base semblent partager son opinion.

L'essentiel de la stratégie de progression tient à ceci:
- Ne pas faire transporter de matériel par les sherpas au-delà du camp 3;
- Faire deux transports chacun au camp 3, puis un autre jusqu'au camp 4. Et chaque fois, revenir au camp 2 pour la nuit, c'est-à-dire ne pas dormir au camp 3;
- Une fois les transports aux camps 3 et 4 effectués, redescendre jusqu'au camp de base pour prendre du repos;
- Remonter ensuite pour tenter d'atteindre le sommet. Si tout se déroulait comme prévu, d'ici trois semaines, l'expédition serait terminée.

Cette déclaration me fait l'effet d'une brique dans une mare. Dans mon for intérieur, je désapprouve complètement ce plan d'action. Je ne m'oppose pas ouvertement à cette stratégie, car presque tout le reste du groupe semble être d'accord. Mon point de vue diffère cependant de celui de Mark. Je crois qu'il surestime grandement les capacités des membres de l'expédition. Les deux équipes que nous formons sont par trop inégales. Les plus forts éléments sont réunis autour de Mark. Le deuxième groupe, auquel j'appartiens, fait figure de parent pauvre en comparaison. Malgré toute notre bonne volonté, nous n'arrivons pas à suivre le rythme imposé par la première équipe. Nous sommes affaiblis par le départ de Dick St-Onge et par la fatigue qui commence à ralentir un peu tout le monde. Mike continue, mais à force de volonté, en serrant les dents. Gary n'arrête pas de se plaindre d'épuisement. Moi-même, je commence à peine à récupérer. Depuis le début, j'ai tenté de suivre un rythme trop rapide qui ne me convenait pas vraiment. Je préfère partir un peu plus len-tement pour conserver de l'énergie jusqu'à la fin.

J'ai l'impression que Mark est un peu porté par l'euphorie. Son équipe a établi et consolidé le camp 2 rapidement et sans grande difficulté. Mais d'ici, la situation se présente sous un angle com-plètement différent. Je crois que nous devrions recourir au support des sherpas jusqu'au camp 4. Je suis d'avis qu'il nous faudrait coucher au camp 3 pour mieux nous acclimater à cette altitude avant de redescendre au camp de base. Sauter cette étape risque de nuire à nos chances d'atteindre le sommet. Il faut être par-faitement acclimaté jusqu'à 7 500 mètres avant de lancer l'ultime tentative. Je garde mes craintes pour moi et je décide d'attendre la suite des événements. De toute façon, nous nous entendons pour réévaluer ce plan dans les prochains jours à la lumière des événements.

15

LE CAMP 3

En fin de journée, nous sommes tous tranquillement assis dans la tente-cuisine à siroter une énième tasse de thé, lorsqu'un sherpa vient nous annoncer une nouvelle inquiétante. Un Coréen aurait chuté dans la difficile face sud-ouest de l'Everest, quelques centaines de mètres au-dessus de nous. Une seconde fois en quelques jours, un murmure de malaise se propage. L'accident, constamment redouté, est arrivé juste à côté, chez notre voisin. Les risques sont grands. Chacun le sait. Jusqu'où peut-on aller? Qu'est-ce qui indique que le péril est trop élevé? Où se trouve l'ultime limite à ne pas enfreindre?

Au début de la soirée, le *sirdar* du groupe des Coréens vient s'enquérir, par l'intermédiaire de Tshering Lhakpa, si notre médecin peut venir soigner le grimpeur aussitôt celui-ci ramené au camp par ses compagnons. À mon grand étonnement, ce *sirdar* explique que l'équipe coréenne ne compte aucun médecin dans ses rangs. Je n'en reviens pas. Une expédition comptant presque 40 grimpeurs et sherpas, mais sans aucun médecin. Inconscience ou pénurie de personnel médical dans ce pays? Je n'en sais rien et je garde mes opinions pour moi. Inutile d'engager une polémique.

Le soleil se couche sur un camp inquiet. Plutôt que de faiblir, le vent prend de l'intensité. Je songe à l'équipe de sauveteurs. Cela va compliquer encore plus leur travail. Vers 20 h 00, le groupe de grimpeurs coréens rentre au camp avec le blessé. Mike se rend à son chevet sans tarder. Le temps passe lentement et je n'arrive pas à dormir. La tempête s'intensifie. Mike ne revient qu'au milieu de la nuit. En quelques mots, j'apprends que le grimpeur a perdu pied, glissé sur près de 100 mètres et heurté plusieurs rochers dans sa chute. Résultat: légère commotion cérébrale, de

119

multiples coupures et lacérations au visage, des contusions un peu partout, spécialement au dos et aux jambes, mais heureusement pas de fractures. Il est durement sonné et devra être évacué sans délai.

Mike semble passablement fatigué. À 6 500 mètres, dans une tente battue par les vents, les conditions de travail sont pénibles pour un médecin. Je lis aussi de l'inquiétude dans son visage. J'ai plutôt l'impression d'y voir le reflet de ma propre anxiété. Il y a de l'électricité dans l'air. Nous n'en parlons pas, mais le silence est révélateur. Qui oserait mentionner l'éventualité de son propre accident? La proximité de l'accidenté rend la menace presque tangible. Et si la même chose m'arrivait? Et si mon tour allait venir ensuite? Est-ce que ce sera chacun notre tour?

Évidemment, je dors mal le reste de la nuit, troublé par l'accident et mes propres réflexions. L'intensité du vent s'est encore accrue. Je dois me cramponner dans mon petit coin pour respirer. J'en viens graduellement à accepter comme normale cette situation à la limite du supportable: m'assoupir 30 minutes; me réveiller en sursaut, suffoqué; me redresser dans la tente pour reprendre le contrôle de ma respiration; m'étendre à nouveau en repoussant les parois de la tente plaquées par le vent pour me ménager un espace; somnoler une autre demi-heure et recommencer...

Au matin, le vent n'a presque pas faibli mais tout le monde s'active malgré le mauvais temps. La journée sera mouvementée. Les Coréens doivent impérativement ramener le grimpeur blessé au camp de base. Pour transporter un des leurs, ils bravent le vent qui soulève la neige en bourrasques. Tshering Lhakpa et Passang Tamang suivent leur exemple et descendent au camp de base selon le plan prévu il y a quelques jours afin de monter un autre réchaud et de la nourriture. Pendant ce temps, Ang Nima et Ang Passang font une navette jusqu'au camp 1 pour transporter deux des charges qui attendent d'être acheminées au camp 2. Gary et Concha redescendent au camp de base avec les deux premiers. Ils sont tous deux malades à cause de l'altitude.

Il ne reste plus que Mike et moi pour continuer la progression. Quelques jours auparavant, l'équipe des sherpas a établi son camp 3 à environ 7 300 mètres dans la face ouest de Lhotse. Il leur a fallu équiper la voie de plusieurs centaines de mètres de cordes fixes, la majorité provenant de notre provision. Mark et Barry ont même participé à ce travail ardu, juste avant de redescendre prendre un repos au camp de base. Tout est donc prêt pour nous permettre d'installer notre propre camp 3.

Pendant que Mike se rend dans le camp des Coréens, qui jouxte le nôtre, je prépare les sacs pour la montée: 1 tente, 2 bonbonnes d'oxygène, 1 réchaud, quelques pieux à neige. Je répartis les charges selon la capacité de chacun. Même si je sais que Mike ne se plaindrait pas si son sac était plus volumineux, je prends le sac le plus lourd. En fait, je tente d'évaluer les capacités de chacun et de composer des charges raisonnables. Plusieurs inconnues viennent altérer mon estimation. Je ne suis jamais monté à plus de 6 700 mètres auparavant, je ne connais donc pas mes réactions au-delà. Je ne sais même pas si je pourrai m'acclimater! Mais l'attrait d'une nouvelle frontière à explorer me stimule et je me prépare fiévreusement à partir, malgré le vent qui souffle toujours aussi violemment dans les pentes supérieures. Même si la logique nous commanderait de demeurer sagement au camp 2 et d'attendre une température plus clémente, aussitôt Mike revenu de sa tâche auprès du blessé, nous partons vers le haut.

Je quitte sans jeter un regard en arrière. Mon esprit est entièrement absorbé par le terrain nouveau qui se présente à nous. À 100 mètres des tentes, de larges crevasses barrent la route. Le tracé, marqué par de petits fanions espacés, contourne les obstacles par la gauche. Nous suivons un temps la base de l'impressionnante paroi sud-ouest de l'Everest, jusqu'à atteindre la face ouest de Lhotse. Nous longeons l'énorme rimaye* au pied de ces 2 parois qui se confondent en une vaste muraille de plusieurs kilomètres de largeur par plus de 1 500 mètres de hauteur. Nous sommes au royaume de la démesure du règne minéral, au cœur d'une ère glaciaire! Seules les tentes viennent encore nuancer le paysage uniformément blanc et gris de minuscules taches de couleur. Mais durant la montée, les espaces sont si vastes que ces points colorés vont graduellement rapetisser jusqu'à se confondre avec les tavelures du glacier.

Au début, le glacier ondule en d'inoffensifs vallons et nous progressons rapidement malgré les lourdes charges. Au fond de la cuvette, entourés des hautes murailles qui nous protègent des bourrasques, le vent nous laisse un peu de répit. Je prends un peu d'avance sur Mike, mais sans le perdre de vue. Au pied de la

Quelques grimpeurs au pied de la face ouest du Lhotse.

paroi, il faut s'arrêter pour s'encorder aux cordes fixes. C'est ici que commencent les vraies difficultés: 1 500 mètres de dénivelé dans une pente de 50 ° en moyenne, jusqu'au col sud entre l'Everest et Lhotse. Mais pour atteindre ce col à presque 8 000 mètres d'altitude, la pente est beaucoup trop longue. Il faut établir un camp intermédiaire, le camp 3, en plein milieu de la paroi. Notre objectif de la journée est de trouver un emplacement, d'y déposer le matériel que nous transportons et de rentrer au camp 2 avant la nuit.

Pendant que je prépare mon cuissard pour m'assurer aux cordes fixes et que j'attends Mike, je repense à la discussion d'hier. Est-il possible de ne pas recourir à l'aide des sherpas pour monter le matériel et installer le camp 4? «Jusqu'au camp 3, pas plus loin. On verra après» sont les dernières paroles de Mark. Face à la pente qui disparaît dans les hauteurs, je tente d'évaluer la tâche colossale qui nous attend. Je ne peux m'empêcher de reconnaître la naïveté de cette décision. J'ai vraiment l'impression que la corvée dépasse largement les capacités de notre petite équipe. Le refus de profiter du travail des quatre sherpas qui nous accompagnent risque de nous nuire énormément. Nous allons nous épuiser à installer les camps 3 et 4. Il ne nous restera plus de forces pour continuer vers le sommet, là où ça compte vraiment. J'ai malgré tout la conviction que ce plan sera modifié lorsque Mark constatera le rythme où le travail s'accomplit à cette altitude. De toute façon, je relègue rapidement ces pensées en arrière-plan pour me concentrer sur la tâche de la journée. Commençons d'abord par établir le camp 3.

Mike me rejoint au pied de la pente. Je lui donne quelques consignes sur la façon de s'attacher aux cordes fixes et de passer les ancrages. Lorsque je l'ai connu, en 1984, Mike faisait partie d'une expédition dans la Cordillère des Andes, en tant que client. Mark Richey et moi étions les guides du groupe. Depuis ce temps, je grimpe souvent avec Mike, toujours dans une relation guide-client. À la longue, une véritable amitié s'est établie entre nous. J'apprécie particulièrement son caractère patient et déterminé. C'est un véritable passionné de l'escalade, lui qui s'est découvert ce goût dans la quarantaine avancée. Lorsque nous nous retrouvons ensemble en montagne, j'assume toujours la responsabilité du guide. Je m'en accommode aisément. Avec le temps, j'ai appris à bien connaître les limites de Mike et à capter les signaux qu'il donne pour indiquer comment il se sent. Par habitude, j'organise nos sorties en considérant ces facteurs et j'interviens lorsque je le juge à propos pour l'aider dans son ascension. Par contre, pour cette expédition à l'Everest, Mark et moi lui avons bien précisé que nous n'agirions pas comme des guides. Chaque grimpeur doit assumer ses propres responsabilités. Mais je ne peux m'empêcher d'intervenir à l'occasion. Entre nous, les choses sont claires et il n'est nul besoin de se justifier ou de faire semblant.

La montée vers le troisième camp débute directement à l'endroit où des éboulis ont comblé la rimaye, 2 000 mètres sous le sommet de Lhotse. J'aborde la première pente sans hésiter. Je croyais marcher lentement pour me rendre jusqu'ici, mais sitôt les premiers mètres franchis, je dois m'arrêter pour souffler. L'angle de la pente s'est redressé si brusquement que j'ai l'impression que le poids de mon sac a doublé d'un seul coup. Un peu de neige recouvre le névé, cette neige de haute montagne durcie par l'action combinée du soleil et du gel et qui éventuellement se transformera en glacier. Après 50 mètres de montée, les premières crevasses apparaissent. La route zigzague entre les crevasses et les séracs. Il faut suivre les cordes fixes pour se guider dans ce labyrinthe. Sur une courte distance, le chemin est aussi mouvementé que sur le glacier entre le camp de base et le camp 1. Mike progresse avec une lenteur désespérante et, à chaque détour, je m'arrête pour étudier les difficultés à venir et ne pas le perdre de vue. Je n'avance qu'à une allure d'escargot moi-même, ployé sous le poids de mon sac, le nez dans la pente. Le vent devient plus cinglant sitôt qu'on gagne un peu d'altitude. Les bourrasques fréquentes nous obligent à des efforts supplémentaires pour maintenir notre équilibre. Après plusieurs heures de ce travail de forçat, il faut bien se rendre à l'évidence: jamais nous ne pourrons atteindre le camp 3 à ce rythme. Loin de là. Nous laissons nos charges au sortir de la zone la plus tourmentée, juste avant d'entreprendre une longue et interminable traversée. Je prends soin d'arrimer solidement les sacs au point d'ancrage des cordes. Nous rebroussons chemin, un peu hébétés par l'altitude.

Je me sens un peu découragé. Tant d'efforts pour si peu de résultats. Selon mon estimation, nous n'avons gagné qu'à peine 200 mètres. Nous n'avons même pas entamé la grande pente qui mène au camp 3 puis au col sud. Je rage intérieurement en pensant à la décision de Mark de ne pas faire appel aux sherpas au-dessus du camp 3. Je me demande même si nous pourrons atteindre le camp 3! Chacun est perdu dans ses pensées. Nous redescendons lentement et silencieusement vers le camp 2.

La descente s'accompagne d'une légère augmentation de la pression atmosphérique. Il y a plus d'oxygène et on respire mieux. Les conditions de température s'adoucissent, si bien qu'aussitôt de retour au camp notre moral s'améliore. Les nombreux breuvages chauds que j'avale contribuent à refaire mes forces. Je porte à Mike une tasse de soupe chaude, lui qui, épuisé, s'est réfugié dans la tente en arrivant. Je vais ensuite aux nouvelles auprès de Ang Nima et Ang Passang, qui reviennent du camp 1. Eux aussi ont été éprouvés par une dure journée. Ils ont dû combattre les éléments déchaînés pour avancer. Au camp 1, une scène de désolation les attendait. Toutes les tentes sans aucune exception ont été détruites par une bourrasque de vent plus importante que les autres. Notre propre camp n'a pas été épargné. Nos deux tentes ont été démolies, mais sont demeurées sur place, ancrées dans la glace, avec le matériel à l'intérieur. À première vue, il semble que nous n'ayons perdu qu'une seule veste de duvet, qui a dû être emportée par la tourmente. Heureusement, personne ne se trouvait là et il n'y a pas eu de blessé. Dans le camp des Coréens, par contre, sept à huit charges ont été poussées par le vent dans

Nos deux tentes du camp 1 ont été détruites par une bourrasque de vent plus forte que les autres.

les profondes crevasses sous le camp 1. Elles ne pourront être récupérées.

Bien restauré après le repas du soir, je trouve un matelas de sol supplémentaire dans une de nos tentes et je passe une excellente nuit. Le lendemain, j'ai les muscles encore endoloris par l'effort. Mon estomac se contracte à l'idée de refaire le même périple que la veille. Mike et moi décidons de prendre une journée de repos.

J'attends avec impatience l'arrivée de Tshering Lhakpa et de Passang Tamang, qui remontent du camp de base aujourd'hui. Hier soir, j'ai appris de John que j'avais reçu du courrier. J'étais fou de joie en pensant que j'aurais enfin des nouvelles de Fernande, car après plus d'un mois et demi je n'ai reçu que deux lettres, datées des premiers jours après mon départ. Malgré la célérité de Passang Sherpa, le courrier ne nous arrive pas vite. Je suis particulièrement impatient de découvrir si elle vient nous rejoindre pour la fin de l'expédition comme prévu.

Ma déception est grande lorsque j'apprends que, dans la confusion de leur départ, les sherpas auraient peut-être oublié d'apporter le courrier. Je ne pourrai en être sûr que lorsque ceux-ci rejoindront le camp durant l'après-midi.

125

Au début, j'arrive à peine à contenir ma colère. Comment peut-on se désintéresser ainsi de moi au camp de base? Je suis un étranger pour ces Américains, un étranger auquel ils accordent peu de valeur, sauf quand ça les arrange ou quand il leur reste du temps! Mon impatience diminue peu à peu et je me rends compte que des problèmes plus importants que le transport du courrier préoccupent les gens là-bas. Toute la frustration accumulée depuis le début de l'expédition remonte d'un seul coup. Pendant des jours et des semaines, il faut attendre. Attendre des permissions de fonctionnaires, des avions pour transporter du matériel, du beau temps pour avancer, du soleil pour stabiliser la neige fraîche et diminuer les risques d'avalanche. Attendre, toujours attendre. Puis, quand vient le temps d'y aller, la rareté de l'oxygène impose un rythme si lent que, malgré des efforts acharnés, on a à peine l'impression de progresser. En prime, les chances de venir à bout de la tâche de réussir l'ascension demeurent très faibles.

Mon accès de colère est, à vrai dire, non justifié. L'oubli du courrier ne m'aurait pas affecté si profondément en d'autres circonstances. Pris isolément, c'est même un détail insignifiant. Mais j'ai grand besoin de réconfort. J'attends des nouvelles de Fernande avec impatience. Un mot doux, un contact familier pour me faire oublier pendant quelques heures les conditions pénibles dans lesquelles je me trouve.

Cet épisode me laisse un goût de déprime dans le cœur. D'un coup, mon moral tombe. Je me sens seul, terriblement seul, fatigué et sans volonté. J'espère vivement que Fernande pourra entreprendre le voyage. Je l'ai quittée fiévreuse, avec une bronchite. Dans les lettres que j'ai reçues jusqu'à maintenant, elle se disait épuisée de tout le travail et du brouhaha qui ont précédé mon départ. Pendant un moment, je n'ai que des pensées égoïstes: la voir arriver au camp de base, heureuse et prête à me supporter et me comprendre dans les difficultés que l'on vit ici, comme elle sait si bien le faire. Mon accès de mélancolie s'atténue, mais je garde une émotivité à fleur de peau.

Le temps passe lentement quand il y a peu de choses à faire: aller chercher un peu de glace pour préparer du thé et de la soupe; faire du rangement dans le peu de matériel dont nous disposons; scruter la paroi pour voir si quelqu'un y évolue... Les divertissements sont inexistants et même la conversation tourne court par manque de sujets ou d'énergie pour débattre de quoi que ce soit. Peu d'avenues en fait sont disponibles pour sortir de notre léthargie. Rien qui vienne de l'extérieur. Pendant quelque temps, je rumine de sombres pensées, puis graduellement, absorbé dans la légèreté de l'air, tout sentiment, toute agressivité s'estompe. Le rationnel reprend sa place. Je remarque alors à quel point le moral est fragile à cette altitude. La moindre insatisfaction contribue à remettre tout en question et à fléchir la volonté. On a alors l'impression que nos forces sont soufflées comme un château de cartes. Pourtant, il importe de maîtriser ses sentiments et de cultiver une attitude intérieure positive. La progression en haute altitude est si exigeante qu'il ne reste que peu ou pas d'énergie pour autre chose. Les peurs et préoccupations consomment des forces essentielles à l'ascension et même à la survie.

Finalement, vers le milieu de l'après-midi, les sherpas arrivent avec le courrier tant attendu. Je suis plus qu'heureux de recevoir des nouvelles de mes proches, particulièrement une carte d'anniversaire signée par des dizaines d'amis et membres de ma famille. Ça fait chaud au cœur de savoir que tant de gens pensent à moi, même à l'autre bout du monde. Je remarque que notre système de communication est particulièrement efficace. La plus récente lettre, qui date du 9 avril, a été envoyée par télécopieur à notre agence de trekking de Katmandou, puis par avion jusqu'à Lukla, ensuite Passang Sherpa l'a acheminée avec toutes les autres jusqu'au camp de base. Nous sommes le 17 avril et je viens de recevoir ce courrier au camp 2, à 6 500 mètres. Pas si mal pour un contact avec l'autre bout de la planète!

J'apprends que Fernande ne pourra peut-être pas venir. Je suis un peu inquiet pour sa santé. Elle parle d'un risque de mononucléose. Le diagnostic n'est pas certain: «Le médecin croit à un virus. D'autres tests sont nécessaires. De toute façon, pas question de voyage pour le moment.»

J'ai le pressentiment que le repos et le calme seront les remèdes prescrits. Impensable pour elle, dans ces conditions, d'entreprendre le voyage jusqu'à l'Everest. Malgré une certaine déception, je me réjouis de ses paroles réconfortantes, que je relis plusieurs fois, lentement, en savourant chaque mot, chaque image. Malgré la distance qui nous sépare, un lien solide nous unit. Ce lien passe par la montagne où je me trouve, et dans ce que représente cette montagne. La difficulté de l'ascension nous fait aller au-delà de nos limites. Oui, la montagne, si grande et si inaccessible, nous fait grandir pas à pas, jusqu'à ce qu'on s'atteigne soi-même. En ce moment même, je me sens moins seul. Toute la force de ce lien à la montagne m'unit à la personne qui compte le plus au monde pour moi. Je me sens moins seul quand la réalité de notre liaison devient quasi tangible. Je me sens aussi plus fort et je voudrais transmettre à Fernande un peu de cette force pour que sa santé s'améliore.

Une rafale de vent plus cinglante que les autres vient me tirer de mes rêveries. Le double toit de notre tente s'est déchiré. Il faut bricoler d'urgence un autre recouvrement à l'aide d'une bâche. Sitôt le souper terminé, dodo. Je dors plutôt bien durant la nuit et au matin, je me sens prêt à continuer.

Le vent n'a pas du tout faibli. Au matin, les sherpas décident de ne pas monter. Je force un peu la main de Mike pour qu'il accepte de venir avec moi achever le travail entrepris il y a deux jours. Il n'est pas enthousiasmé par la perspective d'affronter la tourmente. Mark et les autres doivent monter au camp 2 aujourd'hui pour nous remplacer. C'est notre dernière journée avant de descendre prendre un repos au camp de base et je voudrais bien avoir complété la tâche.

Fidèle à son habitude, Mike n'émet pas de commentaire, mais il se prépare à partir aussitôt le déjeuner avalé. Nous ne prenons aucun matériel supplémentaire, déterminés à établir le camp 3

avec les sacs que nous avons déjà déposés dans la pente à notre première ascension. L'air est vif. Pour réchauffer nos muscles engourdis par le froid, nous avançons rapidement. En reprenant les sacs au bas de la grande montée, j'ai subitement l'impression d'avoir un boulet à traîner, tant leur poids ralentit notre avance. Pour faciliter la progression avec de si lourdes charges, la grande pente, qui monte d'une seule traite sur plus de 1 000 mètres, est presque entièrement équipée de cordes fixes. Mais les crampons parviennent à peine à entamer la glace bleue, durcie par un froid qui ne faiblit jamais. Pour la première fois, nous allons avoir réellement besoin des poignées autobloquantes, les jumars. Je suis un peu excité par la nouveauté et je gravis rapidement les premiers mètres. Mais l'énergie de l'exaltation s'épuise vite et je reprends un rythme lent et constant, compte tenu du poids du sac. Tous les 15 ou 20 mètres environ, il y a un point d'ancrage qui consiste en une ou plusieurs vis plantées solidement dans la glace et où s'attache la corde. Il faut alors s'arrêter, s'attacher à la corde supérieure et en profiter pour reprendre son souffle. À chacun des arrêts, je jette un coup d'œil derrière pour voir où se trouve Mike. La présence de quelqu'un, même éloigné, est rassurante, bien qu'on ne puisse guère espérer d'aide dans une telle situation.

Après quelques centaines de mètres, ma progression ralentit. J'avance comme une tortue. Les bourrasques me déséquilibrent et je fais appel à toutes mes énergies pour continuer à monter. La route longe la pente uniforme et contourne les séracs de la face ouest de Lhotse. À tout moment, je souhaite apercevoir derrière les amas de glace les tentes de l'expédition sherpa installées il y a quelques jours. Mais à chaque embranchement et détour imposés par le tracé des cordes, mon espoir est déçu. Les tentes restent introuvables. Mes forces diminuent. Je sais qu'il faudra rebrousser chemin sous peu. J'ai perdu Mike de vue depuis un bon moment, mais je m'entête à continuer, malgré les coups de butoir des masses d'air charriées par le vent, malgré la fatigue et malgré le sac à dos. Au loin, je vois un sérac se dessiner.

- Ça doit être le bon, me dis-je tout haut, pour me convaincre.

En désespoir de cause, je parle à la montagne. Je la supplie, lui demande de me montrer l'emplacement du camp, que s'achève enfin la montée. Je serais prêt à n'importe quoi pour voir apparaître les tentes des sherpas. Mes espoirs sont déçus. Ce n'est pas encore là. La fatigue et le manque d'oxygène commencent à affecter mes facultés mentales. J'ai peur pour l'équilibre de mon esprit. Je regarde l'heure et me donne comme objectif d'atteindre un dernier sérac qui pointe à l'horizon: ce n'est toujours pas l'emplacement du camp. Je dépose enfin mon fardeau dans une petite crevasse bouchée, à l'abri des intempéries. Il faut faire vite, la journée achève. Je redescends rapidement pour rejoindre Mike. Dans un dernier sursaut, je me charge de son sac pour l'amener jusqu'à la crevasse. J'arrime solidement les deux sacs avec les pieux à glace devant servir d'ancrage aux tentes du camp 3. Au bout de cette même crevasse, deux Suisses sont affairés à monter une tente. Ils m'ont doublé dans les derniers mètres de la montée et ont eux aussi renoncé à rejoindre l'emplacement officiel du camp 3.

Après avoir salué les deux grimpeurs qui se préparent à passer la nuit dans cette tente minuscule, nous redescendons à grandes foulées la pente. En moins d'une heure, nous franchissons la distance qui nous a demandé la majeure partie de la journée à gravir. Fourbu, mais heureux, je rentre au camp, fier d'avoir battu aujourd'hui mon record d'altitude personnel: environ 7 200 mètres.

Tshering Lhakpa dans la tente-cuisine.

Marc et Mark, Rick et Barry sont arrivés au cours de la journée au camp 2. Ils se préparent à prendre la relève demain. Une brève description de la situation de ma part réussit à convaincre Mark. Les sherpas nous aideront à transporter le matériel et à établir les camps 3 et 4. En contrepartie, nous devrons leur offrir la chance de monter au sommet avec nous, c'est-à-dire prévoir de l'oxygène et de l'espace dans les tentes pour nous loger tous au dernier camp. Ça ne devrait pas causer de problèmes logistiques insurmontables. Nous avons le matériel. Reste à considérer la main-d'œuvre et le temps. Le temps surtout, qui joue contre nous car la fatigue s'accumule et les pages arrachées au calendrier ont aussi des répercussions sur notre moral.

Je devrais me sentir heureux de cette décision qui vient privilégier le plan d'ascension que j'avais proposé plusieurs jours auparavant. Mais je n'éprouve aucun sentiment de victoire. Je crois plutôt que la stratégie la plus efficace s'est installée d'elle-même, au-delà du pouvoir décisionnel de quiconque. Plus de la moitié de la durée de l'expédition est écoulée et le moment de vérité approche. J'ai l'impression que Mark s'est rendu compte lui aussi que notre équipe progresse bien, mais ne dispose d'aucune relève. Ça va encore mais, au-delà de 7 000 mètres, les difficultés augmentent considérablement. Nos ressources vont donc diminuer rapidement. D'autres membres du groupe peuvent abandonner. Nous aurons besoin de tout le monde, et surtout des sherpas.

Je me demande tout à coup ce que j'apprécie tellement chez les sherpas. En observant Tshering Lhakpa et Passang Tamang boire tranquillement leur thé dans la tente-cuisine, la réponse me vient tout naturellement: leur intégrité. La franchise se lit dans le regard et les gestes de ces hommes qui ont pour métier d'accompagner les grimpeurs et de partager leur passion. Ils ont appris à survivre dans les hauteurs. On ne peut mentir avec la montagne. On ne peut mentir lorsque sa santé ou même sa vie est en jeu à la moindre erreur. Les sherpas ont appris à être honnêtes avec eux-mêmes et avec les autres. C'est pour cela que je les respecte.

16

NOUVELLE ÉTAPE

Le 19 avril, Mike et moi redescendons au camp de base pour un repos bien mérité de quelques jours. Le camp de base est devenu

pour moi un peu comme une maison de repos, de retraite pour refaire ses forces après les fatigues de l'altitude. Ce n'est pas tout à fait comme un petit chalet en montagne, mais c'est beaucoup mieux que l'endroit où j'ai passé les derniers jours. Très paisible en ce moment. Le siège de l'action s'est déplacé au camp 2, qu'on appelle à juste titre «le camp de base avancé».

Le gros des troupes et du matériel se trouve ici, en soutien à ceux qui progressent à l'avant, un peu comme au front lors d'une campagne militaire, j'imagine. Pas étonnant que les premiers succès dans les grandes montagnes de l'Himalaya aient été acquis par des militaires. Par contre, pour nous, pas de batailles à gagner, sinon de très subtils affrontements contre nos faiblesses, nos peurs, et contre le temps qui gruge notre moral. Paradoxalement, il faut monter très haut pour aller aussi profondément au-dedans de soi.

Pendant que l'équipe de tête s'acharne contre les vents, la neige et le manque d'oxygène, au camp de base, nous paressons au soleil. Les conditions de vie du camp sont à peine bonnes, mais comparativement à là-haut, on a l'impression de se retrouver en vacances. L'excellente nourriture préparée par Ang Dawa contribue à guérir nos petits bobos et nous fait retrouver le moral. Les premiers jours, je m'abandonne au repos. Laver quelques pièces de vêtement, garder l'intérieur de ma tente en ordre et prendre quelques photos au lever de soleil sont les seules tâches que mon organisme fatigué me permet d'entreprendre.

Un jour, je rassemble mon courage pour prendre une douche. J'en ai bien besoin. La dernière doit remonter à plus de 10 jours. Je n'en tiens plus le compte. Au plus fort d'un après-midi ensoleillé, je demande un peu d'eau chaude à la tente-cuisine. Un petit sac en plastique muni d'un court boyau avec pommeau de douche et d'une poignée pour le suspendre fait office de douche. J'installe le sac contenant à peine quelques litres d'eau chaude près de la porte d'entrée à l'intérieur de la grande tente communautaire. Les pieds sur un bout de matelas isolant déposé sur quel-

ques pierres en équilibre instable sur la glace vive, je tente de rester sous le mince filet d'eau qui sort de cette installation improvisée. Je dois faire vite avant que l'eau ne s'épuise complètement. Je profite au maximum de cette agréable sensation. Quelques instants de volupté volés à la rigueur du climat et, les yeux fermés à cause du savon dans mes cheveux, je m'imagine ailleurs. Mais aussitôt que le soleil se cache derrière un petit nuage, ou qu'une brise vient soulever la toile de la tente, le froid me ramène durement à la réalité.

Mike retrouve aussi du poil de la bête grâce à ce séjour prolongé au camp de base. Mais Gary, rentré pourtant plusieurs jours avant nous, ne semble pas prendre du mieux. L'altitude et la sécheresse de l'air lui ont donné une toux sèche persistante.

Chacun d'entre nous souffre d'ailleurs avec plus ou moins d'intensité de ce malaise quasi inévitable lors des longs séjours en altitude. Il n'est pas rare de nous réveiller la nuit, la gorge en feu, secoués par une forte quinte de toux et d'entendre le même râle sinistre provenant d'une autre tente. De l'avis de notre médecin, il faut nous y résigner. On peut tenter de diminuer l'irritation avec des breuvages chauds. Il faut surtout bien se réhydrater, c'est-à-dire boire les cinq litres minimum de liquide requis chaque jour. Sucer à l'occasion des pastilles adoucissantes mais non anesthésiantes peut soulager quelque peu. Cette toux ne va que rarement causer plus que du désagrément. Seul Mike verra la sienne empirer. Il souffrira d'un début de pneumonie qui sera traité avec rapidité et efficacité par le médecin de l'autre expédition américaine. Gary, lui, ne souffre pas de malaise physique apparent autre que la nuisance causée par une toux persistante. Évidemment, Mike est limité dans ses investigations et diagnostics par des moyens plus que réduits. Il n'est rien qu'il puisse faire. Il suggère, un peu à la blague, d'éliminer la cause première du mal, c'est-à-dire de redescendre!

C'est la première fois que je participe à un voyage en montagne aussi bien pourvu en personnel et matériel médicaux, bien qu'un de nos médecins, Dick St-Onge, ait déjà quitté l'expédition. Savoir prendre en main sa propre santé fait aussi partie du degré d'autonomie requis pour se mesurer aux hautes montagnes.

Gary, de son côté, poursuit une démarche qui demeurera obscure à mes yeux pendant quelque temps encore. Il demeure isolé en longs conciliabules avec Jane, la jeune journaliste qui a fait le voyage depuis le Colorado pour couvrir l'exploit que Gary s'apprête à réaliser. Ce dernier organise sa stratégie et ses actions en marge de notre groupe. Suivant les conseils de notre médecin, il quitte le camp pour prendre du repos à une altitude plus clémente. Il souhaite du même coup rejoindre le groupe de trekking qu'il a organisé avant son départ, un groupe dont les participants proviennent des États de l'Ouest américain et qui a dû se mettre en route vers le 17 ou 18 avril pour gagner le camp de base dans les premiers jours de mai.

Je n'ai que vaguement conscience de son départ car je n'ai été ni consulté ni tenu au courant de ses agissements. Je suis quelque peu surpris d'en recevoir la confirmation le soir au souper. Je comprends encore difficilement comment on peut s'y prendre pour battre le record de vitesse d'ascension de l'Everest. Mais je ne vois pas comment cette descente dans la vallée du Khumbu pourra l'aider à réussir son projet. Je m'en ferai une idée plus claire lorsque je discuterai plus longuement avec celui qui détient justement ce record: Marc Batard.

Durant cette période de repos au camp de base, je profite du temps libre dont je dispose pour visiter les membres des autres expéditions avec lesquelles nous partageons ce territoire. Je visite principalement le camp des Français, les seuls dans les environs avec qui je peux discuter dans ma langue maternelle. Je suis à même de côtoyer le peu banal Marc Batard. Petit, sec, nerveux, irascible par moments, ce diable d'homme laisse l'impression de voler entre les parois et les glaciers là où nous, vulgaires mortels, avançons péniblement, ployant sous le poids de nos sacs et respirant avec peine. Il me prête d'abord le livre sur son ascension record de l'Everest réalisée en 1988: *Le Sprinter de l'Everest*[1]. Je dévore son récit, avide de découvrir sa recette, son truc. J'ai l'impression de revivre l'aventure assis dans les gradins. Je n'ai qu'à lever les yeux de mon livre pour apercevoir de mes yeux le théâtre de l'action: le glacier du Khumbu, puis derrière l'arête du Nuptse, j'imagine le camp 2, le col sud, enfin tout en haut, le sommet sud, l'arête sommitale et finalement le sommet. Un phénomène, ce Batard: une condition physique exceptionnelle, 39 pulsations cardiaques par minute au repos, une capacité d'acclimatation à l'altitude tout aussi remarquable, mais aussi une méthode. Pour réussir son ascension à l'Everest, il avait une équipe pour l'aider à installer les camps et beaucoup de monde sur la montagne en même temps. On peut aller beaucoup plus vite quand la trace est faite. Marc Batard, qui est déjà très rapide et qui utilise un équipement des plus légers, devient alors quasi imbattable. Je comprends mieux maintenant comment il procède. Optimiser tous les éléments pour sauver du temps et des énergies. Choisir son matériel soigneusement, allégé à l'extrême, et au besoin, le faire fabriquer sur mesure. Se préparer et s'entraîner rigoureusement. Attendre les conditions favorables pour se lancer dans la montagne. Dans tout cela, deux conditions priment: le talent du grimpeur et le travail réalisé par l'équipe qui l'accompagne. Je crois ce dernier facteur déterminant. De plus, lorsqu'on est si près de la limite, le moindre petit caillou

---

1. Denoël, Lucon, 1989, 147 p.

dans l'engrenage bloque la machine. Les événements à venir me le confirmeront lorsque ce même Marc Batard tentera son doublé: fouler les deux sommets Everest-Lhotse dans une période de 24 heures.

Compte tenu de ce que je viens d'apprendre à la lecture de ce livre, j'ai tout à coup l'impression que Gary a dû repenser son projet. Il a passé de longs moments à discuter avec Marc Batard avant de quitter le camp de base. Mais sur ce dernier point, je découvrirai plus tard à quel point je m'étais trompé.

Je passe aussi pas mal de temps avec Maurice Uguen, le producteur d'un film sur la tentative présente de Marc Batard. Ses différents projets de films l'ont amené à séjourner à plusieurs reprises au Québec. Il connaît bien certaines régions sauvages de la province. Nous échangeons histoires et anecdotes, comme peuvent le faire les gens lorsqu'ils sont loin de chez eux. Tout prend ainsi des proportions démesurées et je ris de bon cœur aux récits de cet aventurier de la pellicule.

Un matin, je me lève plus perturbé qu'à l'accoutumée. Toute la nuit les pensées m'ont tourbillonné dans la tête. Je n'arrivais pas à dormir tout à fait. J'ai revu les accidents survenus au sherpa et au Coréen et j'imaginais qu'il m'arrivait la même chose. En me levant, je sens mon émotivité à fleur de peau. Une peur diffuse m'habite et me ronge. Mes muscles sont tendus, ma nuque raidie. Je suis courbaturé. J'ai froid. Mon organisme est complètement envahi, englué, paralysé par l'angoisse. Je n'arrive pas à réagir tellement le poids qui m'accable me pèse. Je demeure assis devant ma tente de longues minutes, apathique, presque indifférent à ce qui m'entoure.

Lentement, je laisse les éléments qui me terrifient se préciser. J'observe mon état intérieur calmement, sans brusquerie. Je m'isole pour faciliter mon introspection. Je veux absolument découvrir l'origine de cette peur. C'est la seule façon d'y faire face. Dans le calme et la limpidité d'un matin en tous points semblable aux autres, je prends soudain conscience que j'ai peur de forcer le destin. J'ai bien pris la résolution de ne pas m'acharner outre mesure: de ne pas pousser mon organisme au-delà de ses limites; de ne pas forcer la chance. Mais une peur viscérale revient m'assaillir une fois de plus. Comment arriver à calmer mes appréhensions une fois pour toutes? Peut-être serait-il souhaitable de réviser mes ambitions? Jusqu'à présent, l'expédition a été plus dure que je n'avais pensé. Je me fixe comme objectif d'atteindre les 8 000 mètres. Pour ma première expédition dans les Himalayas, arriver jusqu'à 8 000 mètres, voilà qui comblerait mes attentes et m'encouragerait à revenir. D'abord 8 000 mètres, puis qui sait? Si tout va particulièrement bien, je pourrais continuer plus haut...

J'accomplis un même rituel presque chaque matin. Je me lève avec le soleil, vers les sept heures, pour prendre des photos. Tout est calme. Seul le ronronnement du réchaud au kérosène vient troubler la quiétude du matin. Ang Dawa prépare le thé pour tout le monde. Même l'air est immobile. Haut dans la montagne, le vent diminue d'intensité au cours de la nuit, mais ne tombe tout à fait que très rarement. Le camp de base, en revanche, est protégé des vents de la haute altitude. Après la fureur des tempêtes hivernales et avant l'arrivée de la mousson, les matins d'avril sont en général très calmes ici. Pendant quelques minutes, avant que le soleil ne frappe directement les tentes, la lumière atténuée adoucit les images. En plein jour, rien n'absorbe la puissante lumière. Aucune végétation, aucun arbre. Que du roc, de la glace et de la neige qui reflètent et concentrent la lumière. La couche atmosphérique est plus mince et ne filtre pas suffisamment les rayons ultraviolets. Les ombres sont trop violentes, trop contrastées. Les images deviennent alors dures, sévères. Elles représentent bien la réalité rude et implacable de la montagne. L'être humain n'est pas fait pour y vivre en permanence. Mais pour voir une certaine douceur à notre refuge, il faut l'observer au moment où la lumière inonde les sommets sans avoir encore atteint le fond de la vallée. Alors seulement, quelques couleurs viennent teinter les photos qui, autrement, ne sont que blanches et grises sur un fond de ciel bleu glacé.

Plusieurs jours passent ainsi dans le calme et l'apparente oisiveté. Mais 1 500 mètres plus haut, la tâche demeure âpre. Avec l'aide inestimable des sherpas, Mark, Barry, Rick et Marc installent deux tentes au camp 3 et commencent à y acheminer des bouteilles d'oxygène. Nous suivons leur avance grâce aux messages radio quotidiens, à l'heure du souper.

Le 22 avril (18 h 00):

- Camp de base, camp de base, ici le camp 2. Répondez, camp de base, ici Mark Richey.

- Hellô Mark, ici le camp de base. John à l'écoute.

- Allô John, est-ce que Yves est là? J'aimerais lui parler.

- OK, Mark, on va aller le chercher. Ça va prendre quelques minutes.

- Parfait, j'attends.

- ...

- Quelles nouvelles du camp 2? Avez-vous installé les deux tentes au camp 3? La dernière fois qu'on s'est parlé, vous n'en aviez monté qu'une. Est-ce que le vent est toujours aussi fort dans la face ouest de Lhotse?

- Oui, les deux tentes sont installées. On a démonté les poteaux et laissé le plancher attaché au sol avec des vis à glace. Le vent est si fort la nuit qu'on craint qu'elles ne soient détruites pendant notre absence.

- Comment ça progresse là-haut? Est-ce que l'expédition des sherpas s'est rendue au col sud pour monter son camp 4?

- C'est justement de cela que je veux discuter avec Yves. Les sherpas ont installé leur camp et seront bientôt prêts à faire une tentative vers le sommet. Après, ce sera notre tour.

- Voici justement Yves qui arrive. Je te le passe. Salut, Mark. À plus tard.

- Salut, John. À bientôt. Bonjour, Yves. Je t'ai fait appeler parce que je voulais te donner des nouvelles de notre avancement et planifier la stratégie pour notre première tentative vers le

sommet. Je ne pourrai pas te parler longtemps parce qu'aujourd'hui on a oublié de remettre les batteries de la radio sur le
chargeur du panneau solaire et j'ai peur qu'elles ne durent pas.

- Vas-y, j'écoute.

- L'équipe des sherpas vient d'établir son camp 4 au col sud.
J'ai parlé avec Peter Athans cet après-midi et ils acceptent de
nous laisser utiliser leurs tentes au col sud lorsqu'ils auront terminé leurs tentatives vers le sommet ou lorsqu'ils n'utiliseront
pas ce camp, à condition que nous rapportions leurs tentes. Ils
ont monté deux tentes *Himalayan Hotel* de North Face. On peut
coucher quatre confortablement dans chacune de ces tentes.
Elles peuvent résister à des vents de plus de 160 kilomètres/heure
lorsqu'elles sont bien ancrées et ils m'ont assuré qu'elles étaient
attachées on ne peut plus solidement. Alors, pas de danger d'arriver au col sud pour trouver les tentes détruites ou envolées.
Vous m'entendez toujours?

- Jusqu'à maintenant, ça va, mais le signal n'est pas très fort.
C'est une excellente nouvelle en ce qui concerne les tentes.
Quand les sherpas doivent-ils faire leur première tentative vers
le sommet?

- Dans quelques jours. Un premier groupe doit monter le 24
ou le 25 avril, passer une nuit au camp 3, continuer au camp 4 et
tenter le sommet le lendemain. Aussitôt qu'ils redescendront, on
pourra y aller. Selon ces prévisions, à partir du 29, le camp doit
être libéré. Nous allons nous préparer à monter dès ce jour-là. Il
ne reste qu'une semaine avant le 29 et nous n'avons aucune
bonbonne d'oxygène au camp 4. À peine deux bouteilles au
camp 3, deux ici au camp 2, trois autres au camp 1. Le reste se
trouve encore au camp de base.

- John a préparé les dernières bouteilles qui restent à monter.
Elles peuvent être transportées dès demain.

- Si nous voulons être prêts à partir du 29, il faudra utiliser
celles que nous avons déjà et les monter avec nous au col sud.
Nous allons faire une première tentative à quatre: Marc, Rick,
Barry et moi. Tu pourras nous suivre avec Mike et les deux sherpas, Tshering Lhakpa et Passang Tamang une journée derrière
comme support en cas de besoin, et faire votre propre tentative
une journée après la nôtre.

Je reste sans voix. Tout se bouscule dans ma tête. On vient
de me laisser tomber. Les quatre membres les plus forts du groupe

se réunissent pour se donner le maximum de chances d'atteindre le sommet. Je reste derrière avec Mike, qui, j'en ai peur, n'aura pas suffisamment d'énergie pour atteindre le sommet. Et les deux sherpas. Ils ont de fortes constitutions, mais je ne connais pas du tout leurs qualités de grimpeurs. Je me sens trahi, abusé, abandonné. Toutes ces émotions m'étranglent la gorge. Comme d'habitude dans ces cas-là, je ne trouve pas les mots qu'il faudrait pour exprimer mon désaccord.

- Nous devrons profiter de la première accalmie dans les vents de haute altitude. Il ne nous reste qu'une journée de travail pour compléter l'installation du camp 3. Après, on descend au camp de base pour se reposer quelques jours. Ensuite, on remonte, cette fois pour de bon. Tout le monde ici veut y aller aussitôt que possible, continue Mark comme pour faire écho à mes propres réflexions.

Je saisis en quelques secondes tout le cheminement de sa pensée et la logique de cette stratégie. Quatre grands copains qui ont organisé en grande partie pour eux-mêmes cette expédition et qui se retrouvent en position pour tenter d'atteindre le sommet, avec juste assez d'équipement et d'oxygène pour supporter leur ascension. Là-dedans, je ne fais figure que de *outsider*, comme Gary avec son projet personnel et les deux médecins en support à l'équipe. Je suis un étranger, de toute façon, dans cette première expédition à l'Everest en provenance de Nouvelle-Angleterre. Depuis le début, lorsque la répartition en deux groupes de quatre a été faite, je savais que je ne cadrais pas dans ce groupuscule compact. J'étais relégué dans la deuxième équipe, et je le suis encore. Je ne sais pas ce qui m'a fait espérer de graduer dans l'équipe A, mais cela ne s'est jamais produit. Ce ne serait possible qu'en cas de désistement d'un des quatre. Mais aucun n'a abandonné jusqu'à maintenant. Je demeure dans le second groupe. Je n'ai d'autre choix que d'accepter cette situation, et le plus tôt sera le mieux. Ma chance d'atteindre le sommet est peut-être à ce prix. Mieux vaut m'y résoudre.

- Il faut envoyer demain deux sherpas au camp de base pour monter l'oxygène dont nous aurons besoin à notre tour.

Je réussis à transmettre ce premier message d'une voix peu assurée.

- Oui, c'est vrai, réplique Mark. Vous allez avoir un jour de plus pour vous préparer, mais il faut déjà tout acheminer au camp 2.

- Vous laisserez vos sacs de couchage, les réchauds et la nourriture au camp 4. Comme ça, nos sacs seront plus légers et nous pourrons monter de l'oxygène à notre tour. Nous laisserons les nôtres au camp 3 et vous les récupérerez à la descente, continuai-je d'une voix plus ferme.

Pour me rassurer, j'échafaude déjà les plans pour la seconde tentative dont je ferai partie. Il me faut organiser l'approvisionnement de la deuxième équipe dès à présent. Je suis convaincu que Mike et les autres au camp de base ne comprennent pas complètement ce qui se joue. Si nous voulons être prêts à notre tour pour une tentative vers le sommet, il faut évaluer nos besoins et prévoir les mouvements de personnel et de matériel en tenant compte de ces besoins.

- Qu'est-ce qui arrive si l'ascension des sherpas ne réussit pas dans quelques jours?

- Nous n'en avons pas discuté, me répond Mark. J'imagine qu'ils se prépareront pour faire une seconde tentative et qu'on pourra y aller entre leurs deux essais. De toute façon, les tentes au col sud sont spacieuses et on peut tenir jusqu'à cinq ou six dans chacune d'entre elles si nécessaire pour une ou deux nuits.

- J'ai perdu la fin de la communication, les piles de votre radio faiblissent.

- ON PEUT DORMIR À CINQ OU SIX DANS CHAQUE TENTE. On se reparle...

La radio s'est tue pour de bon. Je prends une profonde respiration. Je ressens tout à coup une grande lassitude. Tout le monde s'est groupé autour de moi dans la tente pour écouter la conversation. L'excitation est à son comble. L'expédition progresse bien et l'annonce d'une première tentative dans quelques jours exalte chacun. L'ascension du sommet est le but qui nous rassemble tous ici et le succès de quelques-uns sera la réussite de tous.

Je garde secrètes mes préoccupations personnelles. Je me sens tout de même un peu seul. L'indignation du début s'est rapidement transformée. J'y vois plus clair. Je me retrouve devant une grande tâche à accomplir et peu de support à attendre de mes partenaires immédiats. Ceux avec qui j'aurais pu partager le travail se trouvent en haut et se préoccupent principalement de leur propre équipée. Mais les jeux sont faits. Les cartes sont clairement disposées sur la table. J'aime autant ça. Le souper étant terminé, il est temps d'aller dormir.

Le lendemain, je surveille de près le matériel qui doit être acheminé vers le camp 2. Je calcule et recalcule les besoins en oxygène. Il est essentiel que chacun d'entre nous dispose d'une petite bouteille pour dormir la nuit et d'une grande pour l'ascension vers le sommet. Ces bonbonnes doivent impérativement être arrivées au camp 4 au moment où nous en aurons besoin. Il faut connaître la répartition des bouteilles à chacun des camps, évaluer la consommation de la première équipe et prévoir le transport de réservoirs d'oxygène pour le second groupe.

Vers 16 h 00, on se retrouve en général dans la tente communautaire pour une collation: de larges théières sont disposées sur la table, une de thé noir, l'autre de thé au lait sucré. Le thé est faible et on peut en boire à satiété sans souffrir d'un surplus de caféine. De petits biscuits secs accompagnent le breuvage. Peut-être s'agit-il d'un reliquat du colonialisme anglais, emprunté des Indes?

Le lendemain, les conversations tournent nécessairement autour de l'ascension ultime. Redescendu durant la journée du camp 2 après une semaine à transporter des charges entre les camps 1 et 3, Tshering Lhakpa s'assied à côté de moi et j'engage la conversation:

- Alors, comment ça va? On se prépare pour aller au sommet?

- Bien, peut-être. Je ne sais pas. Il reste encore beaucoup de chemin à faire, me répond-il dans un anglais hésitant.

- Oui, mais ça pourrait aller très vite. Tu as raison, il reste beaucoup de choses à faire. La plan qu'on a préparé ne tient pas compte du mauvais temps ou des imprévus. On est encore bien loin, et pourtant si proche...

- Peut-être que tout va bien aller et alors on va monter au sommet ensemble, toi et moi seuls, comme Hillary et Tensing.

Cette remarque me surprend un peu. À bien y penser, atteindre le sommet de l'Everest constitue pour un jeune sherpa de 24 ans le rêve ultime. Devenir une célébrité dans son village, sinon dans son pays comme son illustre prédécesseur, Tensing, membre de la première cordée à fouler le précieux sommet. Oui, il est bien possible de revivre 38 ans plus tard le moment historique. Le temps n'a pas la même emprise ici. À part les quelques taches colorées produites par les tentes et les vêtements multicolores, on se croirait volontiers à une autre époque. Tshering Lhakpa doit souhaiter être reconnu par ses pairs à l'instar de son compatriote, grâce à cet exploit considéré encore aujourd'hui hors du commun. On peut toujours rêver.

Je suis flatté de cette marque de confiance de la part du sherpa le plus respecté dans son équipe. Tshering Lhakpa est le plus costaud du groupe. Il transporte les plus lourdes charges. Il est le plus rapide.

- *Yes, that would be nice, very nice,* dis-je, en guise de conclusion.

Pendant quelques instants, le silence règne dans la tente. Chacun est absorbé à imaginer son propre avenir.

Dans la journée du 24 avril, les quatre grimpeurs rentrent au camp de base. La fatigue se lit aisément dans les traits tirés de leurs visages et le repos sera bienvenu. Je me dirige directement vers Mark pour prendre des nouvelles de la situation dans la montagne, avec toutefois un espoir secret que le plan prévu soit modifié de façon à me réserver une place dans l'équipe de tête. La seule possibilité, je la connais: qu'un des quatre grimpeurs se désiste et que je puisse le remplacer. Cette éventualité ne semble toutefois pas avoir être envisagée et Mark s'informe plutôt de Passang Sherpa et de l'arrivée éventuelle de Teresa, sa femme.

- Et Passang Sherpa, il est parti?

- Il y a quelques jours, le 21 ou le 22, je crois. Depuis, pas de nouvelles. Il a dit en partant qu'il attendrait Teresa et ferait le trajet de retour avec elle. Il ne devrait pas être de retour avant la semaine prochaine au plus tôt.

Je songe avec un petite pointe de tristesse que Fernande aurait dû aussi faire partie de ce voyage. Elle devait accompagner Teresa, ainsi que Kathy, la femme de Dick St-Onge, Brenda Wilcox et peut-être aussi Rebecca Rugo. En fait, chacune des femmes des grimpeurs a songé un moment ou l'autre à venir nous rejoindre au camp de base pour la fin de l'expédition. Mais seulement Teresa et Brenda feront le voyage.

- Quelles sont les nouvelles? Où en sommes-nous? Où est rendue l'expédition des sherpas?

- Notre camp 3 est installé à environ 7 300 mètres, juste un peu plus haut que la crevasse où vous aviez déposé le matériel. Il y a 2 tentes sur une étroite plate-forme que nous avons dû dégager à coups de piolets. C'est un travail épuisant à cette altitude. Depuis quelques jours, nous avons commencé à monter des bonbonnes d'oxygène au camp 3. Aujourd'hui, 2 de nos sherpas vont tenter de monter une bonbonne chacun jusqu'au col sud. Ensuite, ils redescendront aussi au camp de base.

- Comment se comportent les sherpas dans l'ensemble?

- Comme toujours. Ils progressent vite et transportent les plus lourdes charges. Ang Nima est plus âgé et se plaint des conditions trop dures à l'occasion. Les autres demeurent toujours solides. Tshering surtout. C'est le plus jeune, mais le pilier du groupe. La tentative vers le sommet de l'expédition des sherpas n'aura pas lieu avant après-demain si tout va bien, peut-être seulement le 27. Tout prend tellement de temps. Il faut être patient et attendre son heure. Les quelques jours de répit ne seront pas de trop. À plus tard.

Mark se réfugie dans sa tente pour le reste de l'après-midi. Je ne le reverrai que quelques minutes au cours du souper, qui est expédié en vitesse. Aussitôt le soleil disparu, chacun se réfugie dans sa tente.

Le lendemain, je suis un peu étonné lorsque Rick et Mark annoncent au cours du déjeuner qu'ils descendent à Phériche pour se reposer et ne prévoient remonter au camp de base que dans deux jours, le 27, juste avant de remonter pour la première tentative vers le sommet. Ils invitent ceux qui veulent les accompagner à se préparer à partir vers midi. Presque tout le monde est séduit par l'occasion de quitter, ne serait-ce que pour deux jours, le camp de base et ses conditions de vie. Par contre, il faut plusieurs heures de marche pour se rendre jusqu'à Phériche et, surtout, une très longue journée pour en revenir. Je considère l'idée quelque temps pour finalement décider de rester sagement au camp de base. Tourmenté par la crainte de gaspiller des énergies précieuses, je choisis de les économiser pour l'ultime montée.

Je demeure seul avec les sherpas durant ces deux jours qui, somme toute, me seront profitables. Je consacre ces heures solitaires à retrouver mes véritables motivations et me préparer à la prochaine étape. Je passe de longs moments tout juste à l'extérieur de notre camp à observer les montagnes, impatient au début de voir quelque chose arriver. Mais en montagne, les événements se déroulent selon le calendrier géologique et pour l'observateur humain, rien n'apparaît plus stable, plus immuable. Ce calme vient à bout de mes défenses et apaise graduellement mes craintes. Lentement, mes doutes s'estompent. De plus en plus, s'installe en moi la conviction de pouvoir me rendre jusqu'au bout de l'aventure, de réussir et d'en revenir...

Je continue à visiter régulièrement mes amis du camp français et ils m'offrent d'utiliser les moyens de communication dont ils disposent. Je peux alors faire parvenir un *fax* à Fernande dans lequel je précise l'avancement de l'expédition et nos plans pour la suite. Je reçois avec grand plaisir une réponse deux jours plus tard par le même canal de transmission, qui passe par un technicien radio de Katmandou. Ce technicien ne peut s'empêcher de faire des commentaires amusés sur le caractère intime du message, si bien que me voilà un peu gêné. Je suis très heureux toutefois d'apprendre que les ennuis de santé de Fernande sont terminés et qu'elle se porte mieux. Je reçois avec plaisir ses paroles d'encouragement. Ça me fait chaud au cœur de me sentir ainsi soutenu, car elle, qui a suivi de près notre périple, sait que le moment de vérité approche pour nous.

Lorsque tout le monde rentre, je suis impatient de poursuivre l'ascension. Confirmant mes appréhensions, chacun se déclare un peu fatigué de son périple et une journée de repos supplémentaire est décrétée.

Le 28 avril, je prépare mon matériel pour regagner le camp 2 dès le lendemain à la première heure. Tous nous remontons: les quatre du premier groupe, Mike et moi de la seconde équipe et tous les sherpas. Seul Gary ne participe pas à cette fièvre précédant un départ que l'on espère tous être le dernier. Il n'est pas encore revenu de son excursion de repos à des altitudes plus clémentes. Introuvable à Phériche lors du passage de notre troupe, il confirmera lui-même à son retour être descendu jusqu'à Namche Bazar. Pour le moment, inconscients de l'imbroglio que ce dernier nous prépare, nous nous apprêtons à faire face à la montagne. Cette fois, nous nous sentons prêts comme jamais auparavant. L'ambiance est à l'optimisme.

Le matin du 29, il fait un temps radieux. Nous quittons le camp de base vers 5 h 00 et j'arrive au camp 2 vers 12 h 30, après un court arrêt à l'emplacement de ce qui fut notre premier camp. Bien acclimaté, bien reposé et transportant un sac de poids réduit, je progresse rapidement sur un terrain que je connais. Je souris en pensant à quel point je me sentais mal lors de la première montée sur le glacier. Tout cela me semble si lointain, comme ayant été vécu par une autre personne. Mon esprit devient tellement concentré sur le moment présent que les événements des se-maines précédentes s'évanouissent et il devient très difficile de m'en souvenir précisément. Le passé s'estompe graduellement et donne l'impression de ne plus nous appartenir. En revanche, le présent augmente d'intensité. L'acuité des sens est décuplée. Je connais bien cette sensation qui s'installe doucement après une longue période passée en montagne.

Aussitôt arrivé au camp 2, je rejoins Mark devant la tente-cuisine. Il ne m'a devancé cette fois-ci que de quelques minutes. J'ai même croisé le camp 1 quelque temps avant lui.

- Hellô, lui lançai-je avec enthousiasme, heureux de ma performance à la montée.

- Hellô, comment ça va?

- Très bien, en superforme. Les autres s'en viennent. Barry et Marc ne sont pas loin. Mike suit avec un peu de retard. Il devrait arriver dans un peu plus d'une heure. Je l'ai attendu à l'emplace-ment du camp 1, mais ensuite j'ai pris mon rythme et l'ai dis-tancé. Je le voyais de loin et à l'heure actuelle, il doit se trouver au milieu de la longue montée après les dernières crevasses.

- On est tous montés assez vite. Comment trouves-tu Mike? Il a l'air en forme.

- Quelle différence avec les premières fois! Je me sens parfai-tement acclimaté et je peux enfin marcher à mon rythme sans trop souffrir. Tu connais Mike, il ne dit pas un mot et continue quand même. Il a un peu de difficulté, mais il serre les dents et endure. Parfois, j'ai l'impression de l'entendre grincer des dents dans les passages raides du glacier! Et pour nous, ça va se passer comment?

- Je vais aller voir si Peter Athans est dans sa tente, sinon quelqu'un de son groupe pourrait me renseigner sur leur progres-sion. On se retrouve dans la tente-cuisine pour faire le point aussitôt que tout le monde sera arrivé.

Selon ce qui est devenu une habitude solidement installée, après une sortie sur le glacier, je m'assieds aussi confortablement que possible dans la tente-cuisine et entreprends de me réhydra-ter en ingurgitant consciencieusement des litres de thé au lait sucré. À tour de rôle, les autres arrivent et m'imitent. La tente est complètement remplie lorsque Mark entre, tout excité par les nouvelles qu'il apporte:

- Je quitte à l'instant Peter Athans de l'expédition sherpa et nous pourrons utiliser une de leurs deux tentes au col sud. Leur tentative de ce matin a échoué. Ils étaient partis au milieu de la nuit. Ils se sont rendus jusqu'au sommet sud, mais le temps s'est couvert. Ils se sont arrêtés pour attendre une éclaircie et ils ont pris froid. Ils ont dû redescendre pour éviter les engelures. À la descente, ça s'est dégagé, mais par contre le vent s'est levé. En ce moment, ils redescendent et devraient revenir ici demain dans la journée. Ils redescendent tous pour se reposer. Maintenant, c'est notre tour.

Un silence un peu lourd s'installe pendant quelques instants. Chacun se trouve confronté à l'imminence du départ. Pour ma part, j'ai encore un peu de difficulté à accepter l'idée d'avoir été relégué au second plan. Mais en même temps, je sais que les circonstances sont telles qu'il est impossible de changer la stratégie. J'ai déjà suffisamment retourné la question dans ma tête, il n'y a rien que je puisse faire de plus. Ce serait de l'énergie perdue en pure perte. Je souhaite seulement avoir ma chance.

- S'il fait beau, nous montons demain et passons une première nuit au camp 3, reprend Mark, le moment de malaise passé. Nous continuons après-demain jusqu'au camp 4 au col sud, avec les sacs de couchage, les réchauds et un peu de nourriture. Pendant ce temps, Yves, Mike et les deux sherpas montent au camp 3 pour y passer la nuit. Le lendemain, nous tenterons d'atteindre le sommet. C'est dans trois jours. On est le 29 avril, donc notre tentative vers le sommet se fera le 2 mai. Yves et son groupe pendant ce temps montent du camp 3 au camp 4 pour faire leur propre tentative le 3 mai. C'est comme on a dit, ils restent toujours une journée derrière nous.

- S'il fait mauvais le 2 ou s'il arrive quoi que ce soit?

- On avisera en temps et lieu. Il est sûr qu'on ne pourra pas rester très longtemps au col sud, à 8 000 mètres, et avoir suffisamment d'énergie pour faire une tentative vers le sommet avec des chances raisonnables de succès. On s'épuise très vite à cette hauteur. Une journée d'attente, 2 à la rigueur, c'est le maximum qu'on pourra se permettre à mon avis. Après, il faudra redescendre.

- De toute façon, nous garderons le contact par radio et nous aviserons le moment venu. Le sommet peut ne se dégager qu'au moment où vous descendrez, et étant juste un jour derrière, nous pouvons avoir notre chance aussi. Ça ne prend en définitive que deux jours de beau temps consécutifs, et tout le monde se suit au sommet. Ouais, si on est chanceux!

Je conclus en souhaitant que tout se déroule parfaitement, mais dans le fond, je sais bien que rien ne se déroule jamais parfaitement. Je continue néanmoins à croire en mes chances, mais cet épisode me laisse un goût amer. Puisqu'on ne peut rien y faire et que tout a été dit, je pense plutôt à manger et à refaire mes forces. J'ai bon appétit et je savoure la soupe préparée par Concha. Après avoir éprouvé des problèmes d'acclimatation parce qu'il était monté trop rapidement au début, Concha, notre cuisinier du camp 2, s'est installé dans son royaume de casseroles et de sacs de nourriture et tout va beaucoup mieux depuis dans ce camp.

Je passe le reste de l'après-midi à flâner dans la grande tente. L'estomac rempli du thé au lait sucré dont les sherpas raffolent tant, je somnole, adossé à un sac de couchage. Il fait chaud en plein milieu d'après-midi. Le soleil plombe et on ne peut rester longtemps sans ses lunettes de glacier, même à l'intérieur de la tente, malgré la protection que procure la mince couche de nylon.

Vers la fin de la journée, avant que le soleil ne baisse, les 4 grimpeurs préparent leurs sacs en prévision de ce moment tant attendu: la première tentative vers le sommet. Chaque pièce de matériel est soupesée, évaluée, chaque gramme de nourriture est remis en question. Il est inutile de transporter quoi que ce soit qui ne servira pas, qui ne sera pas consommé ou même qui risque de ne pas servir. À 8 000 mètres d'altitude, il y a à peine un tiers de la pression atmosphérique et de l'oxygène qu'on retrouve au niveau de la mer. Notre capacité de transporter des charges s'en trouvera radicalement réduite.

Comme toujours, au moment où le soleil se cache derrière la muraille de Nuptse, le froid envahit tout. Tout le monde s'entasse dans la tente-cuisine: 11 personnes dans une tente fabriquée pour en contenir 6. Les réchauds occupent les places centrales et chacun essaie de trouver une place pour ses jambes en évitant de renverser la précieuse soupe. Le moral est bon et le souper se déroule dans la gaieté pendant que fusent les mots d'esprit de Barry et les anecdotes chaque fois renouvelées de Mike.

Vers 20 h 00, chacun se retire dans sa tente et regagne la chaleur de son sac de duvet. Le jour J approche.

17

PREMIÈRE TENTATIVE

Vers cinq heures le matin du 30 avril, il y a beaucoup d'animation autour de la tente-cuisine. Nos quatre compagnons se préparent. Les flancs supérieurs de Nuptse et Lhotse se colorent de rose et d'orangé. Je prends des photos dans la semi-pénombre, car le soleil ne rejoint l'emplacement de notre camp que passé huit heures. Le ciel est dégagé, le vent faible. Nous aurons une belle journée. Nous pourrons suivre le plan prévu. Sans prendre un jour de repos, Ang Nima et Ang Passang remontent avec l'intention d'acheminer de l'oxygène jusqu'au col sud. Les autres sherpas restent avec nous pour se reposer en prévision de la montée de la seconde équipe vers le sommet à compter de demain. Sait-on jamais, le beau temps peut tenir.

Trente minutes plus tard, tout le monde est parti. Je reste quelques instants dehors à les regarder traverser le site des tentes coréennes et suisses tout au bout de l'emplacement du camp et disparaître derrière le premier repli du glacier. Il fait encore trop froid pour demeurer inactif longtemps à l'extérieur. Je rejoins Mike qui sagement n'avait pas quitté son cocon douillet et je m'empresse aussitôt de regagner la chaleur de mon sac de couchage en attendant l'arrivée du soleil pour me lever définitivement.

La journée se passe lentement, occupée en partie à surveiller la progression des nôtres dans la face ouest de Lhotse. Bientôt, je n'aperçois plus que de minuscules points dans la pente, à plusieurs kilomètres de distance. Tôt le matin, plusieurs grimpeurs et sherpas des autres expéditions ont quitté en direction des camps supérieurs, si bien qu'il est impossible d'identifier lesquels des points mouvants au loin sont nos quatre compagnons.

Le temps passe vite et toutes les équipes sont pressées d'établir leurs camps supérieurs. Arrivés parmi les derniers au camp de base, les Suisses nous ont suivis de près et parfois précédés. Après une montée éclair jusqu'au camp 3, et apparemment anéantis par la perte de leurs tentes lors de la forte bourrasque au camp 1, ils sont les premiers à abandonner, sans avoir réellement tenté d'atteindre le sommet. Par manque de ressources pour établir leur propre route, les Australiens, peu après avoir entamé l'éperon ouest de l'Everest pour lequel ils détenaient le permis, se sont dirigés vers l'arête sud-est pour bénéficier des cordes fixes installées par l'équipe des sherpas et la nôtre. L'autre expédition américaine, forte de ses nombreux guides et sherpas, poursuit sa montée lentement, en transportant beaucoup de matériel. Cette expédition a été réunie par un homme d'affaires prospère à ce qu'il paraît, Al Wendel, qui souhaite atteindre le sommet avec sa fille et devenir ainsi le premier couple père-fille à réaliser pareil exploit. Les Coréens poursuivent avec ténacité leur ascension dans la gigantesque paroi sud-ouest de l'Everest, mais ne réussiront pas à dépasser les 7 500 mètres, probablement ralentis par l'accident d'un des leurs.

Au cours de la matinée, je rencontre Marc Batard. Il se prépare lui aussi à monter si le temps peut se maintenir au beau fixe. C'est ici que s'arrête le support de sa très petite équipe. Seuls un sherpa et un médecin l'accompagnent. Ils vont l'attendre au camp 2 lorsqu'il fera ses tentatives. Le médecin, un sympathique Italien parlant parfaitement le français, me montre le système compliqué de capteurs ainsi que le transmetteur qui doit lui permettre de suivre les battements cardiaques de son «patient» durant l'ascension. Sans lui en faire mention, je me demande quelle est l'utilité de connaître les pulsations cardiaques de Batard à distance. Le médecin serait de toute façon beaucoup trop loin pour être de quelque secours. Il pourrait toujours connaître l'heure exacte où le pouls s'est arrêté, le cas échéant! Évidemment, cela peut contribuer à faire avancer la science, mais ces appareils ne font qu'encombrer et surcharger le principal intéressé.

Vers la fin de l'après-midi, nous révisons une dernière fois le matériel et préparons les sacs pour la montée. Pendant que je suis affairé à l'extérieur de la tente, j'aperçois Ang Nima qui rentre au camp. Il a été le premier de notre expédition à atteindre le camp 4: un effort remarquable de la part d'un homme de 50 ans. Encore une fois, je mesure à quel point je respecte ces sherpas qui se dévouent souvent bien au-delà de l'engagement financier qu'ils ont pris avec nous. Nous devons leur être plus que reconnaissants. Ang Passang, qui l'accompagnait, a quant à lui déposé sa bonbonne d'oxygène dans la longue traversée qui mène au col sud, au-dessus de la bande rocheuse connue sous le nom d'éperon des Genevois. Il a dû rebrousser chemin, à quelque distance du camp, car le jour déclinait rapidement.

Grâce aux nouvelles provisions amenées du camp de base, nous soupons d'un délicieux et substantiel repas préparé par Concha, un *dal-bhat*. Aliment de base des sherpas du Népal, ce plat est constitué d'une assiette de riz blanc, *bhat*, sur laquelle on verse une soupe de lentilles épicée à l'indienne, *dal*. Les sherpas consomment des quantités impressionnantes de ce mélange simple et très digeste. Habitués à une alimentation plus variée, nos appétits d'Occidentaux ne se satisfaisaient pas au début de ce régime trop frugal. Mais, au fil des semaines, nous avons commencé à délaisser les plats préparés que nous avions achetés à grands frais aux États-Unis, dégoûtés graduellement par leur contenu en gras et en produits de conservation. Seul Rick demeure imperturbable devant la nourriture préfabriquée. En fait, il est la seule personne que je connaisse qui arrive à digérer du bacon à 8 000 mètres. Un estomac normalement constitué n'arrive pas à assimiler les lipides à cette altitude. Évidemment, Rick se moque de ma diète, qu'il décrit à base de «graines d'oiseaux» et d'«écorce d'arbres». Après deux mois, le *dal-bhat* est presque le seul aliment devant lequel je n'ai pas le haut-le-cœur et que mon estomac arrive à digérer en altitude. Il constituera l'essentiel de ma diète dans les dernières semaines de l'expédition.

Il est déjà 18 h 00, l'heure du contact radio.

- Camp 2, camp 2, me recevez-vous? Ici le camp 3.

Je reconnais aisément la voix de Mark.

- Fort et clair. On vous reçoit 5 sur 5.

- Nous sommes tous arrivés et installés au camp 3, Rick et moi dans une tente, Marc et Barry dans l'autre. La montée s'est bien déroulée, même si on n'avançait pas très vite à cause du poids des sacs. Une fois rendus, il nous a fallu assez longtemps pour dégager les tentes et les remonter. La plate-forme n'est vraiment pas large. On prépare le souper et aussitôt après, dodo.

- Comment est la température? Toujours du vent au sommet?

- Ici, c'est très calme. Pas de vent. Les sommets environnants sont colorés par le soleil couchant, c'est féerique. Au sommet, on voit le nuage du *jet-stream**. Il semble avoir diminué d'intensité car on ne l'entend pas gronder comme auparavant, mais il est toujours là. On espère que le vent va continuer à faiblir. De toute façon, demain on monte au camp 4, à moins qu'une tempête ne se déclare au cours de la nuit. On verra bien. Évidemment, on amène nos sacs de couchage et nos matelas isolants. N'oubliez pas les vôtres.

- OK. Alors, pas de problème jusqu'à maintenant? On continue comme prévu. Nous montons à notre tour demain jusqu'au camp 3, Mike, Tshering Lhakpa, Passang Tamang et moi. Ang Passang nous accompagnera pour transporter les deux dernières bouteilles d'oxygène jusqu'au col sud et il doit revenir coucher au camp 2. On se reparle demain.

- OK, contact radio demain, même heure.

- À demain. Camp 2 terminé.

- Camp 3 terminé.

On peut sentir l'électricité dans l'air à l'intérieur de la tente. Chacun est fébrile à la veille de l'ascension, que nous souhaitons tous être la bonne. Aussitôt que le soleil se cache derrière la crête de Nuptse, chacun précipite son souper pour se retrouver plus rapidement au chaud dans son sac de couchage.

J'ai assez bien dormi, même si l'anxiété des jours à venir m'a réveillé vers deux heures du matin.

Tel que prévu, à l'aube, nous quittons le camp avec des sacs assez lourds. Remonter à une altitude qu'on a déjà atteinte s'avère beaucoup plus facile une fois qu'on s'est acclimaté. J'en ai l'habitude, mais chaque fois, la différence est si marquante qu'on ose à peine y croire, de peur de réveiller des forces obscures qui nous cloueraient au sol. Le poids des sacs se fait sentir, mais nous atteignons quand même l'emplacement du camp 3, Tshering Lhakpa et moi, sans trop de difficultés, vers midi. C'est la première fois que je pose le pied sur le site même du camp. À ma dernière montée, il y a plus de 10 jours, j'avais déposé mes charges à peine 30 mètres en contrebas.

Durant la majeure partie de notre ascension, nous avons pu surveiller la progression des grimpeurs dans la pente au-dessus de nos têtes. Maintenant, c'est Ang Passang que l'on observe au début de la longue traversée ascendante qui mène du camp 3 jusqu'au pied de l'éperon des Genevois. Parti un peu plus tôt que nous du camp 2, il nous a devancés et il poursuit son ascension sans délai.

Pendant ce temps, on ne voit plus nos quatre compagnons en route vers le dernier camp au col sud. Ils ont disparu ou plutôt se sont confondus parmi les rochers de l'éperon et sont rendus

153

trop haut pour que nous puissions distinguer leurs vêtements de couleur foncée. J'avais pourtant averti Rick avant le départ de demander des combinaisons de couleur voyante, tant pour faciliter le repérage que pour l'esthétisme des photos! Mais des impératifs d'ordre financier semblent s'être imposés à la dernière minute. Le fabricant a dû utiliser un surplus de tissu pour confectionner les vêtements. Si bien que toutes les combinaisons d'escalade sont arrivées peu de temps avant le départ: couleur bleu foncé avec des empiècements noirs, violets ou jaunes. Je suis le seul du groupe à grimper avec un vêtement de couleur jaune flamboyant fabriqué au Québec. Le contraste permet même à John de me repérer avec le télescope à partir du camp de base jusque très haut sur la montagne.

Mike et Passang Tamang sont encore au milieu de la dernière grande montée avant de rejoindre le camp 3. Il a été entendu que nous progresserions en groupes de deux, Mike et Passang Tamang, Tshering Lhakpa et moi. Établi depuis des décennies au cours des premières expéditions dans l'Himalaya, le rôle traditionnel des sherpas est très clair. Ils doivent accompagner les grimpeurs, veiller à leur sécurité et les assister en cas de besoin. Ils suivent le grimpeur qui leur a été assigné, montent et descendent avec lui, à son rythme. Un sherpa ne devrait pas quitter un grimpeur trop fatigué et continuer de grimper seul vers le sommet. À moins d'avoir été dégagé de sa responsabilité par le grimpeur lui-même ou par le chef d'expédition, le sherpa ne peut abandonner à son sort un grimpeur. Il y va de l'éthique de toute la profession de sherpa. Je considérais donc Mike en sécurité avec Passang Tamang, principalement grâce à la sûreté du jugement de ce dernier.

Pour ma part, je préfère la vision moderne du rôle des sherpas. Je considère Tshering Lhakpa comme un partenaire d'escalade plutôt que comme un aide à mon ascension. Nous partageons tâches et responsabilités. J'en viens vite à faire entièrement confiance à ce sherpa, plus jeune et moins expérimenté que moi, mais qui a vécu toute sa vie dans ces montagnes, entouré de montagnards. De petits détails qui paraissent insignifiants vus de l'extérieur ou sortis de leur contexte m'amènent à faire confiance à ce compagnon que les circonstances m'assignent. Par exemple, il choisit toujours judicieusement ses vêtements en fonction des conditions de température et de l'effort à fournir. Il n'est jamais trop ou pas assez vêtu. Et aussi, comme je l'ai déjà remarqué sur le glacier, il démontre une démarche rapide et assurée dans les terrains difficiles tout en utilisant le minimum d'énergie pour économiser ses forces. Comme la majorité des sherpas, Tshering jouit d'une constitution physique hors du commun et d'une capacité d'acclimatation à l'altitude remarquable. Rarement l'ai-je vu peiner comme nous l'avons tous fait au début, même en progressant à un rythme beaucoup plus lent. C'est seulement après les journées de travail les plus ardues que les traces de fatigue pouvaient se voir dans ses yeux ou sur son visage d'ordinaire souriant. Il est de plus un compagnon enjoué qui semble cheminer comme chacun d'entre nous vers la réalisation d'un rêve, sur les traces de sa célèbre idole, sherpa comme lui: Tensing Norgay. Je suis heureux d'avoir Tshering Lhakpa pour compagnon de cordée.

Aussitôt arrivés au camp 3, nous mettons en marche un réchaud pour faire fondre la glace et préparer les breuvages chauds si réconfortants. J'avale tasse de thé sur tasse de thé pour soulager ma gorge irritée et me réhydrater. L'effet du passage dans la gorge de l'air très sec et froid à plus de 7 000 mètres, combiné à celui de l'accélération de la respiration pour nourrir nos cellules de l'oxygène de plus en plus rare, produit un déficit en eau qu'il faut combler à tout prix. À cette altitude, cinq litres de liquide par jour constituent un minimum pour éviter la déshydratation. L'organisme déshydraté envoie des signaux de détresse, comme un moteur qui toussote en montant une côte lorsqu'il commence à manquer d'essence. La panne sèche en montagne arrive rapidement et peut avoir des conséquences tragiques.

Presque deux heures après notre arrivée au camp 3, je vois apparaître Mike, qui monte lentement sur les cordes fixes. Il lui faut encore de longues minutes entrecoupées de nombreux arrêts pour reprendre son souffle avant de rejoindre notre étroit perchoir. Sur le réchaud, dans la casserole d'un litre, la glace est fondue, mais l'eau est à peine tiède. Mike ne peut attendre le thé pour s'abreuver tellement sa gorge le fait souffrir et il vide à grandes goulées le récipient. Durant les heures qui suivent, nous transformons plusieurs blocs de glace en thé au lait sucré, chocolat chaud et soupe.

Graduellement au cours de l'après-midi, le vent se lève et, vers 17 h 00, il souffle en rafales qui nous obligent à demeurer dans les tentes et à scruter les pentes supérieures par un petit orifice. Un grand nuage blanc annonciateur de forts vents enveloppe complètement le sommet. Le vent redouble d'intensité et la neige s'engouffre dans la tente par la moindre ouverture. Je sors à l'extérieur pour vérifier et renforcer les ancrages. Je dois faire très attention de ne pas me prendre les pieds dans les multiples cordes qui servent d'attaches aux 2 tentes, placées bout à bout à quelques centimètres de distance. La plate-forme est à peine assez large pour recevoir les tentes. Un faux pas et c'est la dégringolade, 700 mètres plus bas, dans les crevasses du glacier.

La neige soufflée par le vent m'aveugle et les bourrasques risquent de me déséquilibrer. Je ne peux m'empêcher de penser à nos quatre compagnons plus haut. J'espère qu'ils sont arrivés au campement du col sud. Notre situation me semble tout à coup plus enviable que celle qui doit prévaloir à 8 000 mètres, surtout s'ils sont dehors par ce temps à s'acharner à mettre un pied devant l'autre. Je regagne rapidement l'abri que je partagerai avec Passang Tamang pour la nuit. Les tentes sont si petites qu'il faut se répartir selon notre grandeur. Les 2 plus costauds, Mike et Tshering Lhakpa, partageront celle qui est légèrement plus spacieuse, tandis que Passang Tamang et moi nous engouffrons dans la plus petite. La plate-forme où notre tente miniature a été montée s'en va en rétrécissant, si bien que notre tente n'a pu être déployée dans toute sa largeur. Mon compagnon et moi ne pouvons tenir assis les deux en même temps. Lorsque je m'assieds, Passang Tamang doit s'étendre sur le côté et se recroqueviller pour me laisser de la place pour croiser les jambes. Mes genoux lui entrent dans l'estomac. Ma tête appuie fortement dans la toile du toit et je dois rester légèrement penché par manque de hauteur. Heureusement, la forme aérodynamique de cette tente réduit les possibilités de déformations par les vents, sinon nous n'aurions pu y tenir à deux. La position des plus inconfortables dans laquelle je me retrouve me donne rapidement des crampes dans le cou, le dos et les jambes. Toutes les 15 minutes, nous devons changer de position. Passang assis, moi couché. Passang couché, moi assis. Nous jouons à ce petit jeu jusqu'à l'heure de préparer un repas avant la tombée de la nuit.

Comme si l'exiguïté ne suffisait pas, le vent qui rage nous oblige à fermer toutes les ouvertures de la tente. Aussitôt, une odeur infecte envahit l'espace réduit. Passang Tamang me démontre de façon non équivoque son adhésion au mode de vie sherpa. Anciennement, les sherpas, habitués à vivre au grand air dans le climat froid et venteux des plateaux tibétains, pouvaient difficilement se laver. Se laver à l'eau chaude constituait pour eux un luxe inaccessible puisque le seul combustible disponible était de la bouse de yack séchée au soleil. Aujourd'hui encore, même si les conditions de vie de la plupart des sherpas habitant les montagnes du Népal sont moins rigoureuses que celles de leurs ancêtres tibétains, l'hygiène personnelle ne fait pas partie des mœurs de ce peuple habitué à une vie frugale. En fait, ils enlèvent rarement leurs vêtements. Et en présence de l'un d'entre eux dans une tente, il faut laisser une grande ouverture pour l'aération. J'avais déjà le souffle court et la tête qui tournait à cause de l'altitude, mais une fois refermée l'entrée de la tente pour éviter d'être envahi par la neige, mon estomac se retourne complètement! Et je n'ai aucune idée de la nuit qui m'attend.

Il est 18 h 00 et j'ouvre mon appareil pour le contact radio convenu. Après quelques minutes d'attente, je prends l'appareil:

- Camp 4, camp 4, ici camp 3. M'entendez-vous?

Pas de réponse.

- Camp 4, col sud, ici le camp 3. Me recevez-vous?

Toujours rien. Après quelques instants, l'appareil réplique:

- Camp 3, ici John au camp de base. Me recevez-vous?

- Allô, John, ici Yves. Avez-vous eu des nouvelles de Mark et des autres au camp 4?

- Non, aucune nouvelle. Nous sommes restés à l'écoute tout l'après-midi, mais nous n'avons rien entendu.

- Oui, c'est normal. Nous n'utilisons les appareils qu'aux heures fixées ou en cas d'urgence seulement, pour prolonger la durée des piles. Au-delà du camp 2, nous ne pouvons recharger les piles. Les plaques solaires sont restées au camp 2. Peut-être que la communication ne se fait pas entre le camp 4 et le camp de base à cause de la distance. Qu'en penses-tu? Comment me recevez-vous au camp de base?

- Très fort, cinq sur cinq. Un peu mieux même que du camp 2, en fait. Ça m'étonnerait que du col sud ça ne passe pas jusqu'au camp de base.

- Moi aussi. John, je vais fermer mon appareil et revenir vers 18 h 30. Reste à l'écoute jusque-là et dis à Mark de me rappeler à 18 h 30 si tu le captes. Nous aurons peut-être besoin des radios durant plusieurs jours, mieux vaut ménager les piles. Ici, depuis 16 h 00, il fait un vent terrible. J'ose à peine imaginer comment ça doit être là-haut. On se reparle un peu plus tard.

- OK, Yves. On va rester à l'écoute. À plus tard.

Pendant que je discute avec John, Passang Tamang reste tranquille dans son coin, essayant de se faire tout petit dans l'espace restreint dont nous disposons. La faiblesse de son anglais ne lui a pas permis apparemment de suivre la conversation. Je résume en quelques mots simples la situation à l'intention de Tshering Lhakpa, qui comprend un peu mieux l'anglais, sa troisième langue parlée, après le tibétain et le népalais. Il me faut presque crier pour couvrir le hurlement du vent et me faire entendre dans l'autre tente, pourtant située tout à côté.

Revenant à nos propres préoccupations, je me demande comment nous allons pouvoir préparer un repas vu l'étroitesse de notre abri. Je décide de simplifier le plus possible l'opération en préparant une soupe et en ajoutant dans la même casserole une enveloppe de riz et quelques morceaux de fromage. Par gestes plus qu'en paroles, je fais comprendre à mon camarade l'importance de demeurer tranquilles. Nous sommes réduits à l'immobilité totale face à un réchaud qui arrive à peine à produire une flamme digne de ce nom à cause de la rareté de l'oxygène. L'espace est si limité que le moindre faux mouvement risquerait de nous faire renverser le précieux contenant en équilibre instable sur le minuscule réchaud. D'une main, je maintiens le chaudron et je garde constamment les yeux sur la flamme, qu'il faut rallumer de temps en temps. Le faible ronron du brûleur est aisément couvert par la férocité du vent et le claquement des parois de la tente. Il y a longtemps que je n'ai pas été dans une situation aussi inconfortable: 18 h 30 arrive et nous n'avons pas encore entamé notre pitance.

- Allô, camp de base. Ici Yves. Avez-vous des nouvelles?

Après quelques instants d'attente où j'imagine John se précipiter sur la radio pour répondre comme je l'ai vu faire tant de fois au camp de base, l'appareil crépite.

- Ici camp de base. Pas de nouvelles encore. Il va faire noir bientôt, j'espère que rien n'est arrivé.

- Moi aussi. Je crois plutôt que le vent les aura retardés et qu'ils vont arriver et nous appeler bientôt. De toute façon, il n'y a rien que l'on puisse faire pour l'instant. Il n'y a qu'à attendre.

Je vais placer mon appareil en attente avec l'économiseur et rester à l'écoute.

- OK, on reste à l'écoute aussi, le temps qu'il faudra.

L'appareil radio sur les genoux et encore plus encombrés par l'obligation de se tenir tous les 2 assis en même temps pour manger avant que la soupe ne refroidisse, Passang Tamang et moi avalons en silence notre bouillie. Seule la pensée des autres que j'imagine en train de lutter contre les éléments 700 mètres plus haut m'empêche de me sentir misérable. Un peu avant 19 h 00, la radio reprend vie.

- Camp 3, camp 3, me recevez-vous? Ici Mark au camp 4.

- Ici le camp 3. Comment ça va? On se demandait où vous étiez. On n'a pas eu de vos nouvelles à 18 h 00 comme prévu.

- Rick et Barry viennent tout juste d'arriver. Marc et moi sommes ici depuis 17 h 30 environ. La montée a été très longue et épuisante, beaucoup plus longue que je ne l'aurais cru. Depuis, on essaie de s'organiser, mais on est à bout de souffle et il faut nous arrêter longuement pour reprendre notre respiration. Marc Chauvin a beaucoup de difficulté à respirer sans oxygène. Le vent ici est incroyable. Heureusement, les tentes sont solidement attachées avec des cordes d'escalade.

- Quelles sont les conditions météo?

- Épouvantables. Un vent terrible. Avec la neige, on ne voit rien du tout. Impossible de continuer plus haut, c'est sûr. Mais on verra. Peut-être le vent se calmera-t-il au cours de la nuit. Pour l'instant, il faut se réhydrater, préparer les systèmes d'oxygène pour tout le monde, s'installer pour la nuit. Si le temps s'améliore, on se lève à minuit pour partir vers le sommet. On vous rappelle à cette heure-là.

- OK, on se reparle à minuit. Salut! À plus tard.

La conversation se termine rapidement. L'information est échangée avec le minimum de mots. Je crois saisir la situation qu'ils vivent au-dessus de nous. Mark, toujours le plus solide et résistant du groupe, se préoccupe de l'état des membres de son équipe. L'altitude l'a freiné passablement lui-même et a réduit le rythme des autres à une marche au ralenti. Il était même trop absorbé pour se rappeler l'heure du contact radio qu'il a lui-même instaurée. J'ai senti dans sa voix de l'inquiétude concernant la suite. Beaucoup de travail reste à faire pour préparer la tentative sommitale et retaper les grimpeurs en prévision de l'effort à

159

fournir. La grande question que Mark doit se poser, c'est: «Comment diable refait-on ses forces à 8 000 mètres d'altitude?»

Pendant ce temps, le soleil descend sur l'horizon et le froid s'installe lui aussi pour la nuit. Nous déroulons nos sacs de couchage et, comme je m'y attendais, le sac de Passang Tamang dégage la même odeur que son propriétaire. Nous pouvons à peine tenir tous les deux étendus côte à côte sur le dos. Nos épaules sont pressées l'une contre l'autre dans un étau de toile tendue à l'extrême. La position est à ce point inconfortable qu'au bout d'un moment il faut nous résigner à ce qu'un seul de nous deux se couche sur le dos et que l'autre se place de côté dans l'espace qui reste. Coéquipiers de bonne volonté, nous alternons de position et bientôt nous apprenons à reconnaître le mouvement de l'autre indiquant un changement de posture. Lorsque je me retrouve sur le côté, j'ai le nez soit appuyé dans le tissu de la tente, soit enveloppé par le sac de duvet nauséabond de mon compagnon d'infortune. Au moment où la nuit tombe tout à fait et où le noir devient total dans la tente, je n'en peux plus. Le manque d'oxygène, l'odeur repoussante, la pâtée du souper et les litres de thé m'indisposent au plus haut point. J'étouffe littéralement. Je dois ouvrir la porte de la tente pour laisser entrer l'air. Mais dehors, il n'y a pas beaucoup plus d'air. Je ne réussis qu'à faire entrer de la neige qui me tombe dans la figure. L'air frais qui pénètre quelque peu dans la tente diminue à peine la claustrophobie qui m'oppresse, et je passe le reste de la nuit avec ma casquette sur la tête pour éviter que la neige ne m'arrive directement dans la figure. Un monticule de neige commence bientôt à se former sur mon sac de couchage.

Le pauvre Passang Tamang ne semble pas plus à l'aise que moi. Son sac de couchage de moins bonne qualité que le mien prend l'eau et la fonte de la neige en détrempe lentement le tissu. La nuit se passe en grognements, toussotements et mouvements incessants de la part de deux pauvres hères qui se croyaient lancés dans une noble aventure. Jamais je n'ai passé de si mauvaise nuit en montagne. Souvent, dans des situations semblables — bivouacs inconfortables, ascensions difficiles —, j'arrive à prendre un peu de recul. Je me regarde agir et j'essaie de voir comment je pourrais en prendre plus. Mais cette fois-ci, je ne m'amuse plus du tout de ma propre situation. Je crois avoir atteint ma limite.

160

Le vent ne nous laisse prévoir aucune accalmie. Notre abri de toile résiste aux assauts des éléments, malgré son apparente fragilité. Nous supportons les bourrades frénétiques de la tempête avec obstination, espérant que ce sera vite passé. Je savais que la nuit allait être dure. Il n'y a rien que je puisse faire. Je n'ai même pas assez d'énergie pour me mettre en colère. Je suis résigné. Personne ne parle. À minuit, comme prévu, je contacte par radio le camp 4. Je ne suis nullement surpris lorsque Mark me confirme qu'aucune tentative ne sera lancée vers le sommet. Il est convenu de se rappeler au matin pour statuer sur ce qu'on entend faire.

Au réveil, je suis complètement anéanti, je n'ose même plus espérer le lever du soleil. Les premières lueurs de l'aube atténuent quelque peu le sentiment d'oppression que je ressens dans notre sarcophage double. Chacun de mes muscles est ankylosé. Il nous faut de longues minutes pour démarrer le rituel du matin: allumer le réchaud et commencer à fondre la glace, déneiger l'intérieur de la tente et récupérer le peu d'effets personnels dont nous disposons. Il fait trop froid pour se déshabiller. Je n'enlève que l'enveloppe extérieure de mes bottes et la combinaison d'escalade pour la nuit. La coque des bottes reste dans le vestibule de la tente tandis que les chaussons isolants à l'intérieur m'accompagnent dans le sac de couchage pour ne pas que je gèle. J'étends ma combinaison d'escalade sur mon matelas isolant et je déroule mon sac de couchage dessus. Cela ajoute quelque peu à la capacité isolante du matelas. Ce n'est guère suffisant et après deux nuits passées au même endroit, la forme de mon corps est imprimée dans la glace sur laquelle notre tente est montée.

Je suis trop abattu pour crier et me faire entendre par-delà le vent qui sévit toujours avec fracas. J'attends plutôt le contact radio du matin avec le camp 4 pour faire le point et m'enquérir de l'état de nos compagnons dans l'autre tente. La communication confirme ce à quoi je m'attendais. Le vent est aussi, sinon plus puissant au col sud et il est impensable de sortir. Mark et les autres vont donc rester une journée supplémentaire au camp 4 et n'entreprendre que demain leur tentative vers le sommet, si le vent tombe d'ici là. Dans le cas contraire, ils seront forcés de redescendre. Demeurer plus longtemps à 8 000 mètres leur enlèverait toute chance d'atteindre le sommet. Je vérifie aussitôt avec Mike quelles sont ses intentions. La nuit semble avoir été un peu meilleure pour lui. Il souhaite demeurer au camp 3 une journée encore et attendre la suite. Pendant ce temps, les deux sherpas discutent entre eux et décident de redescendre immédiatement vers le camp 2. Apparemment, la pénible nuit de Passang Tamang a eu raison de sa résistance et il ne peut envisager de continuer dans ces conditions. À moins que lui et Tshering doutent que le temps puisse s'améliorer et souhaitent redescendre immédiatement et ménager ainsi leurs forces. Si tel est le cas, ils ne songent pas à nous mettre dans la confidence et à nous épargner ainsi de prolonger un séjour déjà suffisamment pénible.

Je ne saurai jamais le fin mot de l'histoire, mais à partir de ce moment, les relations entre Tshering et moi vont changer radicalement. Pour je ne sais quelle raison, il ne sera plus question pour Tshering de remonter vers le sommet, ni avec moi ni avec quiconque d'ailleurs. Je le retrouverai au camp de base, fatigué, le moral incertain, ne se mêlant pas à notre groupe comme il en avait l'habitude, mais demeurant uniquement en compagnie de ses camarades sherpas. Préoccupé par mes propres difficultés, je ne questionnerai pas ses raisons et je respecterai sa décision de ne pas remonter vers le sommet.

Les choses se précipitent. Avec une vitesse que je ne croyais pas possible à une telle altitude, Tshering et Passang s'habillent, ramassent leurs affaires, se rejoignent à l'extérieur des tentes et

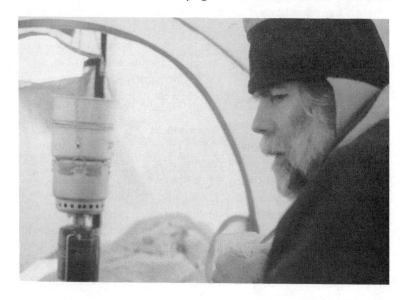

commencent à dévaler la pente sur les cordes fixes. En quelques instants, Mike et moi les avons perdus de vue. Aussitôt qu'ils sont partis, j'en profite pour déplacer mes effets et déménager dans la tente de Mike. Cette tente est légèrement plus grande et j'y respire un peu mieux, enfin, aussi bien qu'il est possible de le faire à 7 300 mètres d'altitude. Il faut constamment forcer la respiration et cela devient vite épuisant. Pas moyen d'y remédier autrement qu'en contrôlant ses angoisses et en apprenant à vivre en asphyxie permanente.

Le départ des sherpas s'est décidé si vite que Mike et moi n'avons pas eu le temps d'élaborer notre propre stratégie. Nous décidons de passer la journée au camp 3, en support à l'équipe de tête, avec le faible espoir de continuer vers le sommet si la température s'améliore. En fait, plus le temps passe, plus je sens qu'il est vain d'espérer monter plus haut. Les rafales de vent se font plus soutenues et encore plus violentes au cours de l'après-midi. Nos forces diminuent lentement dans l'air raréfié. Je somnole par brèves périodes au cours de la journée pour tenter de récupérer de mon éprouvante nuit. Le soir tombe rapidement et le froid se fait encore plus mordant. Nous y sommes habitués, mais nos forces se consument lentement et notre moral décline. Tentant de nous réserver suffisamment d'espace pour passer la nuit avec le minimum d'inconfort, nous déposons nos bottes et notre équipement d'escalade à l'extérieur. Il suffit pour cela d'ouvrir la porte de notre tente du côté abrité du vent, de nous étirer le bras et de coincer le matériel derrière le double toit. La seconde tente, à environ un mètre de l'endroit où nous nous trouvons, nous paraît soudainement trop éloignée: rejoindre notre deuxième abri et y entreposer le matériel demanderaient trop de travail.

Pas question pour moi de retourner dans l'autre tente, même si chacun disposerait ainsi de plus d'espace pour dormir. Le seul réconfort, la seule chaleur dont nous bénéficions dans cet univers glacé et hostile, c'est la présence d'un compagnon. Nous sommes prêts à endurer pour cela un peu de promiscuité. De toute façon, comparativement à ma situation avec Passang Tamang la nuit dernière, je me sens presque bien. Étendu sur le dos dans la tente, je regarde s'installer la pénombre. Je sais tout à coup que c'est fini. Nous ne monterons plus. Le temps ne s'améliorera pas. Nous n'avons plus assez de forces pour continuer vers le haut. Il faut penser à redescendre, surtout si la tempête se poursuit.

Au camp 4, 700 mètres plus haut, la situation n'est pas meilleure, le moral pas plus fort. Barry m'a confié les notes de son journal personnel, où il explique ses sentiments sur ce qui se passe là-haut:

«1er mai   Début mai, mois du sommet! Je suis prêt à terminer cette ascension. Il faut y aller. Aujourd'hui, montée au col sud en même temps que trois Australiens, Ed Viesturs du groupe de Seattle et trois sherpas, dont Ang Passang qui transporte de l'oxygène au col sud. Longue journée harassante: d'abord une première pente de glace, puis l'éperon en rocher, une autre pente de glace, et finalement l'éperon des Genevois. Sacs très lourds: régulateurs d'oxygène, réchauds, nourriture et petite bonbonne. Le vent souffle en tempête. Le col est comme je me l'étais imaginé: désolé, inhospitalier et venteux en diable. Mark est dans une des tentes avec Mike, un des Australiens. On commence à préparer des breuvages lorsqu'on reçoit la visite de Marc Batard. Il est de passage, occupé à tenter d'établir un nouveau record. Il se montre plutôt hautain et ne semble pas apprécier le fait que la voie ait été installée en entier par d'autres et que le thé avec lequel nous emplissons sa gourde ait été amené ici grâce à nos efforts. Marc et Rick arrivent et nous partageons du thé. Je vomis. Nous essayons l'équipement d'oxygène. Quel soulagement de respirer de l'oxygène à 8 000 mètres. Le vent refuse de faiblir et nous annulons notre tentative de cette nuit.

2 mai   Au matin, le vent souffle encore plus fort. Mike l'Australien redescend; il a perdu tous ses orteils au Kangchenjunga et ne veut pas risquer de nouvelles blessures. Nous décidons d'attendre en espérant que le vent va se calmer. Nous sortons durant l'après-midi dans la tempête pour jeter un coup d'œil autour du camp. Il y a le corps d'un sherpa mort, étendu paisiblement dans son sac de couchage, complètement habillé. La tente qui

164

l'abritait a été détruite par le vent. Autour, on aperçoit des centaines de bonbonnes d'oxygène, quelques cartouches de gaz et des débris de campement. Rick et Mark dénichent un peu d'oxygène dans certaines de ces bonbonnes, ce qui nous permet d'en profiter. Les nôtres sont vides et nous ne voulons pas toucher à celles prévues pour monter au sommet. On se réfugie dans la tente et on attend. Vers 19 h 00, le vent diminue un peu et nos espoirs reviennent, mais à 22 h 00, le vent reprend de plus belle.»

Pendant ce temps, au camp 3, nous faisons face à nos propres préoccupations.

- Hé Mike! dors-tu?

J'obtiens un vague grognement pour réponse, le temps que la conscience refasse surface dans l'être humain qui me côtoie.

- Demain, il va falloir descendre.

Je lui lance une phrase choc, tentant d'établir une discussion, un parallèle entre nos deux réflexions. Pas de réponse. Par dépit, par découragement ou parce qu'il ne veut pas faire face à la réalité, Mike demeure silencieux.

- Je ne crois pas que je remonterai une autre fois.

La gorge nouée par l'émotion, je viens de lui annoncer que j'abandonne. J'abdique. Je ne peux continuer, je souffre trop. Il fait trop froid et j'ai de la difficulté à respirer, couché dans une tente à 7 300 mètres. Il est illusoire de penser que je puisse remonter ici et continuer encore plus haut. Ça me paraît irrémédiablement impossible. Là-haut, l'air s'appauvrit encore plus. Je me sens soulagé d'avoir exprimé ma pensée, mais en même temps amèrement déçu de devoir renoncer après avoir mis tant d'efforts, passé tant de temps et enduré tant de souffrances. Je me sens frustré de ce que le verdict vienne si tôt, si brusquement. Depuis le début, tout allait bien, la progression était lente mais continue, et tout se mettait en place selon nos plans. Par malheur, à notre première tentative, probablement la dernière dans mon cas, une violente tempête vient mettre fin à mes ambitions. Il faut redescendre. J'ai presque le goût de pleurer, mais pas assez de courage pour laisser venir l'émotion. Une partie de mon être garde le contrôle. Il reste encore à passer la nuit, puis à redescendre dans cette foutue tempête qui s'entête. Le voyage sera rude. J'aurai besoin de toute ma vigilance pour retourner en bas en sécurité. En montagne, quand on décide que c'est fini, ce n'est pas encore fini.

- Moi aussi, je crois que je ne remonterai pas.

Mike sort de sa torpeur et réagit enfin. Je perçois un doute dans sa voix, dans son: «je crois». Peut-être souhaite-t-il se garder une porte de sortie. L'abandon devient plus facile à accepter ainsi. Il est inutile de rien ajouter. Le temps s'écoule lentement, ponctué par le rythme de nos respirations haletantes et des raclements de nos gorges asséchées. Vers minuit, un dernier contact radio confirme mes réflexions. Les conditions au col sud demeurent épouvantables et tout le monde redescend demain matin. La nuit s'éternise. La tête enfouie totalement dans mon sac de couchage, mon sentiment d'étouffer augmente. Si je sors le nez pour respirer, le froid s'engouffre directement dans mes poumons et je ne peux réprimer un frisson. La nuit semble se prolonger indéfiniment, interrompue par les fréquents changements de position pour respirer ou pour atténuer la raideur des muscles et la morsure du froid.

Au matin, il faut passer à l'action sans tarder. Il ne reste presque plus de nourriture. De toute façon, nous en avons assez des mêmes nouilles depuis deux jours et nous n'avalons qu'un chocolat chaud en vitesse avant de nous préparer à descendre. Dehors, le froid paralyse nos membres et il faut creuser avec nos gants dans la neige durcie pour récupérer notre matériel. Le vent rugit toujours si fort que nous devons enfiler cuissards, bottes et crampons à l'abri dans la tente. Aussitôt sortis, nous devons nous activer pour ne pas figer sur place. Il y a près de 48 heures que nous sommes confinés dans nos tentes. Debout dans la tourmente, je me fais l'impression d'une voiture immobilisée par le froid et je presse les mouvements pour réchauffer mon organisme. Je descends rapidement sur les cordes fixes en prenant soin de les tester à chaque point d'ancrage avant de m'y accrocher. Je ne m'arrête qu'au bas de la face, à l'emplacement des premières cordes. Plus bas, la descente s'adoucit et j'ai l'impression de marcher sur le plat. Je surveille toujours du coin de l'œil la descente de Mike, et je marche rapidement sur le glacier.

Ici, le vent est plus clément et la température beaucoup plus douce. Seulement 650 mètres d'altitude de différence et les conditions climatiques sont radicalement différentes. En 2 heures à peine, je rentre au camp 2, un voyage qui m'a pris plus de 6 heures à la montée.

Beaucoup de choses ont changé ces trois derniers jours. Le camp 2 donne l'impression d'être abandonné. Les Suisses ont rebroussé chemin et plié bagage. Les Coréens sont à démonter leurs tentes. Celle de Marc Batard n'est plus là. Il doit être parti lui aussi. Seuls les campements des sherpas et de l'autre groupe d'Américains demeurent inchangés, mais semblent en ce moment inhabités. Dans notre propre camp, seul Concha n'a pas quitté son poste.

Je prends en vitesse un breuvage, récupère un peu de matériel dans la tente que j'occupais et, sans tarder, je continue vers le camp de base. J'atteins ce dernier vers les 13 h 30, non sans m'être égaré longuement au pied de la cascade de glace. La fonte du glacier est accélérée par le soleil qui rayonne de plus en plus fort en ce début de mai. En après-midi, le dégel creuse de profondes rivières dans la glace, ce qui nous oblige à faire de larges méandres pour contourner les eaux glaciales. Le matin avant le lever de soleil, ou tôt en matinée, tout est encore gelé et on peut traverser les ponts de glace sans danger. Mais je ne peux attendre jusqu'à demain matin. Je suis trop pressé de retourner au confort du camp de base.

Le repli de Mark, Rick, Marc et Barry du camp 4 n'est pas facile non plus. Barry poursuit, dans son journal, la description des conditions qui prévalent au moment de son départ:

«3 mai   Notre tentative est annulée pour de bon. Merde! La tempête a encore augmenté d'intensité. Les deux autres Australiens, John et Tony, viennent nous rejoindre dans notre tente et nous annoncent qu'ils ont tenté de descendre mais n'ont pas réussi. Le vent les a renversés. Nous nous préparons à descendre, mais nos pieds sont complètement gelés. Nous nous les réchauffons mutuellement sous nos avant-bras. Nous sortons finalement, dans des vents de 110 kilomètres/ heure et une visibilité réduite. On retrouve les cordes fixes et, 4 heures et 30 minutes plus tard, on rentre au camp 2. Tout le monde est découragé d'avoir été battu par le mauvais temps.»

18

ATTENTE

Le 4 mai, tout le monde redescend. Je suis le seul à être revenu directement jusqu'au camp de base la veille, ne pouvant supporter plus longtemps le régime de vie dans les camps supérieurs. Mike m'avait suivi mais, sitôt arrivé au camp 2, il a décidé d'y passer la nuit.

Les difficiles conditions qu'ont vécues les autres au camp 4 durant les deux jours que j'ai moi-même passés au camp 3 ne semblent pas avoir altéré le moral ni la confiance de Mark Richey. Dès son retour, il clame tout haut à qui veut bien l'écouter que tout est en place pour tenter un autre essai. Barry, enthousiaste depuis un long moment, abonde dans le même sens et semble impatient de remonter. Rick, fidèle à lui-même et fort de son expérience sur plusieurs des plus hauts sommets himalayens, affirme qu'il faut savoir prendre son temps et être patient. Remonter? On verra lorsque le vent au sommet se calmera. Pour l'instant, il s'agit d'attendre.

Quant à Marc Chauvin, les importants problèmes d'acclimatation qui l'ont affaibli durant tout le séjour à 8 000 mètres le préoccupent beaucoup. Il a été sans arrêt obligé de forcer sa respiration, ce qui l'a laissé complètement exténué. Il serait problématique pour lui de poursuivre l'ascension et de remonter encore plus haut advenant la possibilité d'une seconde tentative vers le sommet. Il lui était même impossible de dormir sans l'usage d'oxygène et ce à partir du camp 3, à 7 300 mètres. Marc accepte difficilement cette limite que son organisme veut lui imposer. Depuis le début du périple, il a été l'un des plus forts et des plus rapides, jusqu'à égaler presque les performances physiques des sherpas, si bien qu'à la blague on lui a trouvé un nouveau nom tibétain, Ang Chauvin. Il lui faudra bien se résigner, sinon il s'expose à de fâcheuses conséquences.

Marc a été un des instigateurs de ce projet. Guide de montagne chevronné, ses connaissances dans plusieurs domaines, notamment l'alimentation, les communications et le transport des personnes et du matériel, ont été essentielles à l'organisation de l'expédition. S'il est un grimpeur qui mérite d'atteindre le sommet, c'est bien lui. Ses difficultés nous attristent véritablement, mais nous avons tous trop d'expérience pour penser qu'une telle situation est injuste. Trop de facteurs entrent en jeu. A-t-il présumé de ses forces au début du périple, épuisant ainsi ses ressources trop rapidement? A-t-il un problème d'hyperactivité cardiaque causé par un déséquilibre de la glande thyroïde, comme serait porté à le croire Mike, qui est limité, il est vrai, dans son diagnostic par l'impossibilité de faire des examens médicaux approfondis? Son organisme est-il plus sensible à la très haute altitude, à cause d'un problème physiologique impossible à découvrir à une altitude moindre? De toute façon, il reste si peu d'oxygène à 8 000 mètres (environ 33 % de ce qu'on retrouve au niveau de la mer) qu'il est exceptionnel pour un être humain de bien se porter. La moindre faiblesse, émotion, contrariété, n'importe quoi risque de détruire le fragile équilibre qui rend possible l'excentrique idée de grimper à cette hauteur.

La réussite en montagne repose sur trop d'éléments pour en isoler un seul. Les interactions entre ces éléments et entre les individus eux-mêmes deviennent très complexes. Nos cerveaux déjà privés d'une partie de l'oxygène vital n'arrivent pas à tout saisir et évaluer grâce à la seule capacité de réflexion. L'intellect décroche, incapable de tout gérer, de diriger adéquatement. L'intuition le remplace. Dégagés des constructions élaborées en temps normal par nos esprits analytiques, nous en venons à accepter pendant une brève période les décisions et rôles que le destin nous réserve. Nous suivons ainsi l'exemple des sherpas qui nous accompagnent et qui en ont fait un mode de vie.

Je tente une fois de plus de comprendre ou plutôt de ressentir directement l'expérience que la montagne me fait vivre. Pendant une courte période, après avoir séjourné suffisamment longtemps en montagne, mon processus de décision semble guidé par d'autres forces. En suivre les conclusions m'apparaît comme la seule solution valable. En fait, jamais je ne songerais à remettre ces édits en question, comme s'ils étaient le fruit d'une logique supérieure dont l'unique but serait la réussite de notre projet dans le meilleur intérêt de chacun. Comment ne pas se fier à notre intuition lorsque notre vie et celle de nos compagnons sont en jeu? Comment ne pas croire à une force souveraine lorsque notre organisme, poussé dans ses ultimes retranchements, là d'où l'on croirait ne jamais pouvoir revenir, arrive à prendre la bonne route malgré l'absence d'indications, à faire les bons gestes, et réussit à s'en tirer en fin de compte? Comment expliquer tout cela? Chance extraordinaire, toujours renouvelée? Instinct sûr et garanti, développé grâce à l'expérience? Biologie efficace améliorée par un entraînement rigoureux? Je doute que la réponse soit si simple, si pragmatique. Tout cela me dépasse et me fascine à la fois. Je ne suis sûr que d'une chose. Ici, il ne me reste que mon intuition, cette force qui agit quand toutes les autres tombent. Et je suis bien décidé à m'en servir.

Devant l'évidente unanimité face à une prochaine tentative, Mike et moi hésitons à exprimer franchement nos vues. Pour ma part je suis particulièrement embarrassé d'avoir avoué si ouvertement mes faiblesses devant lui, pendant la période de découragement que nous avons vécue tous deux, dans l'isolement de notre tente au camp 3. L'orgueil ou la simple pudeur m'empêche de ne voir cet épisode que comme un moment de désespoir normal dans les circonstances, si bien que j'hésite à accepter de modifier le verdict de mon raisonnement. J'ai dit que j'abandonnais, alors il faut que j'abandonne! À ce moment-là, remonter me semblait tout à fait impensable. J'éprouvais trop d'incertitudes face au dénouement de notre aventure, trop de souffrances pour si peu de chances de réussite.

Je me sens tiraillé entre deux positions contraires. Laisser tomber tout de suite et peut-être le regretter toute ma vie, car, même si les chances pour moi d'atteindre le sommet sont infimes, compte tenu de la fatigue accumulée, de ma performance plus que moyenne depuis le début de l'expédition et des conditions difficiles de la montagne, je risque de me repentir de cet abandon prématuré. Ou bien changer d'idée et continuer avec le reste du groupe en espérant que tout se déroule parfaitement. Compter sur la chance ici me semble peu réaliste. Faudra-t-il attendre je ne sais trop combien de temps encore, remonter je ne sais combien de fois jusqu'à que tout le monde soit complètement épuisé? Et revenir sur ma décision me ferait perdre la face devant un Mike

Sinclair qui m'apparaît tout à coup comme un sage avec sa barbe blanchie, ses doigts effilés et les rides au coin de ses yeux dénotant son expérience de la vie.

Je me questionne sur mes motivations. Pourquoi continuer? J'ai fait mon possible. Il serait si doux de rentrer. À l'abri, dans la tiédeur du foyer, dans les bras de ma bien-aimée. Pourquoi m'échiner encore et encore? Qu'est-ce que cela va donner? Est-ce que la vie s'arrête ici? J'ai été jusqu'au bout de mes forces. Les circonstances, puis la tempête m'ont obligé à redescendre. L'idée même de remonter, de repasser ne serait-ce qu'une seule nuit au camp 3 me démoralise complètement. Le voyage s'arrête ici. C'est trop pénible. Je dois revenir chez moi, vers le confort de l'air saturé d'oxygène. J'ai atteint ma limite. Je ne pourrai aller plus haut. Et pourtant...

Peut-être l'énergie reviendra-t-elle après un repos au camp de base? J'en doute, je suis trop épuisé. Cela fait déjà deux mois que l'expédition dure. J'ai déjà tout donné. Inutile d'insister, c'est peine perdue. Et pourtant... Se pourrait-il que je refasse suffisamment mes forces pour faire une seconde tentative? Je m'accroche à cet espoir comme un noyé à une bouée.

Curieusement, chaque fois qu'on vit un moment difficile, on souhaite que ça se termine au plus vite, que la pression diminue, que la fatigue cesse, que le calme revienne mais, en même temps, c'est dans ces moments qu'on voit le plus clair. La facilité endort les sens et diminue l'acuité du jugement. La facilité est presque toujours dangereuse en montagne. Je ne parle pas du danger soudain d'une avalanche ou de la chute d'un pont de neige au-dessus d'une profonde crevasse. Je parle de l'usure des énergies par un long séjour à plus de 6 500 mètres, de l'épuisement causé par des journées à forcer sa respiration.

L'usure des forces dégage justement l'esprit de ce qui l'encombre. L'essentiel demeure: le but, ses capacités, son jugement, ses limites. Seul l'objectif compte ici. Mes capacités, mon expérience, mon jugement, mon intuition sont mes outils principaux. Mes capacités me permettent d'avancer. Mon expérience prévient les erreurs. Mon jugement me dicte le quand et le comment. Mon intuition, c'est la petite voix qui me parle en dedans. Beaucoup ont payé de leur vie, qui une ambition trop grande, qui une erreur de jugement insignifiante en d'autres lieux, qui un engourdissement des sens par une trop longue exposition aux difficultés. L'équilibre est fragile.

Une expédition est un long processus. De courtes périodes de travail très intense sont suivies de plusieurs jours de récupération. Une fois l'énergie récupérée au camp de base, le travail reprend. Le cycle se répète plusieurs fois. Le temps est un facteur important. Lui seul permet d'accepter l'inutilité de nos angoisses et d'en oublier le fardeau, ne serait-ce que temporairement. Prioriser l'essentiel. Les hauts et les bas de mon compte de banque n'auront plus aucune importance si je ne reviens pas vivant de ce périple! Inutile donc de m'en préoccuper.

Je jongle avec ces idées pendant quelques jours et je décide finalement de m'en ouvrir à Rick après que le repos et la nourriture abondante et saine m'aient ragaillardi. Le seul fait d'évoquer mon tourment intérieur à quelqu'un lui fait perdre de son effet dramatique. Il me confirme ce que je sais déjà. La patience est la qualité reine en montagne:

- Quelques jours de repos, de la bonne nourriture et, aussitôt que tes forces reviendront, tout ce que tu voudras, ce sera de remonter le plus vite possible, me dit-il avec le petit sourire de celui qui sait.

En attendant, je résiste à prendre une position définitive trop rapidement et je me persuade d'attendre encore quelque temps que

mes forces me permettent d'aller vers le haut ou vers le bas. L'épisode pénible du camp 3 m'a laissé trop faible pour songer quitter pour l'instant le camp de base avec mes bagages. Je suis trop fatigué pour envisager la marche de retour jusqu'à Lukla. Mes jambes ne me porteraient pas jusque-là. De toute façon, après plus de deux mois d'absence déjà, le retour peut bien patienter quelques jours. Je ne suis pas tellement disposé en ce moment à faire face à la retraite et au sentiment d'échec qui l'accompagnerait.

J'occupe mes journées à visiter les habitants de notre village multiculturel et à faire mes adieux à mes concitoyens d'aventure. Nombreux sont ceux qui quittent: seuls les sherpas et les 2 groupes américains, celui d'Al Wendel et le nôtre, persévèrent toujours. À mon arrivée, les Suisses avaient déjà quitté. Puis, c'est au tour des Australiens, affaiblis par les engelures, et des Coréens, défaits par les accidents et la rigueur de la face sud-ouest de l'Everest. Je rends visite à Marc Batard le jour même de son départ. Lui aussi a décidé d'abandonner. Seul, sans aucun support au-dessus du camp 2, la montagne et les conditions météo ont été plus fortes que lui. Il a rebroussé chemin 200 mètres plus haut que le camp 4, repoussé comme nous tous par la terrible tempête de la fin avril. Il est redescendu aussi rapidement qu'il est monté, non sans avoir bénéficié de l'hospitalité des habitants du col sud. La manière particulièrement cavalière avec laquelle il a traité ceux-là mêmes qui lui permettaient de se réhydrater en partageant un breuvage chaud n'a pas eu du tout l'heur de plaire à mes compagnons. L'effort considérable qu'il faut fournir pour acheminer jusque-là le matériel nécessaire à la préparation de la moindre tasse de soupe aurait valu à tout le moins un peu de respect de la part de l'invité.

Peut-être Marc est-il habitué à réaliser ses aventures et ses exploits avec une équipe de soutien? Cette situation est tout à fait normale et courante dans la plupart des autres sports, où les voitures d'accompagnement et de premiers soins suivent à la trace les cyclistes du Tour de France et les coureurs de marathon, par exemple. Mais en montagne, cette façon de procéder est peu courante. Du moins, les règles du jeu doivent être établies clairement avec tous les participants si tel est le cas. Les subalternes doivent connaître et accepter leur rôle avant le début de l'aventure. Ce n'est de toute évidence pas notre situation.

L'escalade des hautes montagnes n'est pas uniquement un sport, dans le sens restrictif du terme. Les exigences qu'impose ce milieu hostile dépassent largement l'aspect purement physique. Les lois de la nature s'appliquent avec rigueur. Les principes de vie en groupe — l'autonomie de chacun, le respect de l'autre et de soi-même — prennent ici une importance primordiale. Nous sommes tous poussés dans les derniers retranchements de nos capacités physiques et émotives.

Un phénomène semble prendre une certaine ampleur, ces dernières années, dans les montagnes de l'Himalaya. Des grimpeurs peu fortunés, mal organisés ou carrément malhonnêtes utilisent le matériel, la nourriture et le carburant déposés par d'autres dans des sites abandonnés temporairement pour aller se refaire des forces au pied de la montagne. Inutile de dire que ceux à qui on subtilise ainsi des marchandises n'apprécient pas du tout ces *squatters* de la montagne. Ce comportement risque en plus de mettre en jeu la vie de ceux qui comptaient sur leur approvisionnement en remontant à leurs camps. Exceptionnellement, un cas de force majeure, de survie ou d'accident peut justifier l'emprunt temporaire des installations ou du matériel d'autrui. Mais compter sur l'équipement et le travail des autres pour réaliser son ascension m'apparaît tout à fait inacceptable.

Je suis convaincu que Marc Batard n'a pas ce genre d'attitude, mais il n'aurait pas été particulièrement poli lors de son bref passage dans la tente occupée par mes compagnons au col sud et ceux-ci en ont été offusqués. Je n'aborde pas le sujet avec le principal intéressé. Je n'y étais pas. Je ne peux me prononcer. Je ne souhaite pas déclencher une polémique là où il n'y a peut-être que des paroles lancées un peu légèrement et mal interprétées, compte tenu de la barrière des langues et de l'état d'épuisement de tout le monde. Mais je me questionne sur les motivations de cet homme qui m'a l'air propulsé à la nitroglycérine. Il est un professionnel de la montagne. Il me dit prendre des engagements financiers importants pour réaliser ses expéditions, ses films, ses livres. L'escalade-*business* avec contrats, partenaires et obligations comporte des contraintes importantes. Il faut livrer la marchandise. Les enjeux sont très différents. Ce projet-ci n'ayant pas marché, il n'offre que d'infimes chances de succès pour lui. Mieux vaut pour lui passer à autre chose pour éviter d'accentuer le déficit. C'est plus rentable. La prochaine fois, ça marchera peut-être. Une dernière poignée de main, un dernier encouragement et la promesse de nous écrire, puis je le regarde partir sur le glacier, en direction de la vallée et de la maison.

Je me retrouve face à mes propres préoccupations. Mes intentions sont tout autres. Je n'ai rien à vendre, rien à prouver. Je n'ai aucun engagement avec quiconque, sauf moi-même. La décision m'appartient seul. Je suis suffisamment soucieux ainsi, pas besoin de pression de l'extérieur.

En revenant vers mon camp, je constate que l'endroit redevient aussi dégagé et tranquille qu'à mon arrivée, il y a un mois et demi. Tranquille? Jusqu'à quand? Serait-ce le calme avant la tempête? Que dois-je faire? Continuer? Renoncer? J'essaie de ralentir l'afflux des questions, d'oublier un moment ce qui me tracasse sans arrêt. Peine perdue. Partir? Rester? Le problème se résume finalement à ce dilemme. Pas moyen d'y échapper. Dans les deux cas, ça va faire mal! L'intérieur de mon cerveau bouillonne, si bien que je m'offre un violent mal de tête, comme je n'en ai pas eu depuis le début de l'expédition. Réfugié dans ma tente jusqu'au soir, j'attends que ça passe.

En prévision du retour, il me faut réserver à l'avance des places dans l'avion de Lukla. En fin de saison, bien des gens quittent le vallée du Khumbu et le petit aéroport de Lukla est bondé. L'an dernier, faute d'avoir fait des réservations, Fernande, ma sœur Brigitte, Chantal et moi avions dû attendre cinq jours un vol d'une heure vers Katmandou. Il est vrai que ce parcours en avion remplace cinq jours de marche ardue et une journée complète en autobus. Tout le monde est prêt à attendre plusieurs jours que la température soit assez clémente pour permettre aux 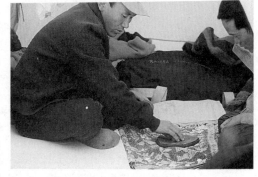 Twin Otter de voler. Au cours du souper, Urgen nous confirme qu'il est grand temps déjà d'envoyer quelqu'un acheter des billets. Mike et moi convenons de choisir la date ultime au-delà de laquelle nous ne poursuivrons pas l'expédition quoi qu'il arrive. Le 21 mai nous semble bien assez tard. Nous sommes au tout début du mois. Rester encore près de trois semaines m'apparaît la limite que je ne pourrais pas dépasser. Tous les autres décident de ne pas planifier leur départ avant la conclusion de l'aventure. Seul Gary se joindra à nous.

Les premiers jours passent et je reste à l'écart la plupart du temps. Je ne suis pas le seul à éprouver un besoin de repli. Depuis le début de l'expédition, je me suis fait un point d'honneur de préparer des textes, photos et enregistrements audio et de les faire parvenir au Québec par l'intermédiaire de la chaîne compliquée de communication que j'ai pu établir avec notre agence de Katmandou. Mark et Rick ont aussi envoyé régulièrement des communiqués pour tenir au courant nos partenaires et amis de notre avance. Mais depuis notre retour, après ce premier essai avorté, personne n'a pris la moindre initiative pour informer quiconque de notre situation. Chacun s'est confiné dans l'attitude de l'ours blessé qui se retire dans sa tanière pour panser ses blessures et qui n'en ressortira que guéri ou sinon pas du tout! Par pudeur, par peur aussi du ridicule ou du jugement, personne n'envoie de nouvelles vers l'extérieur. Ne voir personne. Ne parler à personne. Ne pas accepter l'inéluctable. Pas encore. Pas tout de suite.

N'obtenant aucune information, notre contact à Katmandou conclura et informera nos proches dans les semaines qui viennent que nous avons échoué, étions trop démoralisés pour émettre un communiqué et sommes sur le chemin du retour. Nous sommes si loin de tout ça que nous n'avons pas vraiment conscience de l'inquiétude qui commence à se tisser autour de notre aventure. Nous nous isolons avec nos difficultés.

Peut-être pas tant que ça! Les prochains jours vont être agités et fertiles en événements de toutes sortes. Lorsque tout le monde rentre des camps supérieurs, la rumeur circule que Teresa, la femme de Mark, se trouve à Phériche et doit arriver sous peu. Brenda Wilcox est déjà ici avec un groupe de trekking dont l'arrivée devait coïncider avec notre tentative vers le sommet. Puis, Gary Scott revient de son séjour dans la vallée le 5 mai. Le 6, Teresa, son frère Lucho, Passang Sherpa et un lama qui les a accompagnés arrivent au camp de base. La même journée, le groupe de trekking organisé par Gary avant son départ fait aussi son entrée dans notre petit hameau de tentes. George accompagne la troupe d'une douzaine de personnes en tant que guide. Je suis heureux de revoir George, avec qui j'ai eu de bons échanges au cours de notre marche d'approche jusqu'au camp de base, huit semaines plus tôt. Les choses ont changé depuis. En partie à cause des obligations de chacun et en partie à cause des événements de la nuit à venir, nous ne serons plus aussi proches qu'auparavant. Malgré leur intensité, les liens créés entre les individus dans les voyages de montagne ne durent souvent que peu de temps. Je le déplore, mais chacun poursuit sa route et retourne à ses obligations personnelles.

L'arrivée des épouses de Rick et Mark et des groupes de randonneurs contribue à renouveler l'atmosphère du camp. Plus de 20 personnes s'entassent dans la tente-cuisine au moment des repas: une joyeuse bande comparée aux grimpeurs en expédition depuis plus de 2 mois. Nous sommes tous plus ou moins fatigués et démoralisés par notre tentative échouée. Une incertitude inavouée règne. L'arrivée de tout ce monde enthousiasmé et plein de l'énergie des pre-miers jours va changer l'ambiance quelque peu morose qui s'est installée. Des petits attroupements se forment spontanément en divers endroits. Les conversations vont bon train. Les rires fusent. Le camp de base est tout à coup très animé. Teresa, enjouée comme je l'ai toujours connue, prend l'initiative d'organiser une fête le soir même de son arrivée au camp pour accueillir les nouveaux venus. Infatigable, elle circule d'un groupe à l'autre durant l'après-midi, exhortant tout le monde à se joindre aux réjouissances, recherchant de la musique népalaise, américaine, péruvienne, planifiant l'organisation de la tente et improvisant une chaîne stéréo avec John. Nous sommes tous un peu ébahis, Mark le premier, de la voir déployer tant d'énergie la première journée de son séjour. Nous craignons un peu qu'elle cède brusquement sous les symptômes de l'acclimatation à l'altitude, d'ordinaire si rigoureux. Originaire de Lima au

177

Pérou et ayant vécu de longues périodes de sa jeunesse dans les hautes vallées des Andes, Teresa continuera à nous surprendre en demeurant active et en menant le bal une bonne partie de la nuit!

En même temps, à l'autre bout de notre camp de base, un événement se prépare dont j'aurai de la difficulté à saisir toute la portée au début. Gary, avec deux des personnes qui font partie de son groupe de trekking, prépare sa tentative d'ascension en solo vers le sommet. Il vise à battre le record de vitesse de Marc Batard, comme il l'a annoncé lorsqu'il s'est joint à notre groupe. Tout d'abord, je n'accorde aucune valeur à ce que je crois être du commérage ou des rumeurs comme il s'en crée si facilement parmi des groupes de personnes désœuvrées par un bel après-midi de printemps. Nous blaguons même un peu méchamment entre nous devant le peu de sérieux d'un tel projet, puisque nous avons pu observer le faible niveau de performance de Gary depuis le début de l'expédition. Mais en observant attentivement ses agissements et ceux de deux de ses acolytes, je me rends vite compte que quelque chose se trame. Incrédule, je m'informe auprès de Mark et il m'avoue avoir les mêmes doutes.

À l'écart, nous en discutons rapidement et convenons tous les deux que Gary n'a pas du tout démontré depuis le début de l'expédition la capacité de réussir une telle ascension. Il n'a jamais dépassé les 6 500 mètres. Je me trouvais là avec lui, presque chaque fois, et il se plaignait de problèmes de santé et de manquer de forces pour faire quoi que ce soit. Six mille cinq cents mètres, ce n'est que notre camp de base avancé. C'est au-dessus que commencent les véritables difficultés. Il est illusoire pour Gary d'espérer se rendre même près du sommet dans ces conditions. Mark et moi en convenons. Pour espérer atteindre le sommet en moins de 24 heures, il devrait partir en fin de journée et franchir durant la nuit la première partie de l'ascension, jusqu'au camp 3 environ. On peut encore composer avec le froid durant la nuit jusqu'à cette altitude, mais c'est loin d'être une balade au clair de lune! Puis, il lui faudrait continuer dans l'air de plus en plus raréfié, sa démarche devenant de plus en plus pénible et hésitante. Si tout se passait bien jusque-là, il pourrait alors compter sur la clarté de toute une journée pour parvenir au sommet. La dernière étape, au-dessus de 8 000 mètres, serait évidemment la plus dure. Et après, il lui faudrait encore redescendre...

J'insiste sur le fait que sa tentative peut avoir des conséquences graves sur sa santé, mettre sa vie en péril même. Il nous faudrait alors monter lui porter secours. Le trouver dans ces espaces à la limite de l'imagination ne serait d'ailleurs déjà pas une mince tâche. Pour y arriver, nous serions exposés au danger à notre tour et serions obligés de dépenser une somme considérable d'énergie, ce qui pourrait nous empêcher de monter au sommet par la suite. Bref, il n'est pas question de laisser partir Gary. Ce serait insensé, pour lui et pour nous.

Je commence secrètement à penser remonter vers le sommet pour une ultime tentative. Le séjour au camp de base fortifie lentement mon organisme et remonte mon moral. Encore quelque temps et tous mes scrupules, toutes mes objections vont s'évanouir et je pourrai y aller. Mais pour l'instant, le souvenir des difficultés des derniers jours est encore trop intense, je ne peux envisager remonter immédiatement là-haut, même pour un sauvetage.

Pour en avoir le cœur net, Mark se rend demander directement à Gary quelles sont ses intentions. La discussion par bouts animée qui s'ensuit confirme le projet de Gary et que rien ne pourra le faire changer d'idée, pas même l'engagement qu'il a lui-même pris avant le départ, au cours de notre rencontre au New Hampshire. «Je ne lancerai ma tentative qu'une fois les vôtres complétées. Aucun problème», avait-il affirmé. La véritable raison de ses agissements présents est qu'il souhaite accomplir sa performance en présence du groupe venu expressément des États-Unis pour le voir à l'œuvre. Gary lui-même nous confirme à mots à peine couverts ses engagements moraux et financiers envers ses partisans.

Il m'apparaît bientôt qu'il est de la responsabilité de Mark en tant que *leader* de l'escalade de se prononcer contre ce projet qui risque d'avoir des effets négatifs sur tout notre groupe. Notre responsabilité à nous est de supporter en bloc notre chef afin de lui donner l'autorité nécessaire pour prendre et faire respecter sa décision. Mais il est déjà trop tard. Notre structure est trop relâchée pour réagir vite et le tout se décide rapidement sous la pression des défenseurs de Gary. Vers 17 h 00, celui-ci quitte le camp sous les encouragements des uns et les regards amusés des autres. Tout le monde est excité: les partisans de Gary par l'exploit auquel ils assisteront en direct, les autres par la fête qui se prépare dans la tente communautaire. Je suis peut-être le seul à me sentir irrité par la situation. J'ai le sentiment que nous avons été trompés et que nous risquons gros. Je me demande si Mark partage mes appréhensions. Mais je me laisse rapidement gagner par l'euphorie et je surveille la suite des événements.

Vers 19 h 00, aussitôt le souper terminé, la longue table qui occupe tout le centre de notre tente communautaire est démontée pour faire place à une piste de danse improvisée. Pendant ce temps, le groupe du Colorado se relaie au télescope pour suivre la progression de son favori. Environ 2 heures et 30 minutes après avoir quitté le camp de base, Gary fait un dernier signe de la main en direction du camp de base et disparaît derrière le large sérac qui conduit à l'emplacement de notre défunt camp 1. Il ne sera plus possible de suivre sa progression que par l'intermédiaire de la radio qu'il transporte avec lui. Mark et moi prenons la responsabilité de rester à l'écoute et d'assister Gary dans sa tentative. Les 2 personnes avec lesquelles il a orchestré son scénario nous rejoignent dans la tente un peu plus tard et réclament la radio. La discussion s'engage. Ils affirment détenir le mandat de Gary d'utiliser notre équipement radio pour le suivre dans son équipée. Mark proteste. Avec raison, car c'est lui le chef d'expédition en ce qui a trait à l'ascension. C'est à nous que revient de garder le contact avec un des membres de notre groupe. Les autres rétorquent et prétendent posséder des compétences spécifiques en psychologie de l'effort. Questionnés sur ce point, ils avouent ne pas connaître les réactions de l'organisme en haute altitude. Mark ne veut rien entendre. Il y va de la sécurité d'un grimpeur. Le ton monte. J'interviens avec l'intention de régler le différend en fournissant l'argument qui convaincra tout le monde. Nous sommes tous deux plus expérimentés et nous connaissons parfaitement le chemin que Gary doit parcourir. Gary, lui, ne connaît ce parcours que partiellement. Ce dont il a le plus besoin, c'est de savoir par où passer. La nuit va tomber. Les difficultés vont commencer. Les encouragements, même les plus efficaces, ne seront pas suffisants. Je suis encore réticent à l'idée de le savoir grimper de nuit dans des sections de la montagne qu'il n'a même pas traversées une seule fois de jour. Les risques sont énormes. Il faut l'aider au meilleur de notre connaissance. Il n'y a rien d'autre que l'on puisse faire pour l'instant. À bout d'arguments, les 2 acolytes acceptent de nous laisser nous occuper de leur protégé.

Au fond de la tente, les réjouissances ont débuté. Sitôt la discussion terminée, la soirée commence pour de bon. La musique, les chants et les danses réchauffent les corps et les cœurs de tous. Je découvre avec plaisir un talent insoupçonné de Passang Tamang. Il démontre un sens du rythme et une souplesse remarquables qui font qu'on a tout de suite le goût d'imiter sa danse. Les chants du Népal sont ceux qui ont le plus de succès, tant par l'importance du contingent de sherpas népalais venus des autres expéditions encore présentes au camp de base pour participer à la fête que par la simplicité des airs répétitifs. Comme partout ailleurs dans le monde, les chansons populaires relatent les amours des jeunes gens, mais cette fois-ci, dans des paysages de montagne.

Je garde constamment une oreille attentive au moindre son que ferait la radio. Ce n'est pas toujours évident étant donné l'amplitude sonore qui règne dans la tente. La fête bat son plein. Encore une fois, John Villachica nous a épatés en bricolant une chaîne stéréo suffisamment puissante pour enterrer les conversations de 25 personnes. Un peu après 23 h 00, le grésillement de l'appareil radio se fait entendre et la voix lointaine de Gary nous parvient. Nous arrêtons aussitôt notre boîte à musique et toutes les têtes se tournent vers Mark, qui prend le micro.

– Camp de base, camp de base, vous m'entendez? Ici Gary.

- Ici le camp de base. Mark à l'appareil. On te reçoit trois sur cinq. Où te trouves-tu?

- Je viens d'arriver au camp 2. Je suis dans la tente-cuisine à faire chauffer de l'eau pour me préparer du thé. La nuit est très calme, sans nuages, mais il fait très froid dehors.

Tout au fond de la combe ouest, caché derrière le gigantesque éperon ouest de l'Everest, le camp 2 se trouve dans une zone abritée et les communications avec des appareils portatifs ne sont établies que difficilement. À plusieurs reprises déjà, d'autres groupes nous ont demandé de transmettre leurs messages du camp 2 jusqu'au camp de base, à cause de la meilleure réception de notre système grâce à notre puissante antenne directionnelle située au pied de la montagne. Ce soir, il est de la première importance d'établir un bon contact avec notre partenaire pour suivre son périple.

- Je vais prendre un peu de repos et par la suite me préparer à continuer plus haut. Mark, quel est le meilleur chemin à suivre après le camp 2? Quels sont les points de repère que je pourrais prendre pour retrouver mon chemin en pleine nuit?

Mark et moi nous consultons quelques instants et convenons que le plus simple pour lui serait d'utiliser le parcours que nous avons emprunté au début de l'expédition. Un peu plus long, mais plus facile à suivre, ce chemin évite les multiples crevasses au centre du glacier avant de rejoindre les cordes fixes qui mènent au camp 3, puis jusqu'au camp 4. Le raccourci que nous avons pris à nos dernières montées aborde le glacier directement, mais serait beaucoup trop dangereux à négocier en pleine nuit.

- Allô, Gary. Passe devant les tentes du groupe américain d'Al Wendel et continue directement jusqu'au bout du replat qui forme l'emplacement du camp 2. Ensuite, tourne à 90 ° vers la droite. Tu vas franchir ensuite quelques petites crevasses. Ne descends surtout pas sur ta droite, vers le glacier: plus loin, il y a trop de crevasses pour y passer de nuit. Longe la paroi ouest de l'Everest et ensuite de Lhotse, en faisant un large arc de cercle pendant 1 kilomètre environ. Essaie de demeurer au même niveau, sans monter ni descendre. Tu verras sur ta gauche une paroi qui monte de façon assez abrupte et sur ta droite, le glacier qui descend plus doucement. Il y aura peut-être des traces dans la neige pour les derniers 500 mètres, quoique ce chemin n'est presque plus utilisé depuis 2 semaines. Surtout, reste à la même hauteur. Sinon, tu risques de manquer l'emplacement des premières cordes fixes.

Mark me lance un regard inquiet. Sur les premiers 200 mètres de cordes fixes, le parcours est très compliqué. Il faut zigzaguer entre les séracs et les crevasses et à 2 endroits les cordes s'interrompent. On franchit alors quelques petites crevasses en sautant et descendant sur quelques dizaines de mètres pour rejoindre la suite du tracé. Le nouvel itinéraire que j'ai découvert avec Tshering Lhakpa emprunte le côté droit du glacier et évite cette zone compliquée. Mais pour s'y rendre, il faut traverser un dédale de crevasses sur le glacier, une tâche quasi impossible de nuit, même pour quelqu'un connaissant le chemin.

- Dis-lui de se rendre jusque-là et de nous rappeler. Ensuite, on verra si on peut l'aider à se frayer un passage, dis-je à Mark pour briser le silence.

- Allô, Gary. N'oublie surtout pas de rester sur le versant de gauche après avoir traversé les premières petites crevasses au début. Si tu vois des crevasses plus larges par la suite, cela signifie que tu t'es dirigé trop sur la droite. Remonte alors graduellement sur la gauche dans la pente douce. Lorsque tu arriveras aux cordes fixes, appelle-nous, on te guidera.

- OK, j'ai bien compris. Je finis de me préparer et je pars dans quelques minutes.

- Contacte-nous avant de quitter le camp 2.

- OK, compris. Camp 2 terminé.

La tension vient de monter d'un cran dans la tente. Les sherpas les plus expérimentés hochent la tête d'un air sinistre, eux qui d'ordinaire respectent tant les faiseurs d'exploits. Dotés d'un jugement sûr grâce à des années d'expérience en montagne et à de multiples expéditions avec l'élite des grimpeurs mondiaux, les sherpas n'hésitent pas entre eux à qualifier et classer les grimpeurs qu'ils accompagnent. D'habitude, ils gardent leurs impressions secrètes, mais ce soir, la magie de la fête et l'esprit d'équipe qui nous unit tous dans cet épisode insolite délient les langues et plusieurs expriment leur réprobation.

Une main plus enjouée que les autres remet la musique et les danses reprennent de plus belle. À minuit, la fête se poursuit toujours. Seuls quelques-uns nous ont quittés pour regagner leurs tentes et se coucher pour la nuit. La musique est une deuxième fois interrompue par l'appel de Gary, qui nous avertit de son départ. Cette fois, l'interruption est de courte durée et la fête reprend aussitôt. L'ardeur de chacun diminue à peine. Les réjouissances fournissent un exutoire au travail acharné fourni par tous depuis plus de deux mois. De ce fait même, les liens se resserrent et l'esprit d'équipe, qui s'était quelque peu refroidi ces derniers temps, se reforme.

Mark et moi sommes déterminés à rester le temps qu'il faudra pour soutenir Gary dans sa montée et plusieurs demeurent dans la tente communautaire à suivre le cours des événements. Vers 1 h 30, la radio se fait entendre une troisième fois:

- Allô, camp de base. Allô, camp de base. Ici Gary.

- Ici le camp de base. On t'écoute, Gary.

- Mark, je ne retrouve pas le chemin après le camp 2. Il fait nuit noire et je ne vois pas par où passer.

Nous sommes un peu surpris, nous qui pensions qu'il serait à cette heure au pied de la paroi de Lhotse, à remonter le début des cordes fixes.

- Gary, peux-tu dire où tu te trouves? Y a-t-il quelque chose d'évident, de reconnaissable?

- Je ne vois pas grand-chose, tout est noir partout. Ma frontale n'éclaire que quelques mètres devant moi. Il y a des crevasses partout. De quel côté faut-il passer?

- Si tu vois des crevasses à ta droite, tu es descendu trop bas sur le glacier. Tu dois remonter vers la gauche dans la pente jusqu'au pied de la face, puis te diriger vers la droite, sans redescendre sur le glacier surtout. Si tu vois des crevasses partout, il faut revenir sur tes pas et sortir de la zone crevassée, puis remonter sur la gauche.

Je continue à croire qu'il est déraisonnable pour lui de continuer de nuit, puisqu'il ne connaît pas le terrain. Je fais remarquer à Mark qu'au rythme de progression qu'il maintient, jamais Gary ne se rendra au sommet en moins de 24 heures. Il est beaucoup trop lent. Il serait mieux d'attendre la clarté pour continuer vers le camp 3. De toute façon, le record maintenant, c'est fichu!

- Bon, OK. Je vais essayer de retourner jusqu'au camp 2 et reprendre la route.

- OK. On reste à l'écoute ici, au camp de base.

Un lourd silence s'installe dans la tente. Personne n'ose remettre la musique cette fois. Il est tard et la fatigue se fait sentir.

Nous restons un petit groupe autour de la radio, notre seul contact avec Gary et avec l'événement qui se déroule. Ça devient plus sérieux. La situation pourrait dégénérer. Nous discutons doucement en sirotant le thé que notre cuisinier Ang Dawa nous a apporté dans deux énormes récipients. Environ une heure plus tard, la radio s'éveille une quatrième fois:

- Allô, Mark. Ici, c'est Gary.

- Ici Mark. On t'écoute.

- J'ai un problème. Ma frontale vient de me lâcher. Je ne vois presque plus rien. Je vais tenter de revenir sur mes pas jusqu'au camp 2. Si ça ne marche pas, je vais attendre que la clarté revienne pour retrouver mon chemin. Avec mes vêtements de duvet, je ne risque pas de prendre froid, même si je reste sur place une heure ou deux.

- OK. Bien compris. Ne prends surtout pas de risques inutiles. On va rester à l'écoute ici, au camp de base, aussi longtemps que nécessaire.

Je pousse un soupir de soulagement. Personne ne parle, mais je sens que les autres se sentent soulagés aussi. Je remarque quelques froncements de sourcils à l'idée d'un bris de lampe frontale, mais tout le monde est content que ce soit terminé sans problèmes.

Mark et John prennent chacun une radio dans leur tente au cas où, et chacun va se coucher. Assez d'émotions pour aujourd'hui!

Tôt le lendemain matin, la vie reprend son cours au camp de base selon le cérémonial établi depuis notre arrivée: thé au lait servi aux tentes vers sept heures par un sherpa, puis déjeuner à huit heures précises. Malgré l'heure inhabituellement tardive à laquelle je me suis couché, je me réveille à l'aube par la force de l'habitude.

Au lendemain de la fête et de l'épisode tragi-comique de la veille, une ambiance de fraternité et un esprit d'équipe renouvelé règnent dans le camp. Les coudes se sont resserrés. Chacun reconnaît ses interlocuteurs d'un soir et les conversations vont bon train. Tous se regroupent derrière ceux qui bientôt remonteront dans la montagne pour cette fois aller jusqu'au bout, si tout va bien! Je me laisse moi-même entraîner dans cette atmosphère d'optimisme et, sans me bercer d'illusions, je commence à envisager moi aussi une seconde tentative.

185

En même temps, la césure s'opère de façon définitive d'avec le groupe de partisans de Gary. Certains de ses plus fidèles amis semblent nous tenir rigueur de son échec. Ils quittent le camp de base le lendemain, ignorants toujours du fait que la loi de la montagne s'est appliquée avec ni plus ni moins de rigueur pour Gary que pour d'autres. Il n'a pu donner le change et la montagne ne l'a pas laissé fouler son sommet. Il a heureusement décidé de rebrousser chemin à temps. Mais a-t-il vraiment décidé ou le destin s'est-il imposé une fois de plus? Je ne saurais le dire et son retour au camp de base ne permettra pas d'en savoir beaucoup plus.

Le 8 mai, au lever, une fébrilité inhabituelle règne partout. Quatre membres de l'expédition des sherpas, 3 sherpas ainsi que Peter Athans, tentent pour une deuxième fois d'atteindre le sommet tant convoité. Partis au milieu de la nuit du col sud, ils progressent assez rapidement. Vers 8 h 00 environ, ils contactent leurs compagnons au pied de la montagne pour indiquer qu'ils sont rendus au sommet sud, à 8 700 mètres. La nouvelle se répand comme une traînée de poudre parmi tous les sherpas présents au camp de base. Dans quelques heures à peine, 3 des leurs prouveront au monde entier qu'ils peuvent atteindre le plus haut sommet du monde sans l'aide des grimpeurs occidentaux qu'ils accompagnent depuis des décennies. Aux yeux des alpinistes, ils n'ont aucune preuve à fournir. Mais les habitants des plaines, qui n'ont aucune idée de ce qu'il faut de courage et de force de caractère pour accompagner et soutenir quelqu'un d'autre que soi-même à cette altitude, perçoivent trop souvent les sherpas comme des porteurs, talentueux certes, mais dans l'ombre des exploits de leurs patrons. De plus, certains alpinistes laissent croire, de retour dans leurs pays respectifs, qu'ils ont maintenu une relation d'employeurs à employés avec les sherpas. Il est si facile, lorsqu'on s'est éloigné du théâtre de l'action, de taire ou de minimiser le rôle des sherpas pour accentuer la valeur de ses prouesses.

Malgré le vent qui s'est levé, les 4 grimpeurs persévèrent là-haut. Presque toute activité est suspendue au camp de base. Chacun attend avec anxiété la suite des événements. Vers 11 h 00, un nouvel appel radio nous parvient, cette fois du sommet. C'est immédiatement l'euphorie parmi tous les sherpas, une euphorie qui va gagner rapidement tous les villages sherpas plus bas dans la vallée, déclencher spontanément de nombreuses manifestations de joie et se prolonger pendant plusieurs semaines.

La joie que nous ressentons s'accompagne d'un sentiment tout à fait différent: notre tour approche. Les choses vont se précipiter. Après une si longue attente, et puisque les sherpas ont terminé leur ascension, nous avons le champ libre. Mark va rendre visite au camp de base des sherpas pour prendre les dispositions en vue d'utiliser une fois de plus leurs tentes au col sud. Une réunion de tout notre groupe est annoncée pour 17 h 00.

Je reste silencieux et quelque peu indifférent à l'animation autour. Tous les grimpeurs se préparent à remonter et les randonneurs, qui sont venus expressément pour assister et participer à ces instants palpitants, offrent leur aide.

Mais il n'y a rien qu'ils puissent faire pour moi à l'heure actuelle. Le moment est venu de prendre ma décision. Pendant un court moment, j'ai l'impression d'attendre une réponse de mon entourage. Mais personne ici ne fait attention à mes hésitations. Chacun est trop absorbé par ses propres préoccupations ou par ses préparatifs. Je me rends très vite compte que je ne trouverai cette réponse qu'à l'intérieur de moi-même. La décision de remonter une fois de plus ne tient qu'à moi seul.

Je suis complètement remis physiquement de notre première escapade dans les camps supérieurs. L'intensité même de la souffrance vécue durant ces heures pénibles me semble plus lointaine, atténuée. Mais comment faire face au sentiment d'impuissance que laisse la très haute altitude et à l'angoisse d'être enfermé dans les tentes la nuit?

Je sais précisément à quoi m'attendre. Je suis en mesure d'évaluer mes énergies pour savoir quoi faire, comment le faire et à quel rythme le faire. Le temps m'a appris quand monter, quand descendre, quand manger et boire et en quelle quantité, à quel rythme progresser, quelle charge transporter. En prévoyant les situations difficiles et en évitant les bivouacs qui provoquent mes réactions de claustrophobie, j'ai peut-être une chance d'y arriver. Je me convaincs que j'ai autant de capacités que quiconque ici pour atteindre le sommet. Il y a si longtemps que je m'y prépare. Tout est en place pour essayer à nouveau. Je décide de tenter le destin une dernière fois. Je dois y aller pour en avoir le cœur net. Je suis prêt à conclure.

Je prépare mon sac en ne choisissant que les quelques éléments indispensables à l'ascension. Je m'interroge même sur ceux que je considère essentiels. Dois-je prendre 1 ou 2 piles pour ma frontale? Deux ou 3 paires de gants, de bas? Chaque gramme compte. Je n'oublie surtout pas mes comprimés d'algues, ces suppléments protéiniques que je prends depuis le début de l'expédition. Ces algues *Super-Blue-Green* contiennent tous les acides aminés essentiels au métabolisme des protéines. Elles constituent de plus une source d'alimentation entièrement naturelle. Mises en capsules sans additifs ni traitements chimiques, elles répondent parfaitement à mes critères sévères en termes d'alimentation. En haute altitude, l'estomac a du mal à digérer et on perd graduellement l'appétit, comme si on voulait épargner à son organisme l'effort de la digestion. Puisqu'on dépense beaucoup d'énergie et qu'on n'arrive pas à consommer suffisamment de calories, on perd du poids. Plus le séjour est prolongé, plus la perte de poids et la réduction de la masse musculaire sont importantes. Cette perte de poids est critique dans mon cas à cause de ma musculature réduite au départ. J'avais donc prévu des suppléments alimentaires, les plus performants que j'ai pu trouver sur le marché. L'impact positif de ces comprimés se fait de plus en plus sentir. Ils me font l'effet de minuscules bombes qui génèrent dans mon organisme des énergies puissantes, compte tenu de l'état d'épuisement général dans lequel je me trouve après plus de 2 mois d'expédition. N'ayant pu réussir à obtenir d'informations précises sur le dosage nécessaire dans ma situation, j'ai moi-même fait mes calculs. J'ai augmenté graduellement les quantités, si bien que je prévois consommer lors de la journée d'ascension vers le sommet jusqu'à 20 fois la dose recommandée pour une vie sédentaire! Je range soigneusement la bouteille dans une poche intérieure de ma combinaison d'escalade, pour ne pas l'oublier.

Plus pour conforter mon moral que pour ajouter à mon alimentation, j'ajoute dans mon sac une tablette de chocolat Toblerone amenée en prévision de la journée d'ascension vers le sommet. À l'approche du sommet, l'organisme est trop tendu, l'estomac refuse toute nourriture et tolère à peine l'eau ou le thé pas trop sucré. Par contre, au plus fort de la nuit, un bout de chocolat suisse qui fond lentement dans la bouche réconforte et laisse un plaisant souvenir qui permet de se rendormir jusqu'au matin.

19

EN ROUTE UNE DERNIÈRE FOIS

Vers 17 h 00, tel que prévu, grimpeurs et sherpas se regroupent dans la tente communautaire pour la réunion de stratégie. Même Gary est présent, lui qui n'est revenu au camp de base qu'au cours de l'après-midi. Personne de notre groupe n'a émis aucun commentaire à son retour. Nous étions tous trop préoccupés par notre propre programme. L'expédition continue, l'épisode est clos, du moins le croit-on.

Mark prend la parole pour expliquer le plan qu'il propose pour notre prochaine tentative. En fait, sitôt notre retour après le premier échec, j'avais insisté auprès de Mark sur l'importance de concentrer nos forces, de ne faire qu'une seule équipe et de monter tous ensemble. Il sera inévitable, je le pressens, que certains abandonnent avant la poussée finale, et pour augmenter nos chances, mieux vaudrait nous regrouper. L'argument semble avoir porté. Les événements ont sûrement ajouté à cette suggestion, car aujourd'hui Mark propose que nous montions en un seul groupe. Maintenant que les sherpas se replient du col sud, nous pouvons occuper les 2 tentes qui s'y trouvent. Elles ont une capacité de 4 places chacune. Après vérification auprès de ces derniers, Mark confirme que les tentes resteront en place pour notre usage aux mêmes conditions que la première fois. Nous devrons les redescendre et les rendre à leur propriétaire, au risque de devoir les payer environ 800 $ pièce.

Pendant de longues minutes, nous tentons de calculer la quantité de matériel nécessaire pour répondre aux besoins de tout le groupe. Il s'agit d'abord d'évaluer le nombre de participants à cette tentative vers le sommet. La question est lancée et d'emblée tous les grimpeurs manifestent leur intention d'en faire partie. Mark, Rick et Barry, tous trois membres de la première tentative, ne se posent même pas la question. Marc Chauvin décide de tenter le coup, malgré l'infime probabilité qu'il s'accorde lui-même de réussir. Qui sait? Son organisme pourrait mieux réagir à l'altitude cette fois-ci. J'en suis aussi, mon choix est fait. Aucune autre décision ne me paraît acceptable. J'ai la conviction profonde qu'il me faut y aller. Mike choisit de venir aussi. En fait, tous les grimpeurs sont impatients de passer à la phase ultime de l'ascension.

Les regards se tournent cette fois vers les sherpas. Puisqu'ils ont tous travaillé à monter le matériel jusqu'au col sud, ils ont tous, s'ils le désirent, la possibilité de participer à cette tentative vers le sommet. Nous avions été explicites là-dessus. À présent que les préparatifs sont terminés, l'heure du choix a sonné pour chacun d'eux. Ang Nima, qui en est à sa seizième expédition à l'Everest mais qui n'a jamais atteint le sommet, voudrait bien pouvoir fouler ce précieux sol et prendre ensuite une retraite méritée. Il accepte de venir, mais sans grande conviction à mon avis. La barrière linguistique et culturelle m'empêche de bien comprendre ses propos, mais je devine qu'il se croit obligé de venir pour donner un sens à une vie consacrée à la montagne et aux ambitions d'autrui. Il nous avait annoncé que c'était sa dernière expédition. Mais sait-on jamais?

Un long conciliabule s'établit entre les sherpas et Urgen, qui demeure l'autorité en tant que *sirdar*. À ma grande surprise, Ang Passang décide de venir, mais Tshering Lhakpa et Passang Tamang ne veulent pas monter plus haut que le camp 3. La décision de Tshering Lhakpa surtout me déconcerte. Lui qui semblait si fort tout au long de notre périple et si enthousiasmé à l'idée de monter avec moi! Je crois que, sans vouloir l'avouer, tous les sherpas sont fatigués et ont lancé la serviette. Ils ne souhaitent plus lutter et souffrir. Ils ne parlent que des salaires et de la prime qu'ils recevront. Un sherpa qui atteint le sommet s'attend à recevoir une prime plus élevée, mais je crois qu'ils doutent encore de notre capacité de payer ladite prime. Nous n'avons démontré ni la richesse ni la capacité de dépenser qui est la norme habituelle pour les expéditions américaines. Nous avons honoré nos dettes, mais sans plus, et toujours en calculant bien et en n'engageant aucune dépense inconsidérée. Notre budget demeure très restreint. Les sherpas craignent donc de ne pas recevoir la totalité de leur salaire, et assurément de ne pas obtenir de prime suffisante pour justifier un effort accru. N'ont-ils pas revendiqué à quelques reprises la parité avec les primes promises par l'autre expédition américaine à leur équipe de sherpas? Ils n'ont pas compris ou voulu comprendre que notre situation financière diffère totalement de celle de ce chevalier d'industrie plutôt fortuné qui s'est organisé une expédition pour lui et sa fille. Pour nous, chaque billet vert a exigé une recherche compliquée. Même si Rick s'est toujours montré rassurant, les dépenses s'additionnent continuellement et nos ressources s'amenuisent.

Jusqu'à la toute fin de la discussion qui entoure cette question, les sherpas s'attendent à des offres monétaires qui ne se concrétiseront jamais. Seul Ang Nima a exprimé un désir modéré d'ajouter le sommet de l'Everest à sa carrière déjà bien remplie. Suite au long conciliabule dirigé par Urgen, un des sherpas a je crois été désigné pour accompagner Ang Nima. C'est Ang Passang qui a obtenu le rôle. Mais la conviction des deux sherpas ne sera pas suffisamment forte et, bien avant que les difficultés de l'ascension ne débutent réellement, ils vont rebrousser chemin pour redescendre profiter enfin d'un repos bien mérité.

J'aurais souhaité que notre lien avec les sherpas dépasse la relation purement commerciale, mais je comprends aussi que, dans un pays où le revenu annuel moyen ne dépasse pas les 300 $, le contact avec des Occidentaux suscite une certaine convoitise. Nous faisons donc face à une situation qui, ailleurs, aurait pu paraître cocasse: d'une part, nous ne pouvons nous payer de sherpas pour nous accompagner jusqu'au sommet et d'autre part, les sherpas ne souhaitent pas grimper au sommet de la montagne avec nous en copains. Chacun reste sur ses positions. Nous devons donc, en tant que patrons, assigner une tâche aux sherpas pour la dernière phase de l'expédition. Cette situation me déplaît, mais dans les circonstances, c'est la seule solution possible. Il nous faut à la fois nous donner le maximum de chances de réaliser notre objectif et respecter tous nos partenaires dans cette aventure.

La suite de la rencontre ne me surprend pas moins. D'abord, Marc Chauvin exprime tout haut ce que la majorité pense tout bas. En fait, il sert à Gary Scott un bref mais éloquent sermon sur l'irresponsabilité dont ce dernier a fait preuve en tentant une ascension seul, sans préparation ni connaissance suffisante du terrain. Le mot *sermon* est celui qui qualifie le mieux cette envolée durant laquelle Marc, fidèle à l'intensité qui le caractérise, entreprend de régler nos comptes collectifs avec celui qui ne s'est jamais véritablement intégré au reste du groupe. Placé devant l'évidence, Gary reconnaît ses torts. Le sujet est clos. Du moins, c'est ce que je crois.

Encore plus surprenants sont les propos qui suivent. Je ne sais si Mark, Rick, ou les deux, lui en ont parlé auparavant, s'ils ont subi de la pression des responsables de l'événement Gary Scott ou encore s'ils ont décidé cela tout seuls, mais Mark offre à Gary de se joindre à nous pour tenter le sommet. Je ne comprends plus rien. Mark agit comme si la réprimande de Marc Chauvin et l'attitude de repentir de Gary avaient tout effacé. Il semble que Mark veut s'assurer de donner à ce dernier toutes les chances de grimper la montagne, comme à chacun d'entre nous. Mon opinion personnelle est que celui-ci a déjà eu toutes les chances qu'on pouvait lui donner de faire sa place, de démontrer ses qualités et de contribuer au travail du groupe. Je me sens quelque peu frustré par ce que je considère un traitement de faveur envers une personne qui n'a fait ni ses preuves ni sa part. Mais encore là, je garde le silence. Je viendrai bien près cette fois de regretter mon manque de courage. Le déroulement de l'expédition sera une fois de plus perturbé par cette décision et par l'acceptation tacite à laquelle mon silence laisse croire.

D'un autre côté, mes objections à la présence de Gary ne sont pas précises. Je crois que plus le groupe est important, plus il est fort et que meilleures sont les chances d'arriver au sommet. À ce moment, je n'envisage pas qu'un nombre de grimpeurs plus élevé augmente aussi les possibilités de créer des incidents dangereux et de là accentue les risques que chacun court. Encore une fois, dans l'euphorie du moment, je ne perçois qu'une facette de la situation. J'oublie qu'une des caractéristiques importantes des groupes de montagnards demeure l'autonomie de chacun de ses membres. L'efficacité du groupe et la sécurité de chacun en dépendent. Tout le monde est poussé à sa limite. Il devient essentiel pour sa propre sécurité ainsi que celle des autres de respecter ses limites personnelles et de ne pas attendre de secours des autres pour se tirer d'affaire. Une situation qui semble rassurante peut dégénérer rapidement. Je devrais pourtant me souvenir de mes expériences antérieures et accorder toute son importance à ce principe d'autonomie-dépendance des membres d'un groupe de grimpeurs. Mais personne ne connaît l'avenir et on se lance parfois à l'aventure à l'aveuglette. Heureusement depuis notre arrivée au camp de base nous maintenons nos dévotions aux divinités de la montagne: l'encens n'a cessé d'envoyer ses effluves, tels des messages codés aux dieux!

Gary accepte mais précise que, comme lors de sa tentative solitaire, il n'utilisera pas d'oxygène. Cela arrange un peu les choses, car en calculant les bouteilles dont nous disposons et que nous pourrons acheminer en une montée jusqu'au col sud, on arrive au nombre de huit: soit six grimpeurs et deux sherpas. Gary sera le neuvième partant.

Une fois le nombre définitif de grimpeurs établi, nous entreprenons une des phases cruciales de l'établissement de notre stratégie: la logistique. Il s'agit de déterminer le plus précisément possible le matériel nécessaire à chaque camp et pour chaque personne, selon l'horaire d'ascension prévu, c'est-à-dire de prévoir les sacs de couchage, réchauds et nourriture nécessaires pour chacun, à chaque camp, ainsi qu'une quantité d'oxygène suffisante pour le camp 4, en tenant compte des déplacements de tout le monde, de la quantité limitée de matériel dont nous disposons et surtout du positionnement de cet équipement sur la montagne. Nous n'emporterons que l'essentiel pour la survie et le campement. Il faut réduire au minimum la quantité de matériel à déplacer, car le transport de lourdes charges ralentit considérablement la progression du grimpeur, l'épuise et réduit d'autant ses chances d'arriver sain et sauf à destination.

Le plus difficile est de nous rappeler exactement le nombre de sacs et de réchauds disponibles à chacun des camps. Après un effort mental épuisant, nous découvrons qu'il manquerait un sac de couchage au camp 2 pour accommoder tout le monde la première nuit. Pendant quelques minutes, je laisse Rick évaluer toutes les solutions avant de proposer de transporter celui que j'utilise au camp de base. Dick St-Onge et moi étions les seuls à disposer de deux sacs de couchage de duvet suffisamment légers et chauds pour être utilisés dans les camps supérieurs. Dick parti, il n'y a que le mien qui puisse faire l'affaire. J'hésite un peu avant de faire cette offre car je sais que je devrai trimbaler ce sac moi-même. Chacun est responsable de porter son équipement personnel, et on ne fera pas d'exception pour moi. Les sherpas demeurent peu nombreux et consacrent leurs énergies à transporter le

193

matériel du groupe ainsi que l'oxygène. Je sais aussi qu'au retour je devrai aussi ramener mes deux sacs de couchage moi-même. De cette façon, par contre, je m'assure de disposer d'un sac de couchage même si nos calculs s'avèrent erronés et qu'il en manque plus d'un. Je suis parfaitement acclimaté, je peux donc me charger d'un sac de couchage supplémentaire jusqu'au camp 2 sans trop me ralentir ni me fatiguer.

Ce dernier détail réglé, tout ayant été dit, la rencontre prend fin et tout le monde s'en va préparer ses affaires pour le départ, prévu pour quatre heures le lendemain matin.

La nuit me semble interminable. Je n'arrive pas à dormir. Je suis fébrile. Je ne peux m'empêcher de songer aux événements à venir. Chaque fois que je dois remonter dans le glacier du Khumbu, les mêmes craintes m'envahissent. Y aura-t-il un accident? Chaque traversée réussie de cette zone joue contre nous en augmentant inexorablement la probabilité d'incident. Vers 3 h 30, je rejoins les autres dans la tente-cuisine pour le déjeuner avant le départ. Comme à chaque montée précédente, je m'efforce d'avaler un copieux repas. Les œufs et le gruau ont beau être délicieux, l'estomac ne réussit pas à accepter cet horaire anormal. Il faut l'y contraindre par la force de la volonté. Si je n'y arrive pas, je serai forcé de ralentir ou de m'arrêter dans quelques heures, en plein centre de la zone la plus dangereuse du glacier, pour m'alimenter. Aussitôt le déjeuner expédié, chacun se retrouve dehors à refaire les mêmes gestes et à préparer les mêmes pièces d'équipement que nous utilisons depuis 2 mois.

Arrivé au pied du glacier du Khumbu, ce labyrinthe de glace m'apparaît aussi dangereux que la première fois où je l'ai traversé. De pouvoir m'y déplacer plus rapidement me réconforte. Le danger dure ainsi moins longtemps, mais c'est une maigre consolation devant les gigantesques blocs de glace qui semblent encore plus instables maintenant que la saison est avancée et qu'il fait plus chaud au pied de la montagne. On se rassure comme on peut! Avant l'aube, les rigoles qui ne se forment qu'en après-midi sont toutes gelées et l'avance est rapide. Parfois, le pied enfonce à travers une couche de glace blanchâtre. Le gel au cours de la nuit forme d'abord une mince pellicule de glace sur l'eau de ruissellement, puis graduellement le froid fige l'écoulement des eaux en provenance du haut du glacier. Sous la glace se crée alors un vide. Il faut demeurer vigilant, car on

risque de perdre l'équilibre et de tomber avec son sac. La route est plus difficile à suivre maintenant que les fanions et les sections de corde ont disparu, emportés par les courants d'eau ou cachés dans les rigoles gelées durant la nuit. La pénombre précédant l'aube nous enveloppe encore. On surveille attentivement les points lumineux qui dansent devant soi. On se fie à son intuition et à son expérience pour franchir la première partie et arriver à la section centrale équipée avec les échelles et les cordes fixes.

Ici, au milieu du glacier, le soleil ne parvient pas à fondre les masses gelées et le froid se fait plus vif. Si la glace ne fond pas, elle est par contre constamment broyée par l'action de la gravité qui pousse des tonnes de séracs vers le bas, dans une pente chaotique et abrupte. Les échelles sont tordues et brisées par ces mouvements et nos fidèles et précieux sherpas, dont la tâche est de maintenir une voie de circulation ouverte dans ce dédale, doivent retracer sans relâche la route. Ils sont nos cantonniers. Décidément, jamais je ne serai à l'aise sur ce glacier. Cela fait plus d'une douzaine de fois que je le traverse et, à chaque reprise, la peur me noue l'estomac. Je parcours la partie supérieure, qui est encore plus mouvementée, aussi rapidement que me permettent l'altitude et la charge que je porte.

Le soleil me rejoint au moment où je croise l'emplacement de notre défunt camp 1. Aussitôt, il me faut retirer ma combinaison d'escalade car la chaleur devient vite insoutenable sous ce vêtement isolant conçu pour les froids extrêmes. Je rejoins Barry et nous cheminons ensemble dans la combe ouest inondée de soleil. Nous arrivons bientôt sans encombre au camp 2 et, au début de l'après-midi, tout le monde s'y retrouve. Enfin, presque… À son arrivée, Rick nous apprend que Marc Chauvin a dû rebrousser chemin. Arrivé au camp 1, il éprouvait tellement de difficulté à respirer qu'il lui a été impossible de poursuivre. Il a tout tenté, mais ne s'était pas tout à fait remis de son précédent séjour à 8 000 mètres. J'imagine combien il doit lui en coûter de redescendre alors que nous continuons vers le sommet, peut-être pour de bon.

La suite du plan prévoit de monter dès demain jusqu'au col sud puis, dès la nuit suivante, de tenter le sommet. Nous espérons que le beau temps va se maintenir. Toute la journée, le soleil a brillé et les vents demeurent faibles.

Vers 16 h 00, la neige se met à tomber faiblement. Au cours de la soirée, le vent se lève. C'est plutôt mauvais signe, car

normalement le vent devrait diminuer en début de soirée et durant la nuit. Au moment où nous avions prévu nous préparer à la montée, nous décidons d'attendre au lendemain.

L'attente au camp 2 commence: une épreuve d'endurance décrétée par la montagne, une épreuve d'endurance face à soi-même et aux conditions de vie toujours aussi rudes à 6 500 mètres d'altitude. Les journées, avec une lenteur trompeuse, nous rapprochent inexorablement de la mousson.

Nous avons besoin d'au moins deux jours consécutifs d'accalmie, ce qui ne semble pas se produire très souvent. La journée du 10 mai se termine sur une note peu encourageante. Nous n'avons presque aucun espoir de voir le vent diminuer suffisamment au sommet pour nous permettre d'y accéder. Vers trois heures du matin, tel que prévu, Mark s'habille et sort de la tente pour observer les conditions météo: hélas! le vent souffle toujours aussi fort en provenance de l'ouest. La mousson approche. Au loin, on perçoit éclairs et tonnerre. Des orages localisés sont déclenchés par la montée, dans l'air froid des montagnes, de masses d'air chaud et humide en provenance des plaines de l'Inde. Lorsque ces mouvements d'air se seront généralisés, la mousson s'installera définitivement. La présence de quelques orages la nuit indique son imminence. Il faut faire vite. Au matin, quelques centimètres de neige fraîche recouvrent le sol.

Le 11 mai: notre deuxième journée d'attente est plus lente et plus exaspérante encore que la première. Je me demande combien de temps je pourrai résister. Les conditions ici sont plus pénibles qu'au camp de base. Le froid est tellement intense la nuit que le sommeil nous vient plus difficilement. L'air se fait plus rare. On astreint son organisme à des efforts continus et épuisants. L'usure est lente, mais constante. L'incertitude surtout nous mine le moral. Nous devons attendre une interruption des vents pour monter. Ils soufflent généralement en provenance de l'ouest. En plus de ces vents dominants, le *jet-stream* frappe de plein fouet le sommet de l'Everest presque toute l'année. Cependant, l'arrivée de la mousson, qui elle se bâtit dans l'océan Indien, plus à l'est, modifie la direction des vents. En théorie, au moment où ces importantes masses d'air se confrontent et juste avant que le mouvement des vents ne s'inverse de l'ouest à l'est, il se produit une brève période d'accalmie. C'est ce qu'on appelle une *fenêtre de beau temps*. Cet apaisement des vents de tempête ne dure que peu, parfois à peine une journée. Certaines années, la mousson ne laisse aucun repos à la montagne avant d'y déverser jusqu'à un mètre de neige par jour. Nous guettons donc l'arrivée de cette mousson qui peut s'installer graduellement ou brusquement, selon son humeur imprévisible, à partir du milieu du mois de mai. Ici, la nature est maître. Nous permettra-t-elle d'atteindre notre but?

L'amélioration des conditions météorologiques se fait toujours attendre. Je viens bien près de renoncer, mais une fois de plus je résiste et me convaincs que l'attente ne durera pas indéfiniment. Je pense en même temps à Edmund Hillary et Tensing Norgay, qui, en 1953, ont atteint le sommet aussi tard que le 29 mai. L'idée de ne pouvoir partir avant encore deux semaines ne me sourit guère. De toute façon, il nous faudra bouger avant cette limite car les vivres au camp 2 ne dureront pas si longtemps. Redescendre au camp de base pour nous réapprovisionner serait encore mieux que de rester ici, inactifs et confus.

L'attente affine encore un peu plus ma perception. Je me retire au centre de moi-même, là où rien ne peut venir me perturber. Attendre et maintenir mon organisme en condition d'ici à ce que vienne le temps de partir, c'est tout ce qui importe. Boire aussi mes cinq litres de liquide à faibles doses, et manger de petites quantités à la fois, tout au cours de la journée, pour ne pas surcharger mon estomac. Garder le rythme de ma respiration, sans forcer inutilement. Je veille à ce que mon matériel soit prêt en tout temps, à ce que mes vêtements et mon sac de couchage soient étendus au soleil quelques heures pour chasser toute trace d'humidité. Je range soigneusement chaque pièce d'équipement pour ne pas avoir à la chercher plus tard. Je reste en contrôle sans excès, alerte sans m'inquiéter. Je me sens prêt. Mes angoisses se calment progressivement et la journée s'achève enfin. Le vent a diminué d'intensité très graduellement au cours de la journée et nous sommes tous un peu fébriles à l'heure du souper. Pourrons-nous y aller enfin?

Mark se lève une fois de plus vers trois heures du matin. À mon avis, il est inutile de sortir, car j'entends très clairement le grondement du vent sur la pyramide sommitale, un peu le même genre de bruit sourd qu'on entend en avion et qui est causé par la friction de l'air sur la carlingue. Par contre, ici au camp 2, le vent est tombé tout à fait. Cela présage-t-il une amélioration du temps? Est-ce enfin la fenêtre de beau temps qui se prépare?

Le 12 mai, nous entamons notre troisième journée d'attente avec un peu plus d'optimisme. Le vent en haute altitude diminue peu à peu d'intensité. Le volume du nuage accroché au sommet, annonciateur de la présence du *jet-stream*, diminue. En soirée, le temps semble se stabiliser et cette fois, nous ne doutons plus de pouvoir monter le lendemain.

Au matin, dès 3 h 00, je jette un coup d'œil par l'ouverture de la tente. Le sommet se découpe nettement sur un ciel étoilé. Pas de vent. Ça y est! Le seul bruit que j'entends provient de la tente voisine, où les autres se préparent à partir. À 4 h 00, nous nous mettons en route. Au début, familier avec le parcours, je marche rapidement pour me réchauffer. Puis, lorsque j'aborde les cordes fixes et la paroi ouest de Lhotse, je prends un rythme plus modéré, mais continu. La journée sera longue. Sans trop de difficultés, j'arrive au camp 3 vers 9 h 00, quelques minutes après Mark Richey. Il est déjà entré dans la tente et s'affaire à mettre en marche un réchaud. J'emplis un sac de petits blocs de glace qui, une fois fondus, nous procureront l'eau si précieuse pour nos gorges asséchées. Pendant que le réchaud ronronne doucement, j'observe les environs. Il fait très beau temps. Entouré sur 270 ° par les parois de l'Everest, Lhotse et Nuptse, je n'aperçois que les lignes des arêtes qui se découpent très nettement dans le ciel d'un bleu sombre. Vers l'ouest, s'ouvre la vallée du glacier du Khumbu, que nous surplombons de plus de 1 000 mètres. Aussi loin que mon regard porte dans cette direction, aucun nuage ne perturbe le canevas vierge du ciel. Tout en bas sur le glacier, de minuscules points se déplacent vers le bas de la pente. Il s'agit

probablement de membres du groupe d'Al Wendel. Nos deux équipes sont les dernières encore présentes sur la montagne. Sous mes pieds, le ressaut de glace qu'il faut franchir tout juste avant d'atteindre le camp 3 m'empêche de voir mes compagnons qui montent nous rejoindre. Chacun grimpe à son rythme et les écarts sont parfois considérables. Concentré sur la suite de l'ascension, je ne savoure pas véritablement la satisfaction de me retrouver dans le peloton de tête. J'étudie plutôt la route à venir et je m'y prépare mentalement.

À l'autre bout de la petite vire sur laquelle je me tiens, se trouve la minuscule tente qui me rappelle de si mauvais souvenirs. J'ai encore, fraîches à la mémoire, les affres de cette longue nuit de tempête passée avec Passang Tamang. Je me penche avec l'intention de récupérer à l'intérieur tout matériel qui aurait pu y être oublié lors de notre départ précipité et je remarque que, sur quelques centimètres, la fermeture éclair est demeurée entrouverte. Avec stupéfaction, je constate que la tente est entièrement remplie d'une neige durcie et compacte. Le vent, qui a soufflé avec violence quasi sans interruption pendant les deux semaines qui nous séparent déjà de notre première tentative, a réussi à emplir la tente de neige! Ne disposant ni de l'équipement ni de l'énergie nécessaires pour la vider, nous devons l'abandonner.

Dans l'heure qui suit, Barry puis Gary Scott arrivent. Nous buvons autant que nous pouvons pour nous réhydrater et installons un second réchaud. Les nouveaux arrivants prennent le relais à cette tâche et Mark et moi nous nous apprêtons à partir. Vers 10 h 30, lorsque nous quittons en direction du col sud, les autres ne sont pas encore en vue.

200

La première section du reste du parcours est en fait la suite de la longue pente de glace qui nous a menés au camp 3. Elle se prolonge sur environ 100 mètres tout aussi abrupts et monotones que les 500 mètres précédents. Puis, le tracé oblique sur la gauche en une longue traversée ascendante pour rejoindre le bas de l'éperon des Genevois. À cause de la vive clarté et des dimensions déconcertantes des parois, cette traversée, même si j'avais cru de prime abord qu'elle serait plutôt courte, s'avère interminable. Dans l'air de plus en plus rare, j'avance au rythme d'un escargot. Mark creuse un écart considérable entre nous et débute l'escalade de l'éperon rocheux, tandis que je me trouve à peine à mi-chemin dans la traversée. Je réussis finalement à retrouver un rythme qui me convient: 10 pas, arrêt pour respirer, 10 autres pas, nouvel arrêt, encore 10 pas, arrêt, et ainsi de suite. Lentement, je grignote les mètres qui me séparent de l'éperon, où une escalade plus athlétique m'attend.

Je progresse si lentement que, au moment où je termine la traversée, Barry me rejoint et me double en remontant les cordes fixes qui se dressent ici à la verticale. Comme c'est souvent le cas, aussitôt que j'atteins une zone plus difficile, mon allure s'accélère. Chaque mouvement devient plus calculé. Mes sens sont plus concentrés et j'arrive à mieux ménager mes forces. Je peux ainsi suivre et même rejoindre Barry là où il s'est arrêté pour reprendre son souffle après un passage particulièrement ardu. Nous faisons une courte pause avant de continuer ensemble. Il reste encore beaucoup de chemin à parcourir. Nos crampons dérapent et se lamentent sur les dalles de rocher compact. Les caprices du terrain nous obligent à des acrobaties épuisantes. Je regarde évoluer les autres grimpeurs à plus d'une centaine de mètres au-dessous de nous. Tous progressent à une allure désespérément lente dans cette section que la distance pourrait faire croire relativement facile. Seul un grimpeur tranche sur les autres et avance rapidement. Je me demande qui ça peut bien être, et je me dis qu'à ce rythme il nous rattrapera bientôt et nous serons fixés. Au-dessus, on entrevoit encore par moments Mark, qui bientôt va disparaître de notre vue au sommet de l'épaulement rocheux.

Le temps passe rapidement. Il est 14 h 00 et nous devrions presser le pas, même si cela semble impossible. Il n'est en tout cas pas question de nous arrêter si nous voulons nous rendre à bon port avant la tombée de la nuit. Il serait très dangereux de nous retrouver en terrain inconnu et faiblement balisé en pleine noirceur. Je n'ose envisager cette possibilité et je continue, stimulé par la volonté d'aller jusqu'au bout.

À mi-chemin de la paroi, nous découvrons une bouteille d'oxygène orange déposée là par Ang Passang à sa première montée vers le col sud. Nous la laissons sur place en nous disant qu'un des sherpas s'en chargera en passant.

Alors que nous entamons la dernière partie de la section rocheuse, je vois déboucher un grimpeur derrière les rochers. Il s'agit de Rick, qui remonte allègrement les cordes fixes pour nous rejoindre en un rien de temps. À cette altitude, 15 minutes peuvent paraître un laps de temps assez court: c'est à peu près le temps qu'on met pour retrouver son souffle après un passage laborieux, puis prendre conscience que l'on s'est arrêté et qu'il faut repartir. Le phénomène Rick s'explique du fait que celui-ci a commencé à respirer le précieux oxygène vers le milieu de la traversée. Nos quantités sont calculées au plus juste, mais lui transportait une petite bonbonne d'oxygène supplémentaire, au cas où, ainsi qu'un masque. C'est la même sorte de bonbonne que nous avons prévu utiliser durant la nuit précédant l'ascension vers le sommet. Elles ont une capacité inférieure, environ la moitié des autres, et sont beaucoup plus légères. Rick nous avise que Mike et un des sherpas ont déjà rebroussé chemin. Avec Marc Chauvin qui a dû retourner au camp de base il y a déjà quelques jours, cela nous fait plus de bouteilles que prévu dans le plan d'ascension.

Comme s'il conduisait une voiture qui roule au super, Rick nous dépasse et nous laisse traîner loin derrière lui. Il disparaît lui aussi au sommet de la paroi et il nous faut plus de 1 heure et 30 minutes pour franchir les 100 mètres qui nous séparent du faîte de l'éperon. Loin de me décourager de ma vitesse relativement réduite, je me sens stimulé par la découverte d'un terrain nouveau pour moi et par cette altitude que j'atteins pour la première fois de ma vie. Je suis à peine à 200 mètres du chiffre magique de 8 000 mètres. Mon organisme réagit plutôt bien malgré l'extrême rareté de l'oxygène. Ma volonté reste intacte et commande à mes muscles qui obéissent même s'ils sont alourdis par l'effort. Du sommet du promontoire où je m'arrête pour m'accorder une courte pause, tout en haut de la gigantesque face de 1 500 mètres de haut que je viens de franchir, j'ai une vue grandiose de la combe ouest et du glacier du Khumbu. Les camps 2 et 3, bien que présents dans mon champ de vision, ont totalement disparu, absorbés par l'immensité des parois où ils se nichent. À l'ouest, Pumori, pyramide imposante qui surplombe le camp de base, ne semble, vue d'ici, qu'une montagne de plus parmi tant d'autres. Au sud-ouest, le sommet de Nuptse n'est plus aussi impressionnant depuis que je suis parvenu à sa hauteur. Seuls les sommets du Lhotse et de l'Everest me dépassent toujours. Vers le bas, j'aperçois de minuscules points qui descendent lentement dans la pente de glace. Du haut de ma plate-forme, je distingue un grimpeur rendu aux trois quarts de la traversée et qui se dirige seul vers le haut. Je reconnais aisément Gary à son vêtement unique en duvet de couleur écarlate. Je n'accorde que peu d'importance à cette vision, trop concentré à maintenir mon propre rythme et à continuer ma progression. L'espace d'un court instant, je présume que Gary aussi devra rebrousser chemin bientôt. Impossible pour lui de rejoindre le camp 4 avant la tombée de la nuit, il a encore trop de distance à parcourir. Il se fait tard et je dois presser le pas pour arriver au camp 4 avant le coucher du soleil.

Cela fait plus de 12 heures que dure la montée à partir du camp 2. Il me reste encore plus de 1 kilomètre pour arriver jusqu'au col sud. Cet ultime trajet me décourage tout à coup et je traîne des pieds de plomb. Je marche 10 pas et je m'arrête pour reprendre mon souffle. Je scrute même la pente en avant pour prévoir le prochain point de repos. Je repars. Barry me distance quelque peu et je trouve entre deux rochers la première bouteille d'oxygène déposée ici par Ang Nima, à peu de distance de l'emplacement du camp. Sans vraiment y penser, je me charge de cette bonbonne que j'imagine si précieuse au camp 4. Mais cette fois, c'en est trop. Mon sac à dos contient déjà un sac de couchage, des vêtements et de la nourriture. Les 8 kilos supplémentaires de la bouteille d'oxygène me tuent. Huit kilos, ce n'est pas si lourd, mais quand on en est rendu à couper le manche de sa brosse à dents avant le départ pour sauver du poids, cette charge devient énorme. Mes poumons sont prêts à éclater. Les muscles de mes côtes brûlent. Mes jambes vacillent et j'avance de peine et de misère. À chaque pas, j'ai l'impression que je vais m'écraser. Je dois me rendre à l'évidence et abandonner la bonbonne à 10 minutes seulement du camp. J'atteins enfin la barrière des 8 000 mètres, mais je n'en mène pas large. Je n'ai pas la force de savourer la joie de cette nouvelle marque personnelle. J'arrive aux tentes en titubant.

Je m'engouffre dans la première porte entrouverte. Mark, Rick et Barry s'y trouvent déjà, presque aussi éprouvés que moi après cette ascension qui a duré une douzaine d'heures sans répit. Je tente en vain de reprendre mon souffle et de me détendre. Rick me suggère de me brancher sans délai à une bouteille d'oxygène. Sans trop de conviction, je récupère un masque, l'ajuste et le fixe à une des bonbonnes. J'ai déjà tenté de respirer de l'oxygène au camp 3 avec Mike Sinclair. Nous avions effectué un test dans le but d'apprendre à installer et utiliser l'appareillage et je n'avais ressenti que peu d'effets bénéfiques. J'avais simplement eu l'impression d'inhaler de l'air glacial concentré et j'avais préféré respirer l'air de la tente réchauffé par le soleil de l'après-midi. Mais aujourd'hui, à 8 000 mètres, l'oxygène concentré me fait l'effet d'un cadeau du ciel. Après quelques minutes à peine, la chaleur envahit mon corps. Il n'y a pas suffisamment d'oxygène à cette altitude pour qu'on puisse récupérer naturellement après un effort intense. Grâce au précieux élixir que j'inhale, mes muscles commencent à se détendre et je me sens revivre.

Il est passé 18 h 00 et le soleil va se coucher dans moins de 30 minutes. Tous les autres doivent se trouver au camp 3 ou en route vers le camp 2. Sans que rien n'en soit dit, nous savons que la suite nous est réservée. Nous ne sommes plus que 4: Mark Richey, cela va de soi; Rick Wilcox qui, en grimpeur d'expérience, a su ménager ses forces tout au long de l'expédition et ne pas traîner au moment opportun; Barry Rugo, le plus jeune du groupe, fort et résistant; et moi-même, qui, après un début de périple assez chancelant, ai su trouver mon rythme.

Nous voilà à l'orée de l'étape décisive vers le sommet. Dans à peine 4 heures, c'est-à-dire à 22 h 00, nous devrons nous lever et commencer à nous préparer pour débuter l'ascension au plus tard vers minuit. Il faut partir durant la nuit afin d'être revenus du sommet avant que le vent ne se lève. Nous avons déjà expérimenté ce que le vent peut faire à cette altitude, à notre première tentative, il y a 2 semaines: le vent s'est levé brusquement et, en quelques heures, la tempête avait pris tellement d'intensité qu'au moment de partir il a fallu fixer nos crampons à l'intérieur de la tente. Et nous étions au niveau des camps. J'ose à peine imaginer la scène à pareille hauteur! Aucun de nous n'a envie de se retrouver dans une situation semblable. Durant la journée, le soleil réchauffe les masses d'air des vallées, ce qui les fait s'élever graduellement. L'après-midi, même par beau temps, le vent commence à souffler. Plus on est près du sommet, plus ils sont violents. Mieux vaut être redescendu tôt du sommet de l'Everest!

Barry et moi, nous nous installons dans une tente pendant que Mark et Rick partagent l'autre. Nous déballons nos sacs de couchage pour prendre un peu de repos pendant les quelques heures dont nous disposons. Occupés par les préparatifs, nous ne parlons guère de l'ascension à venir. Peut-être hésitons-nous aussi à envisager l'épreuve finale. Épuisés par la très longue ascension que nous venons tout juste de terminer, déjà il faut penser repartir dans à peine quelques heures. Mark a de violents accès de toux, Rick parle d'une voix rauque et faible et je suis secoué de spasmes musculaires indicateurs d'épuisement avancé. Seul Barry semble bien-portant, mais il garde le silence.

Je m'enfouis *illico* dans mon sac de couchage, trop abattu pour manger ou pour me préparer une boisson. Je reste ainsi allongé. durant une heure environ, jusqu'à ce que ma gorge me fasse souffrir à un point tel que je dois me lever et mettre un réchaud en marche. Barry est étendu à côté de moi, inerte, apparemment endormi. Il n'a pas bu non plus. Ce n'est pas très

encourageant pour la suite. Si on se trouve trop épuisé pour se préparer à boire et que personne d'autre ne s'en occupe, la période de récupération est beaucoup plus longue. L'hydratation améliore la circulation sanguine et les muscles récupèrent plus vite. Je sais tout ça, mais chaque mouvement me demande un effort si considérable que je retarde le plus longtemps possible tout travail.

N'est-il pas illusoire de penser continuer à monter dans ces conditions? Je somnole par brèves périodes tout en surveillant le réchaud, qui fonctionne toujours, et je tente, tant bien que mal, de récupérer. Dehors, il fait nuit noire et le froid est cinglant. Je réussis à boire l'équivalent d'une tasse d'eau chaude, ce qui est nettement insuffisant. Barry ne bouge toujours pas. Il respire, c'est tout. Je suis trop mal en point pour prendre soin de mon compagnon. À contrecœur, je décide de m'allonger pour attendre 22 h 00 et voir ce qui va arriver. J'ajuste mon système à oxygène au minimum, par crainte de voir s'épuiser l'approvisionnement. Cela me demande un effort accru pour respirer, mais c'est mieux que de suffoquer complètement lorsque la bonbonne sera vidée. Le réservoir, si lourd à la montée, me semble tout à coup minuscule. J'ai peur qu'il ne dure pas.

Pourrons-nous continuer? Je n'ai pas suffisamment d'air pour risquer une réponse, même mentalement.

20

FAUX DÉPART

Ma montre sonne les 22 h 00. Déjà! Il me semble que quelques minutes seulement se sont écoulées depuis que je me suis allongé la dernière fois. Il était 20 h 00 à ce moment-là. Pendant près de 1 heure, j'essaie en vain d'ordonner à mes membres de bouger. Mon esprit veut imposer à mon corps de se lever, mais mon organisme refuse. Mes bras et mes jambes, comme si on les avait coulés dans le béton, ne m'obéissent plus. Autour, le silence est total, rien ne bouge. Vers 23 h 00, je réussis à me redresser dans mon sac et à communiquer quelque mouvement à mes muscles endoloris. J'entends alors un bruit de tissu froissé provenant de l'autre tente. Je remets le réchaud en marche avec une lenteur désespérante. Un observateur extérieur aurait toutes les misères du monde à percevoir l'activité qui reprend dans notre camp tellement nos mouvements sont lents et incertains. À l'extérieur de la tente, pas un brin de vent, le ciel est constellé et le temps magnifique. Il faut y aller!

Minuit arrive et nous ne sommes guère plus avancés. Barry ne s'est pas encore levé et moi je n'ai pas quitté mon sac de couchage, tellement l'air à l'extérieur est glacial. Je ne sais trop ce qui se passe dans l'autre tente, car nous parlons à peine. Mais à entendre le peu de bruit généré par les actions de nos compagnons, je devine qu'ils ne se pressent pas non plus.

Je commence sans grande conviction à récupérer mon équipement et préparer mon sac. La voix de Mark se fait entendre. C'est l'heure du contact radio avec le camp de base. Tout le monde écoute pour savoir ce qui se passe en première ligne. Chacun signale sa présence sur les ondes: John au camp de base, Marc Chauvin au camp 2, Mike au camp 3. Nous apprenons de nos compagnons des autres camps une bien surprenante nouvelle qui cause un tel émoi parmi nous qu'elle réussit à nous réveiller tout à fait: Gary n'est pas rentré! Il n'est ni au camp 2 ni au camp 3. Puisqu'il ne se trouve pas ici non plus, le pauvre est perdu quelque part entre 6 500 et 8 000 mètres!

Plusieurs émotions contraires se bousculent dans mon esprit. Lentement à cause de la rareté de l'oxygène, mon cerveau tente d'évaluer les répercussions de cette situation. Pour la première fois de ma vie, je suis confronté à la possibilité d'une mort dans une expédition à laquelle je participe. Peut-être Gary est-il déjà disparu à tout jamais. Il fait -35 °C. Seul à 8 000 mètres, en pleine nuit, combien de temps peut-on survivre? Non! Pas encore! Je refuse d'envisager cette possibilité. Tout n'est pas perdu. Gary est costaud et lorsque je l'ai aperçu la dernière fois approchant de l'éperon des Genevois, il portait son vêtement en duvet très bien isolé. Il peut s'être perdu dans la montée, une fois la nuit tombée. Lui qui progressait déjà lentement, le froid et la noirceur l'auront ralenti encore davantage. Il doit se trouver à présent au sommet de la paroi, incapable de retrouver son chemin dans la traversée jusqu'au col sud, en pleine noirceur, sans cordes ni repères pour lui indiquer la route. Nous devons aller le secourir.

Un sentiment de frustration m'envahit. Pourquoi Gary a-t-il poursuivi sa route lorsqu'il s'est rendu compte que, au rythme où il avançait, jamais il ne rejoindrait le camp 4 à temps? Pourquoi continuer en pleine nuit, lorsqu'il est si facile de rebrousser chemin sur les cordes fixes et d'arriver sans encombre au camp 3? Comment peut-il être si inconscient des risques qu'il court lui-même et de ce qu'il fait subir aux autres? Son entêtement ne peut que mettre sa propre vie en péril, et éventuellement la nôtre puisque nous devons aller le chercher. La nuit, les risques sont décuplés. Et même si nous connaissons déjà le terrain, nous risquons de nous égarer, de perdre pied ou de geler à mort sur place. Compte tenu de notre état de fatigue avancé, la dépense d'énergie nécessaire pour tenter de le retrouver risque de mettre un terme définitif à notre entreprise plus que fragile. Lui qui a à peine réussi à dépasser le niveau du camp 2 lors de sa tentative solitaire et qui n'a presque pas contribué à l'installation des camps ni au travail de l'équipe, il n'a pas le droit de compromettre ainsi nos chances de succès par son étourderie. La colère me gagne petit à petit.

Gary aurait dû rebrousser chemin quand il en était encore temps. Mais éprouver de la colère consomme une énergie précieuse qu'ici je n'ai pas le droit de gaspiller. Même si mes récriminations me semblent fondées, pour le moment il y va de la vie d'un homme et toute autre considération devient superflue. Nous discutons à 4, à travers la toile des tentes, des différentes possibilités. La seule qui semble présenter la moindre chance de succès consiste à entreprendre des recherches nous-mêmes et à aller jusqu'à l'endroit où on a vu Gary la dernière fois, c'est-à-dire au pied de l'éperon des Genevois. Nous évaluons qu'il nous faudra un minimum de 3 à 4 heures pour descendre jusque-là, en pleine nuit. Pendant ce temps, aux autres camps, on reste anxieusement à l'écoute de tout développement. À 8 000 mètres, l'organisme ne récupère que très lentement et nos gestes demeurent désespérément apathiques. Je commence par planifier mes actions et je récupère une à une les pièces d'équipement que je me propose d'emporter pour cette sortie improvisée: veste de duvet, mitaines supplémentaires, gourde d'eau chaude, chocolat, pile de rechange pour ma lampe frontale, masque et bouteille d'oxygène pour Gary. Tout en vaquant à mes occupations, je crois entendre à travers mes 2 tuques et mon système à oxygène une voix très lointaine, mais mon cerveau fonctionne au ralenti et ne réagit pas. Je surveille constamment ma montre, effrayé de la lenteur de nos réactions. Barry et les autres ne parviennent pas à bouger plus rapidement. Vers 1 h 30, tout est rassemblé et je commence à enfiler mes bottes. Environ 15 minutes plus tard, j'entends distinctement cette fois un faible cri qui vient de l'extérieur. Mark l'a entendu à son tour et réplique. Plus de doute, il s'agit bien de Gary. Ce deuxième appel me rappelle soudain celui que j'avais cru percevoir environ 30 minutes plus tôt mais auquel, trop engourdi, je n'avais pas réagi. En quelques minutes, je suis dehors sans me préoccuper de prendre mon matériel. Une multitude d'étoiles brillent dans le ciel d'un noir d'encre. Je n'en ai jamais vu autant. Le froid me saisit. Une lumière oscille, un peu en contrebas du camp, dans la direction de l'éperon. Le voici! C'est Gary. L'instant d'après, Barry, Mark et Rick me rejoignent et nous avançons aussi vite que nos jambes peuvent nous porter, sans utiliser nos masques à oxygène, vers cette frêle lueur dans la nuit. Nous retrouvons Gary à 200 mètres du camp, gelé et sonné par le manque d'oxygène, mais encore debout. Il titube. Nous le branchons sans délai sur la bonbonne que Barry a apportée. Soutenu par chacun de nous à tour de rôle, il réussit à se rendre en marchant avec hésitation jusqu'aux tentes, qu'il avait presque rejointes de toute façon. Mark et Rick l'y accueillent et lui prodiguent les soins appropriés. Miraculeusement, il n'a aucune engelure et ne souffre d'aucun malaise apparent. Une bonne dose d'oxygène, un breuvage chaud et un sac de couchage sont les remèdes dont il a besoin. Mark s'empresse de contacter les autres camps pour avertir de l'arrivée de Gary sain et sauf. Tout le monde est soulagé que cet épisode se soit terminé sans plus de dégâts.

Il est bien difficile de savoir qui a retrouvé qui. Gary faisait face au campement sans le voir à cause de l'obscurité. Mais il avançait si lentement qu'on peut se demander s'il se serait rendu. Il aurait très bien pu s'effondrer à 100 mètres des tentes ou arriver de lui-même, un peu plus tard durant la nuit. Nul ne saurait le dire. Mais notre intervention, si tardive soit-elle à cause de la faiblesse de notre groupe, aura réussi néanmoins à le tirer d'affaire sans séquelles. Demain, il pourra redescendre en toute sécurité.

Beaucoup plus tard, lorsque chacun sera de retour dans son milieu respectif et fera face aux bilans indispensables après de telles expériences, des déclarations intempestives de part et d'autre dans les journaux américains vont venir ternir ce qui au départ n'était qu'une erreur de jugement. Une petite erreur de jugement, mais qui aurait pu avoir des conséquences désastreuses. Chacun tentera de se justifier. Pour ma part, il n'est nul besoin de justification. Les faits parlent d'eux-mêmes et l'incident est sans lendemain.

Le temps file. Lorsque Gary est rétabli, il est déjà quatre heures du matin. Nous entamons une discussion à savoir si nous allons lancer notre tentative tel que prévu. Rick et Mark demeurent indécis. Barry tient à tout prix à y aller. La température est idéale, et cette accalmie providentielle ne saurait durer. Après bien des hésitations, Rick et Mark nous offrent, avec une très légère pointe de réticence dans la voix, de nous laisser tenter à deux l'aventure, Barry et moi. Barry est prêt, il m'attend, mais seul il n'ira pas. La décision me revient en fin de compte.

Tout à coup, je me sens confronté à un des choix les plus pénibles de ma vie. Attendre une journée de plus peut signifier laisser passer la dernière chance de tenter le sommet si le vent se lève. Il faudra alors redescendre et je suis convaincu de ne pouvoir remonter jusqu'ici une autre fois. Je n'en aurais pas la force.

Mais partir à une heure si tardive est assez risqué. Cela signifie espérer que le vent ne se lève pas au cours de la journée, ce qui est rarissime ici. Est-il raisonnable de courir le risque de nous trouver au sommet ou près du sommet lorsque le blizzard commencera à souffler? Plusieurs n'en sont pas revenus. Cela suppose aussi que nous abandonnions nos 2 compagnons. Je sais combien Mark a travaillé durant toute cette expédition et à quel point il tient à faire partie du premier groupe au sommet. J'ai peur dans ma précipitation de briser le lien de complicité qui s'est créé entre nous. Et surtout, je me demande où je vais trouver suffisamment de forces pour grimper encore 900 mètres pour atteindre le sommet de la plus haute montagne de la planète dans l'état où je me trouve. J'ai somnolé à peine 2 heures dans les dernières 24 heures. Ce repos a été entrecoupé de quintes de toux et de réveils pour boire un peu d'eau. Je me sens encore épuisé de la montée d'hier et la journée qui vient s'annonce aussi dure. Mon organisme se ressent encore de la déshydratation sévère causée par l'effort. J'ai été incapable de boire suffisamment durant la soirée. Ce seul signe devrait me convaincre de ne pas tenter le sort.

J'hésite longuement et je soupèse tous les arguments. Barry attend patiemment, sans faire de pression d'aucune sorte. Je décide en fin de compte de rester et d'attendre au lendemain. Nous irons tous ensemble, ou pas du tout!

Barry n'émet aucun commentaire, aucune protestation. Peut-être a-t-il suivi le même cheminement de pensée et abouti à la même conclusion? Il n'est rien qu'on puisse ajouter. Chacun se recouche et on attend.

Le soleil s'est levé depuis longtemps et l'intérieur des tentes s'est suffisamment réchauffé lorsque nous risquons enfin de mettre le nez hors de nos sacs de couchage. La température à l'intérieur de la tente est presque douce et je peux manipuler facilement les ustensiles à mains nues. Je prépare assez de liquide pour nous réhydrater tous complètement. Je passe la majeure partie de la journée à surveiller le réchaud et à faire fondre la glace que m'apporte Barry. L'oxygène est si rare que la flamme du réchaud s'éteint souvent. Pour obtenir un litre d'eau et l'amener à ébullition, il faut compter près de deux heures. Nous buvons des litres de liquide et je sens mes forces revenir. Il me faudra toute la journée pour remplir d'eau tous les récipients dont nous disposons et préparer les gourdes pour le lendemain.

Vers 10 h 00, Gary, suffisamment remis de son aventure de la veille, nous quitte en nous souhaitant bonne chance et retourne au camp 2, seul. Durant la journée, la température demeure excellente. Aucun nuage ne se présente, et surtout, le vent ne se lève pas. Vers 14 h 00, le soleil particulièrement intense à cette altitude réchauffe l'air dans la tente si bien qu'on peut s'y tenir en sous-vêtements. Quel contraste avec la température d'il y a 2 semaines! J'aimerais que cette journée ne soit pas la seule aussi calme. Le vent reprendra-t-il? La mousson arrivera-t-elle cette nuit ou dans quelques heures?

Tout en vaquant à mes occupations, je scrute attentivement le début de l'arête, et surtout la face d'environ 300 mètres qu'il nous faudra franchir en pleine nuit. J'étudie chaque rocher, chaque pente de neige et de glace. Je tente d'y tracer un itinéraire en prenant des points de repère identifiables dans l'obscurité. De nombreuses fois, je refais le parcours en jaugeant les difficultés et évaluant la durée d'ascension de chaque section.

J'examine aussi les environs immédiats de notre camp et constate à quel point l'endroit où nous nous trouvons est désolé. Autour, on aperçoit quelques carcasses de tentes détruites par le vent, des centaines de bonbonnes d'oxygène abandonnées là par les grimpeurs. Avec l'aide de Mark, Barry réussit à dénicher, dans ce véritable musée des ascensions de l'Everest, quelques bouteilles qui contiennent encore un peu d'oxygène. Sur 20 bonbonnes contrôlées, 1 seule s'ajuste sur notre système. Les autres sont vides ou ne sont pas compatibles avec l'embouchure de nos masques. On peut lire sur ces récipients des mots écrits dans différentes langues: russe, allemand, français, chinois, bien que la majorité portent des inscriptions en anglais. Ici, tout est gelé en permanence. Jamais le mercure ne monte au-dessus de la barre de 0 °C. L'air toujours extrêmement sec et froid préserve le métal de la rouille. Des bouteilles vieilles de plus de 30 ans sont encore comme neuves, si bien que lorsqu'elles contiennent encore de l'oxygène elles restent parfaitement utilisables.

Je me suis même laissé dire, sans y croire tout à fait, que des grimpeurs peu fortunés ne prenaient avec eux que des adaptateurs pour les différents types d'embouchures qu'on retrouve sur les bouteilles. Une fois au col sud, ils cherchent parmi les bonbonnes abandonnées celles qui contiennent encore du gaz sous pression. Ils peuvent alors poursuivre leur ascension ou survivre plus longtemps au quatrième camp. Compter sur cette seule ressource pour assurer son succès ou sa survie me semble à la limite du bon sens. Cela peut très bien se justifier par contre comme élément de sécurité dans le cas d'une ascension sans oxygène. Une ascension est reconnue sans oxygène lorsqu'elle est réalisée sans supplément d'oxygène, ni pour dormir ni pour la progression.

Ces bonbonnes peuvent peser jusqu'à 10 kilos chacune, surtout les plus anciennes. L'effort demandé pour les transporter jusqu'au col sud demeure si grand que personne ne songe — ou n'a de forces pour le faire — à les ramener. Jusqu'à tout récemment, le nombre de bonbonnes abandonnées était malgré tout restreint. Cependant, l'Everest se démocratise de plus en plus. Il y a un engouement important pour l'ascension du plus haut sommet de notre planète. La liste d'attente s'allonge. À l'avenir, il faudra trouver une solution à ce problème jusqu'ici insoluble. Un petit groupe comme le nôtre ne dispose pas des moyens qu'il faudrait mettre en œuvre pour venir à bout de ce casse-tête.

À quelques mètres de nos tentes, il y a même un sherpa étendu dans son sac de couchage, face contre terre. Il est mort dans sa tente en 1988. Lors de la montée jusqu'au col sud de notre premier groupe de quatre grimpeurs, ceux-ci se sont approchés du corps avec appréhension au début. Puis, avec plus

d'assurance, ils ont pris des photos et même filmé sur vidéo, insultant presque celui qui a payé de sa vie l'impertinence d'être monté si haut. Je ne sais trop si c'est par bravade ou pour exorciser la mort que mes compagnons se sont ainsi divertis de la conclusion fatale vécue par un autre. La présence d'un mort si près de soi et qui fut dans une situation comparable à la nôtre rend si tangible sa propre mort qu'il vaut peut-être mieux en rire. C'est un des moyens d'y faire face sans trop se décourager.

Mais aujourd'hui, personne ne songe à braver le destin. Nulle part ailleurs, la notion de cause à effet, le karma des bouddhistes et des Hindous, ne devient aussi évidente qu'à l'approche des plus hauts sommets de la Terre. Chacun est responsable de ses choix et en supporte les conséquences heureuses ou malheureuses. Ici, à 8 000 mètres, aucun hélicoptère, aucune machinerie ne peut venir aider ou soulager l'être humain dans sa tâche. Tout doit être transporté à dos d'hommes. Avec à peine un tiers de l'oxygène disponible au niveau de la mer, la vie de l'organisme humain n'est possible qu'un nombre d'heures limité. Le secours qu'on peut apporter ou attendre d'autrui est des plus réduits. Pour continuer, et surtout pour revenir ensuite de là-haut, il importe de bien sentir ses capacités et de respecter ses limites. On doit décider pour soi uniquement, en tenant compte de ses seules aptitudes. Je m'efforce de garder mon esprit libre de la pression que peut exercer le désir de réussir. La survie est à ce prix. Une parole de Rick, prononcée au cours d'une de nos nombreuses discussions, me revient en mémoire: «Ça ne compte pas tant que t'es pas revenu!»

La chaleur qui règne dans la tente, les litres de liquide et la nourriture que nous réussissons à absorber contribuent à refaire nos forces, à tel point que nous pouvons nous passer d'oxygène pendant de longues périodes sans trop souffrir. La réserve que nous avions prévue pour notre séjour au camp 4 est déjà épuisée. Nous n'avions en effet qu'une petite bouteille par personne. Elle n'a duré que huit heures à peine au débit minimal. Nous avons chacun une seconde bonbonne, mais nous la conservons précieusement pour l'ascension.

Barry a su dénicher à l'extérieur une bouteille d'oxygène à moitié pleine. Nous partageons, lui et moi, la même bouteille grâce à un système de tubes à double embouchure que les sherpas avaient laissé dans la tente, visiblement à notre attention. En ajustant le contrôle de débit au minimum, nous n'avons chacun que la moitié de ce minimum. Pour économiser encore plus l'oxygène, nous ne branchons nos masques qu'à intervalles d'une heure environ: soit une heure avec et une heure sans. Cela nous aide à dormir et à reprendre quelque peu de vigueur avant l'ultime et difficile étape.

Plus l'après-midi avance, plus je sens mes forces revenir. Je profite des quelques heures dont je dispose pour faire différents essais avec le système d'oxygène. Complètement néophyte en la matière, je dois me fier un peu à contrecœur aux recommandations des manufacturiers. En fait, je n'avais jamais vu cet équipement avant de déballer les boîtes au camp de base. Rick, qui a acheté tout le matériel du système d'oxygène d'appoint, nous a transmis les données sur la durée d'utilisation des réservoirs. En théorie, la plus grande des bonbonnes, celle que nous réservons à l'ascension, peut fournir 12 heures d'alimentation en oxygène au débit de 2 litres par minute; 8 heures à 3 litres; 24 heures à 1 litre, etc. Comme nous prévoyons prendre plus de 14 heures pour atteindre le sommet et en revenir, il sera primordial d'économiser son air. Je songe tout à coup que j'aurais dû vérifier plus en profondeur cette information. Je connais l'optimisme de Rick et ne serais pas du tout étonné s'il avait amélioré quelque peu les performances de l'équipement. L'existence d'une inconnue de cette importance me préoccupe. J'utilise ce genre d'appareil pour la première fois et je crains plus que tout de manquer d'oxygène.

Pendant les longs moments d'inaction au cours de l'après-midi, mon esprit échafaude les pires scénarios. J'ai constamment en mémoire les histoires d'horreur que j'ai lues à diverses reprises. Des grimpeurs arrivent au sommet de l'Everest épuisés et à bout de souffle malgré l'usage continu de leur masque à oxygène. La suite du récit, racontée plus souvent qu'autrement par un membre survivant du groupe, décrit le sentiment de panique vécu par un grimpeur au moment où son approvisionnement en oxygène s'interrompt. La bouteille est vide. Suffoqué par l'arrêt brusque de l'air vital, celui-ci se retrouve instantanément sans forces, arrivant à peine à survivre en forçant la respiration. À la limite de ses énergies, il n'arrive pas à redescendre par lui-même. S'il ne trouve pas dans les plus brefs délais une nouvelle réserve d'air, il risque gros. Ses chances de s'en tirer sont minces. Comme c'est souvent le cas, ses compagnons sont aussi à la limite de leurs forces. C'est la course contre la montre. Il leur faut redescendre avant l'interruption de leur propre réserve d'oxygène. Mais plusieurs grimpeurs ont été contraints de bivouaquer aux environs de 8 400 mètres d'altitude et ont subi de graves engelures. Certains y ont laissé leur peau.

Je prends la ferme résolution de toujours garder le contrôle sur l'appareillage et surtout ne pas m'énerver en cas de pépin. Je conclus que la meilleure stratégie que je puisse adopter est de maintenir l'ajustement du débit le plus près possible du minimum. Il m'importe principalement de résister à l'envie de pousser le cadran au maximum pour obtenir un surcroît d'énergie. La réserve d'oxygène s'épuiserait alors très rapidement, avec les conséquences que je connais.

Arrive le coucher du soleil et le beau temps tient toujours. Aussi loin que porte mon regard, pas de nuages à l'horizon. Le vent n'a pas soufflé de la journée. Serait-ce la fameuse fenêtre de beau temps précédant la mousson? Cette accalmie a duré jusqu'à 5 jours certaines années. Que ce temps tienne encore 18 heures, c'est tout ce qu'il nous faut. Pourrons-nous arriver jusqu'au sommet? Saurai-je tenir jusque-là?

Je n'ai pas peur. Je ne me demande pas si je vais en revenir. Intérieurement, j'en ai la conviction. Depuis longtemps déjà, j'ai convenu au plus profond de moi-même de revenir vivant. La réflexion que j'ai menée depuis mon arrivée au camp de base n'a fait que confirmer cette décision. J'y vais pour voir si j'en suis capable. J'y vais avec le dessein de me rendre aussi loin que je le pourrai. Mais si, à n'importe quel moment, je me rends compte que j'en ai vraiment assez, j'entamerai aussitôt la descente.

J'ai évalué toutes les options, pris de bonnes résolutions, préparé mon organisme au mieux. Je me sens prêt. Quelque peu rassuré d'avoir fait tout ce qui était en mon pouvoir, je m'étends dans mon sac de couchage pour attendre, avec une certaine anxiété, qu'arrivent 22 h 00. La suite ne m'appartient pas.

21

LE SOMMET

Dans ma vision idéalisée, j'avais imaginé une montée triomphale vers le sommet. La réalité sera tout autre.

Vers 22 h 00, je commence à me préparer. Cette fois, nul besoin de me faire violence pour sortir du sac de couchage. Je suis prêt et pressé d'y aller. J'ai attendu, en essayant de contrôler ma fébrilité, la sonnerie de ma montre. Barry tarde un peu à sortir de son cocon de duvet. Constatant sans doute l'ardeur qui m'anime, il se lève à son tour. Du bruit nous parvient de l'autre tente. On s'y affaire aussi. Cette fois, ça y est. On y va!

Mon sac est prêt depuis longtemps. J'ai disposé chaque pièce de vêtement et d'équipement pour accélérer ma préparation. Il me faut quand même plus d'une heure pour m'habiller et enfiler mes bottes doubles. Altitude oblige! Pendant ce temps, le réchaud tiédit l'eau qui avait déjà commencé à geler dans la gamelle. À tout moment, je dois m'arrêter pour reprendre mon souffle, me rappelant à juste titre la mesure à garder dans les gestes et les ambitions. Je me verse un premier bol d'eau. Impossible de manger. Je me décide à prendre les capsules d'algues que j'avais gardées précisément pour cette occasion. C'est le moment ou jamais. J'avale toute la boîte: une quarantaine de capsules. Je déglutis difficilement. Je prends plusieurs tasses d'eau. Je me force à boire jusqu'à l'écœurement de cette eau presque froide au goût vague de thé. J'espère que les algues me prodigueront une fois de plus leurs bienfaits. Je branche enfin ma bouteille d'oxygène neuve, tout juste avant de sortir de la tente. Ça y est. Barry aussi est prêt.

À minuit juste, nous quittons notre abri sécurisant pour plonger dans la nuit glaciale à 8 000 mètres d'altitude. Mark et Rick sont déjà dehors. Le faisceau de leurs lampes frontales perce

217

l'obscurité. Je suffoque tellement l'air froid me gèle l'intérieur en pénétrant dans mes poumons. Heureusement, j'avais placé crampons et piolet près de la tente et je les retrouve immédiatement. Sans perdre une seconde, j'ajuste les crampons à mes bottes et je me mets en route. Même si je porte cinq épaisseurs de vêtements sous ma combinaison isolante, dont une veste de duvet, au moindre arrêt, le froid engourdit tous mes muscles. La démarche hésitante au début, je me dirige vers les petits points lumineux qui me précèdent de quelques minutes. Mark et Barry ont bouclé leurs crampons plus rapidement et pris un peu d'avance. Il fait nuit noire et nos frontales n'éclairent que quelques mètres devant nous. La lune n'est pas encore levée et la paroi que nous devons escalader se dessine face à nous, gigantesque pyramide obscure qui se découpe dans le ciel étoilé. Seuls les couloirs de neige qui traversent cette paroi que j'ai étudiée avec minutie durant la journée jettent une lueur blafarde, irréelle. Toute mon attention est attirée par la pente phosphorescente, étroite allée inclinée à 45 ° et longue de plus d'une centaine de mètres, qui se perd dans les rochers sombres en haut de la paroi.

Les premiers 100 mètres de la longue plate-forme du col sud franchis, nous atteignons un petit glacier au pied de la face. En plein jour, nous nous serions moqués de cette difficulté. En fait, nous ne l'aurions même pas considérée comme un obstacle. Le tout ressemble au glacier qui entoure le camp 2: de douces collines de glace avec quelques crevasses dispersées çà et là. Lors de nos multiples traversées de cette zone pour nous rendre au camp 3, nous ne ralentissions pas le rythme de la marche ni même celui de la conversation!

Mais la nuit, tout prend une autre allure. Nos lampes frontales ne produisent qu'un faisceau d'environ deux mètres de diamètre et ne nous permettent d'anticiper le parcours que pour deux ou trois pas à la fois. La plus petite fissure devient un abîme noir qui se perd dans l'obscurité. À chaque nouvel obstacle, nous hésitons quant à la marche à suivre. Plusieurs fois, nous nous arrêtons. Faut-il contourner cette crevasse par la gauche ou la droite? L'instinct plus que la raison guide nos pas.

Le glacier est court et rapidement nous atteignons le début de la pente. Entre-temps, j'ai rejoint Mark et Barry. Rick nous suit de loin. Avant d'aborder la montée, nous arrêtons pour vérifier l'ajustement de notre système d'alimentation en oxygène.

Mark et Barry ajustent leur appareil à deux litres, mais je décide de garder le mien à un litre et de rester dans la trace pour épargner de l'énergie et du gaz vital. J'augmenterai le réglage lorsque ce sera mon tour de faire la trace.

J'entame avec conviction la montée de la pente dans les traces de Mark. Je renoue avec plaisir avec les mouvements de l'escalade: la liberté, l'équilibre, la stabilité et le contrôle parfait de soi dans un environnement où tout voudrait nous imposer le contraire. Nous n'avons pas pris de corde. Les points d'ancrage sont rares, voire inexistants. En installer pour s'assurer demanderait beaucoup trop de temps. Il devrait y avoir des bouts de cordes fixes aux endroits clés. Je n'accepte que très rarement, en fait presque jamais, de m'encorder avec un autre pour grimper sans assurance. Dans ces pentes très abruptes, la chute de l'un entraînerait presque à coup sûr celle de l'autre. À chacun la responsabilité de sa vie: ici, je considère que c'est la seule façon de procéder. La sécurité de la progression de deux grimpeurs encordés, mais sans points d'ancrage, ne serait qu'illusoire. Il serait si tentant et facile prêter foi à cette illusion et ainsi de relâcher quelques instants sa concentration. Dans ces conditions, le moindre faux pas pourrait être le dernier. Nous ne pouvons nous permettre le moindre relâchement. Paradoxalement, l'avancée se réalise en équipe. C'est l'expérience ultime que j'apprécie par-dessus tout: évoluer aux limites de ses capacités personnelles, reculer ces limites, en partageant cette expérience avec d'autres qui vivent la même en même temps. C'est une communion unique vécue dans une apparente solitude.

Pendant que j'aborde le début de ce qui doit être le dernier jour d'escalade de cette expédition, je sens l'euphorie me gagner. J'entame l'étape finale de cette course contre la mousson, contre le manque d'approvisionnement, contre l'épuisement, contre le découragement. L'énergie circule bien et je suis en pleine possession de mes moyens. Mais rien n'est encore gagné, la journée sera longue...

Mark et moi passons devant Barry. Nous prenons rapidement de l'altitude. Rick n'est plus qu'un point lumineux très loin derrière nous. Nous franchissons quelques dizaines de mètres à bonne allure, puis je prends la tête. Je me retrouve devant, pour la première fois en terrain vierge, dans la neige fraîche, à décider de la route à suivre. La lune s'est levée. On y voit un peu mieux. Au loin, probablement à plus d'une centaine de kilomètres, un orage isolé illumine le ciel d'éclairs. J'espère qu'il ne déménagera pas par ici. Partout ailleurs, les étoiles tapissent un ciel d'un noir abyssal.

La position de tête me donne des ailes et, même en faisant la trace, je parviens à distancer Mark quelque peu. Plusieurs minutes plus tard, je songe à tempérer mes ardeurs. Je suis un peu surpris de ne pas ressentir plus douloureusement l'appauvrissement de l'oxygène en gagnant de l'altitude. Je garde le réglage de mon système au minimum. La neige peu profonde me permet d'avancer assez rapidement. En haut de la paroi de 100 mètres, un énorme gendarme de rocher barre la route et nous oblige à faire une longue traversée vers la droite pour rejoindre l'arête sommitale.

Deux autres bandes de rochers barrent cette traversée et j'hésite quelques instants avant de découvrir une faiblesse dans la première section de rocher. Il me faut recourir à toutes mes notions d'équilibre pour franchir ce premier passage. Les crampons s'appuient sur la roche pendant que les mains, malhabiles sous d'épaisses mitaines, déblaient des prises qui servent tout autant à agripper les doigts qu'à placer les pointes des crampons. Je m'assure que chaque prise est solide. À chaque mouvement, je m'efforce de retrouver aussitôt une position d'équilibre. Entre les deux sections de rocher, la neige commence à devenir plus profonde et gêne ma progression. Je jette un coup d'œil à l'arrière et me rends compte que ce dernier obstacle m'empêche d'apercevoir mes compagnons. Je suis seul maintenant, mais je n'ai pas peur. Je n'ai plus d'énergie pour alimenter mes peurs, je les abandonne pour pouvoir continuer. Lentement, graduellement, presque à mon insu, toutes mes ressources se sont canalisées vers la survie et la progression. Un processus inconscient se déclenche. L'esprit et le corps trouvent le mouvement parfait. Suffisamment contrôlé pour soutenir le poids du corps. Suffisamment relâché pour économiser l'énergie. Une difficulté apparaît, une décision s'impose: d'instinct, je prends position, sans intervention de ma volonté propre.

Le deuxième mur de rocher s'annonce plus difficile à franchir. J'identifie une vague fissure, mais je ne peux me résoudre à y monter tant les prises sont petites et l'angle redressé. J'avance péniblement dans la neige molle sur plusieurs mètres à la recherche d'une faiblesse dans la paroi continue, mais je dois finalement me résoudre au fait que cette fissure offre le seul passage possible. Il fait encore trop noir pour chercher un autre chemin. Sans hésiter, j'entreprends de franchir l'obstacle. Comme j'en ai pris l'habitude dans des passages particulièrement difficiles, je décode chaque mouvement et enregistre mentalement le geste inverse afin de pouvoir dégrimper le passage si je bloque en cours de route. En prenant appui avec mes crampons sur de minuscules réglettes, les mains crispées sur des prises fuyantes, je parviens à me hisser lentement jusqu'à pouvoir agripper le rebord de la paroi. Le mouvement le plus difficile reste à faire: un rétablissement* sur une étroite corniche. Je déblaie de la main un grand trou dans la neige pour sortir enfin de ce passage délicat. Debout sur un minuscule perchoir, appuyé sur la neige de la pente qui se poursuit dans la nuit, je reste de longues minutes à reprendre mon souffle.

Au moment où je quitte ma position pour continuer vers le haut, je vois apparaître la lueur d'une lampe frontale au-delà du premier mur. Je reprends la montée, cette fois dans une neige molle de plus en plus profonde. J'enfonce à chaque pas jusqu'au genou et mon allure ralentit considérablement. Mark me rejoint après ce qui me semble avoir pris des heures. En fait, il ne s'est écoulé qu'une demi-heure tout au plus entre le moment où j'ai aperçu la lampe de Mark et celui où il m'a rejoint. La tension nerveuse était si forte dans ces derniers passages que mon cerveau demeure paralysé un long moment après l'épreuve. Le temps même me semble perdre de sa consistance. Je laisse Mark passer devant, trop heureux de pouvoir enfin suivre dans la trace et me reposer après cet effort intense. Je décide qu'il est temps d'augmenter d'un cran mon taux d'alimentation en oxygène. Je récupère rapidement derrière Mark. Je ne sais si c'est l'augmentation de l'oxygène ou le fait que le chemin soit tracé par un autre qui explique mon regain d'énergie, mais je suis en mesure de reprendre la tête après que Mark se soit battu pendant de longues minutes avec de la neige presque jusqu'à la taille. Nous changeons régulièrement de position en tête jusqu'à ce que nous atteignions le sommet de cette pente. Pendant plus d'une centaine de mètres, la neige demeure très profonde et il faut faire appel à toute sa volonté lorsque vient son tour de passer en avant. Derrière nous, une véritable tranchée marque notre passage. Nous débouchons au haut de la pente, à environ 8 400 mètres, et rejoignons l'arête qui mène au sommet sud, à 8 750 mètres, au moment même où le soleil se lève.

Il est quatre heures. L'astre du matin se lève en bas de notre position, nous sommes sur la plus haute montagne de la planète

Terre. Pendant quelques minutes, les sommets environnants se teintent de rose et de jaune. Le spectacle féerique ne dure pas. Les teintes s'estompent, happées par le soleil aveuglant. Nos yeux brûlent. Il faut mettre nos lunettes. Mais l'air est si ténu que le soleil nous réchauffe à peine. Je ne m'arrête que peu de temps pour prendre des photos. Sentant le froid me gagner lentement, je repars aussitôt. Je ne veux pas que s'affaiblisse ma volonté de poursuivre et je ne me permets aucune pensée contraire.

Devant moi, se profile la longue arête qui mène au sommet sud. Le sommet véritable demeure encore caché à notre vue. Les premiers 100 mètres de l'arête sont exposés aux vents dominants. La montée est graduelle et devient facile sur une neige durcie. Je reprends mon rythme et distance quelque peu Mark. Puis, la voie oblique vers la droite et le rocher se dénude. J'hésite quelques instants puis je tente de grimper ces plaques de rocher inclinées qui offrent peu de prise. Devant la difficulté, je décide plutôt de tenter de remonter la pente de neige très abrupte qui borde l'arête sur la droite. Je m'enfonce aussitôt dans 30 centimètres d'une neige inconsistante et mes crampons raclent le rocher compact. Je m'efforce de prendre appui dans cette neige instable en m'aidant des mains. Je gagne progressivement de l'altitude. Les mouvements répétitifs deviennent presque monotones. La pente n'est pas assez escarpée pour exiger le maximum de concentration, pas assez facile pour être agréable. Mes gestes doivent être parfaitement contrôlés et intégrés pour conserver mon énergie.

Remontant les dalles de rocher ou la pente de neige selon l'option qui offre le plus de facilité, je me rapproche de plus en plus du sommet sud. L'excitation de la réussite probable commence à s'émousser et la fatigue me gagne. Je ralentis le rythme et Mark me rejoint une fois de plus. Nous atteignons ensemble le sommet sud. Il est 6 h 30. Nous grimpons depuis plus de 6 heures sans une pause, à plus de 8 000 mètres d'altitude. Nous faisons un arrêt pour boire une gorgée d'eau, appeler au camp de base et indiquer notre position. Nous les sentons excités de nous savoir si près du but. Plus tard, nos apprendrons qu'un petit groupe s'est occupé de faire brûler du genévrier la majeure partie de la nuit, afin de bien disposer les dieux à notre égard. Puis, dirigés par John Villachica, ils se sont installés avec le télescope à un demi-kilomètre environ de notre camp de base pour observer notre progression.

Oui, nous sommes tout près du but, mais en même temps si loin. Je ne peux m'empêcher de regarder avec appréhension la dernière difficulté: l'arête qui relie le sommet sud et le véritable sommet de l'Everest. Une longue échine effilée au sommet de deux parois abruptes. À droite, la face Kangshung de l'Everest plonge vers le Tibet sur le glacier du même nom, 3 000 mètres sous notre position. À gauche, la face sud-ouest de l'Everest, presque aussi abrupte, surplombe sur plus de 2 000 mètres notre camp 2.

Je commence à ressentir de la fatigue, éprouvé par les difficultés des six dernières heures. Je remonte encore d'un cran l'ajustement de mon système à oxygène. J'estime avoir suffisamment avancé avec un litre par minute pour me permettre pendant quelque temps un débit de trois litres. Les passages les plus ardus restent à franchir. Je débute la traversée, puis je laisse Mark prendre la tête dans cette section. Je le suis pas à pas, m'efforçant de mettre les pieds exactement au même endroit que les siens, rassuré après son passage sur la solidité de l'appui.

L'arête est périlleuse et nous choisissons de la franchir par la gauche, là où l'angle est le moins prononcé. La pente se dresse à 70 ° par endroits. Il faut rester très vigilants pour ne pas perdre pied. Nous traversons plus d'une centaine de mètres en coupant directement dans la pente, 1 ou 2 mètres sous le sommet de l'arête. Nous enfonçons dans la neige jusqu'au rocher sous-jacent.

224

À chaque pas, il faut ancrer le mieux possible son piolet dans la neige inconsistante et maintenir l'équilibre sur les roches branlantes. L'action du gel-dégel n'a que peu d'effet à cette altitude et les pierres, lorsqu'elles se détachent de la paroi, ne sont pas retenues par une gangue de glace. À plusieurs reprises, mon pied vacille sur des cailloux instables et je m'efforce de maintenir malgré tout mon équilibre. Surtout ne précipiter aucun mouvement pour faire plus vite.

En me rapprochant de l'extrémité de la traversée, je commence à me faire une meilleure idée de l'ultime obstacle, le ressaut Hillary. Ce passage a été le point tournant du succès des premiers vainqueurs de l'Everest: Edmund Hillary et Tensing Norgay. Il a depuis été connu sous ce nom en l'honneur du premier être humain à l'avoir franchi. L'année précédente, ce ressaut avait empêché le Suisse Raymond Lambert et le même Tensing Norgay d'atteindre le sommet tant convoité. N'eût été cette difficile barrière, la cordée composée du Suisse et du sherpa aurait probablement atteint son but et écrit ainsi une page d'histoire totalement différente. On peut se demander comment l'avenir se serait dessiné s'ils avaient réussi. Comment se trouverait aujourd'hui le Népal, pays auquel Sir Hillary, ennobli après son exploit par la couronne d'Angleterre, a consacré la majorité de sa vie par la suite. Peut-être ce dernier se sentait-il redevable à cette montagne, à ce pays et à ce peuple sherpa qui lui avaient permis de vivre une expérience unique? La reconnaissance de l'humanité tout entière qui a suivi leur succès sur l'Everest a propulsé instantanément les deux alpinistes au rang de légendes vivantes. Grâce à sa réussite, le Néo-Zélandais Hillary s'est retrouvé doté de moyens infiniment plus efficaces qu'auparavant pour réaliser ses projets. L'aide qu'il a apportée au Népal a permis une ouverture et un développement du pays qui me permettent vraisemblablement d'être ici aujourd'hui.

Ce sentiment de gratitude que j'éprouve face à mes prédécesseurs fait rapidement place à des préoccupations beaucoup plus terre à terre. Le ressaut Hillary est une paroi de rocher d'environ 10 mètres de hauteur par moins de 2 mètres de largeur sur laquelle l'arête que nous venons de traverser se termine. J'ai lu très attentivement le récit de la première ascension qui décrivait en détail ce passage. À droite du rocher, une langue de glace produite par la continuité de la paroi du versant tibétain se prolongeait et formait une cheminée qu'Edmund Hillary a réussi à franchir en appuyant son dos (avec les bonbonnes!) sur la glace et ses crampons sur le rocher. Mais cette année, la saison est beaucoup plus sèche qu'en 1953. Il y a moins de neige et de glace et la fameuse langue de glace n'est plus. Les conditions de neige nous ont avantagés jusqu'ici, mais peuvent nous causer un réel problème sur ce mur de rocher. Heureusement, plusieurs grimpeurs ont franchi cette difficulté avant nous, plus de 300 s'il faut en croire les statistiques tenues scrupuleusement par Mme Elizabeth Hawley, une respectable dame anglaise établie à Katmandou dans les années cinquante.

Des longueurs de corde fixe pendent du haut du mur. Certaines sont à peine plus grosses que de la ficelle à mes yeux. Je suis soulagé lorsque j'aperçois un bout de notre propre corde de huit millimètres, de couleur verte, parmi les sections de cordage décoloré. Celle-ci a dû être installée par les sherpas qui nous ont précédés il y a de cela une semaine. Un peu intimidé par l'aspect rébarbatif du passage, je laisse Mark passer devant. Il empoigne l'amas de corde d'un air décidé. Une main sur le rocher et s'aidant de la corde avec son autre main pour conserver son équilibre et progresser, il remonte lentement le petit mur. Une fois en haut, il me fait signe d'y aller. Sans hésiter, je procède de la même façon pour franchir l'obstacle. Essayant de ne pas trop mettre de poids sur les cordes, je place avec précaution les pointes de mes crampons sur de minuscules aspérités du rocher. Mais la paroi est verticale et le poids de mon corps, additionné à celui de mon sac, me tire fortement vers l'extérieur. Je dois m'agripper aux cordes de toutes les forces de ma main gauche pour ne pas basculer dans le vide. J'hésite encore à y abandonner tout mon poids, me méfiant de la solidité de l'ancrage ou des cordes elles-mêmes. La pensée saugrenue d'envoyer une protestation au fabricant en cas de bris du matériel m'effleure une fraction de seconde. Cela ne me serait d'aucune utilité, sinon à titre posthume, et je souris intérieurement. Partie aussi vite qu'elle est venue, cette image me laisse néanmoins tranquille et je suis plus que soulagé lorsque je rejoins Mark, qui m'attend en haut du ressaut. Dans un dernier effort, je me retrouve à genoux devant lui à tenter de reprendre mon souffle. J'en profite pour étudier la solidité des ancrages. Il nous faudra bien redescendre!

Je ne sais si je dois rire ou pleurer, tellement je me sens ému. Je sais que le sommet ne pourra plus nous échapper. Nous le savons tous les deux. La dernière barrière vient de tomber. J'appréhendais depuis longtemps cet obstacle. Il est derrière nous, sous nos pieds. Atteindre le sommet ne sera plus qu'une formalité à partir d'ici. Je savoure pleinement ces instants, ceux qui précèdent la consécration quand on sait que la réussite est assurée. Je vis au présent cette minute d'éternité.

Je regarde Mark, son visage aux trois quarts couvert par le masque à oxygène et les lunettes de montagne, et je perçois un sourire au coin de ses yeux. Nous nous remettons en marche, lentement, comme si nous avions décidé de prolonger ce bonheur unique. Nous n'osons presque pas parler, pour ne pas briser la magie de l'instant. Parvenu à quelques dizaines de mètres à peine de la cime, je romps bien inutilement le silence. Mark et moi, nous convenons d'un commun accord de fouler le sommet exactement en même temps. Notre entente dépasse largement les mots et nul n'est besoin de rien expliquer pour partager les sentiments de l'autre. Nous apercevons bientôt une bonbonne d'oxygène entourée des drapeaux de prière multicolores que les sherpas ont laissés au sommet en remerciement aux dieux.

La quête est terminée. Nous franchissons les derniers mètres côte à côte. Encore quelques pas faciles pour nous permettre de mieux savourer l'instant. Nous foulons les centimètres carrés les plus significatifs de notre vie. Cette étroite plate-forme de neige et de glace d'un mètre sur quatre continue, au dire des géologues, de s'élever au rythme de quelques centimètres par an.

Le sommet de l'Everest! J'ai peine à y croire. Brusquement, on ne peut aller plus haut. Au-dessus de nos têtes et tout autour, c'est le ciel. De tous côtés, le paysage fuit vers le bas. Je suis soulagé que la montée soit enfin terminée. Nous nous serrons dans les bras l'un de l'autre, encore un peu surpris de la soudaineté de la situation. Mes yeux ne sont pas assez grands. Mon cœur n'est pas assez large. J'éprouve une joie intense, nouvelle, plus parfaite que n'importe quel plaisir connu.

Circonstance plus que remarquable, Mark atteint le sommet du monde le jour même de son anniversaire de naissance. Peut-on souhaiter plus beau cadeau? Je suis heureux de partager cet événement unique avec celui qui, au fil des jours et des épreuves, est devenu un compagnon sûr, un grimpeur sur qui je peux compter entièrement.

Nous enlevons nos masques à oxygène. Sans tarder, Mark sort la radio de son sac et contacte le camp de base. Nous voulons partager notre bonheur avec tous les membres de l'expédition. Cette réussite est aussi la leur. C'est un moment magique:

- Camp de base, camp de base, ici l'équipe du sommet. M'entendez-vous, camp de base?

- Mark, c'est Teresa. Je t'aime. Comment ça va en haut?

- Je ne pourrais pas être mieux. Je suis assis sur le sommet du monde. La vue est magnifique. Nous sommes deux, Yves Laforest et moi. Il n'y a presque pas de vent. Il fait beau. On peut voir des quantités de sommets aux alentours. C'est incroyable. À vous.

La réponse fuse, tout aussi nette. Nous entendons les cris de joie de tout le groupe qui nous écoute à la radio. Ils ont pu observer grâce au télescope notre traversée de toute l'arête sommitale, ainsi que notre ascension du ressaut Hillary. Un épaulement rocheux dans la face sud-ouest cache à leurs yeux l'emplacement exact du sommet sur lequel nous nous trouvons. John Villachica a pris l'appareil. Il est tellement ému qu'il bafouille, cherche ses mots, et nous comprenons à peine ce qu'il veut nous dire.

Mark me passe la radio pour que je puisse à mon tour contacter le camp de base. L'instant est solennel. Avec émotion, je prends l'appareil et pour la première fois depuis le début de l'expédition je m'exprime en français. La voix hachée par le manque d'oxygène, je dois m'arrêter au milieu de chaque phrase:

- Je suis sur le plus haut sommet du monde... J'ai un peu de difficulté à le croire... mais le *feeling* ici est impressionnant. Plus haut que tout ce qui nous entoure. Pas de vent. Incroyable. Tout un travail d'équipe. Je suis bien content d'être là. *Summit team, over.*

Dans un français hésitant appris au *high school* et pratiqué au cours de voyages en France, John Villachica me félicite de ces quelques mots d'encouragement:

«Plus haut que tout ce qui nous entoure!»

- Nous sommes bien heureux que vous soyez en haut de la montagne.

J'aurais voulu que mes premiers mots portent toute la signification et l'intensité de ce que je suis en train de vivre. Je suis encore un peu abasourdi par l'importance de l'instant et par la démesure du paysage. Je ne prends pas encore conscience qu'une porte vient de s'ouvrir. Je voudrais parler, exprimer tout haut ce que je ressens, mais je ne trouve pas les mots. Pendant plusieurs minutes, je reste là, incrédule, à regarder les montagnes qui nous entourent et qui semblent toutes petites de notre point de vue aérien. La joie m'habite. Je suis au sommet de la Terre, à la naissance du vaste ciel. La douleur, le froid, l'absence quasi totale d'oxygène: plus rien de cela n'existe.

Je songe à mes proches, à ceux qui m'ont soutenu, encouragé, qui ont cru en moi, et même à ceux qui ont douté de mes capacités de réussir. Je pense surtout à Fernande, ma compagne, sans qui je ne suis pas du tout sûr que j'aurais réussi. Sa présence m'a entre autres choses apporté la stabilité émotive essentielle au succès. Je pense à ma mère aussi, décédée depuis 12 ans, à l'âge de 49 ans. Je ne pourrai partager avec elle l'aboutissement en tant qu'adulte d'un long cheminement entamé avec bien des agitations au cours de mon adolescence.

229

Puis, mon compagnon et moi nous sortons chacun notre appareil photo et de longues minutes nous employons à immortaliser sur pellicule ces instants magiques. Les montagnes se dévoilent à perte de vue dans toute leur splendeur. Sur la droite, vers le sud, nous apercevons tout près Lhotse et Nuptse, puis Pumori et Ama Dablam. Vus d'ici, tous ces géants que nous avons côtoyés au cours de la marche d'approche nous semblent bizarrement petits. Vers l'ouest et vers l'est, la chaîne de l'Himalaya se poursuit sur des distances que, peu habitués à de telles dimensions, nous avons du mal à évaluer. Je me plais à penser que j'aperçois peut-être, à chaque extrémité de la chaîne, les sommets de Kangchenjunga à l'est et du K2 à l'ouest, respectivement troisième et second plus hauts sommets du globe. Le côté nord présente un aspect totalement différent. Le Tibet est composé de sommets moins élevés, la majorité dans les 6 000 mètres. Presque tout le territoire tibétain qui se découvre à notre vue est de couleur brun foncé, exempt de neige. Je constate, un peu surpris, à quel point la barrière montagneuse bloque le passage à la mousson venue de la plaine de l'Inde au sud. Tous les sommets du versant népalais sont blancs tandis que les précipitations semblent ne pas atteindre l'aride plateau tibétain.

J'en suis à mon deuxième rouleau de pellicule lorsque mon appareil photo se bloque. J'évite de forcer le mécanisme, de peur de l'endommager et de perdre ces photos. Je range mon appareil et rejoins Mark, qui est assis sur son sac à dos, tout près. Il tente de récupérer en respirant dans son masque à oxygène. Je l'imite. Nous discutons un moment et convenons d'attendre ici que Rick et Barry arrivent à leur tour. Un silence quasi religieux s'établit. Chacun de nous puise directement à cette source qu'est le sommet de la montagne le fondement de ses efforts. Je me sens comme suspendu entre ciel et terre. Je me sens comme faisant partie de la Création, de ces montagnes, entièrement, sans frontières entre moi et mon environnement. Totalement uni, accepté, aimé. Combien de temps s'est écoulé? Cinq minutes, 10, 30, une éternité? Je ne sais plus. Mark semble lui aussi perdu dans ses pensées.

J'émerge lentement de cet état et prends bientôt conscience de notre position précaire. La réalité me rattrape. Il ne vente pas beaucoup, mais le froid est intense. L'inactivité des dernières minutes a ralenti mon flux sanguin et je sens tout à coup mes

pieds geler. Je crains les engelures. D'un élan brusque, je me lève et j'annonce à Mark qu'il me faut redescendre sans tarder. Il accepte de m'accompagner et, en un rien de temps, j'ai remis mon sac à dos, réinstallé mon masque à oxygène, et je suis prêt à partir. Nous sommes restés en tout environ 45 minutes sur le sommet: 45 minutes de pur bonheur. Mais il faut déjà redescendre. Avant de quitter, je creuse un trou dans la neige pour y déposer mon offrande à la montagne. Il s'agit d'un petit bijou de cristal qui m'a été offert par Fernande avant mon départ. Je me sens investi d'une mission. Transmettre à la montagne notre reconnaissance et notre respect communs. Les miens et ceux de la femme qui a partagé avec moi cette aventure et qui a eu l'idée de cette offrande. Elle sait, plus que moi-même peut-être, ce que tous les sacrifices que nous nous sommes imposés pour cet instant sublime auront d'effets sur notre vie future. Ma vie ne sera plus jamais la même. Par la pensée, je revivrai cet instant, je revivrai une partie de ce bonheur. Je me connaîtrai mieux, je me comprendrai mieux. Mais cela, je ne le sais pas encore. Je n'éprouve qu'une immense gratitude envers cette montagne de glace et de roc qui m'a permis d'aller au sommet de moi-même.

Une partie de moi quitte à contrecœur le lieu de mon renouveau. L'autre partie prend brutalement conscience de se trouver à un des endroits les plus inhospitaliers de la planète. Je suis tout à coup animé d'un sentiment d'urgence qui ne me quittera véritablement que de retour au camp de base. Je sens qu'il me faut revenir au pied de la montagne le plus rapidement possible, avant de manquer de forces. Il n'y a pas une seconde à perdre.

Un dernier coup d'œil derrière nous et, sans regrets, j'entame d'un pas résolu la descente. Mark emboîte le pas. Progressant à grandes enjambées, nous arrivons en quelques minutes seulement au sommet du ressaut Hillary. Je m'assure de la solidité de l'ancrage et je me laisse glisser rapidement sur les cordes. Nous traversons prudemment en sens inverse l'arête sommitale et atteignons sans encombre le sommet sud à peine 30 minutes après avoir quitté le sommet. Une des sections les plus périlleuses est désormais derrière nous.

Nous faisons une courte pause pour que Mark puisse récupérer la veste de duvet qu'il avait déposée près du sommet sud au cours de la montée. Depuis minuit, je n'ai presque rien avalé. Mon estomac est trop contracté par l'effort. Je ne ressens ni la faim ni la soif. Que l'intense volonté de redescendre au plus vite, avant qu'il ne soit trop tard. Quelques mètres sous le sommet sud, nous rencontrons un de nos compagnons. Il s'agit de Rick. Je suis un peu surpris car je m'attendais à croiser Barry en premier. Rick a devancé Barry au début de l'arête qui mène au sommet sud et ce dernier tire de l'arrière maintenant, sans doute affaibli par la rudesse de l'ascension. Nous encourageons Rick à poursuivre, lui qui est si près du but. Dans moins d'une heure, il devrait atteindre le sommet. Nous le rassurons sur la solidité des cordes du ressaut Hillary et, après avoir posé pour une photo, nous reprenons la descente sans délai. Plusieurs minutes plus tard, nous croisons Barry. Il progresse lentement. On sent qu'il est fatigué, mais il rayonne à l'idée d'atteindre le sommet dans peu de temps. Nous partageons avec lui notre propre joie du succès et renouvelons nos encouragements. Mark lui remet la radio pour que lui et Rick puissent à leur tour contacter le camp de base et partager avec le reste du groupe ce moment si important.

Chacun se retrouve ensuite face à son propre destin. Pour moi, il s'agit de perdre de l'altitude au plus vite. Je me sens faible tout à coup. Pour éviter l'engourdissement des sens, que je sais si sournois, je résiste au désir de m'arrêter. Je vis un tel sentiment d'urgence que, au lieu de ralentir, j'accélère. Au début, Mark me suit pas à pas. Il semble moins affecté que moi. Mais lorsque je force le rythme, il me laisse prendre de la distance.

Par crainte de succomber à la faiblesse, je ne m'accorde aucun répit et je dévale la pente aussi rapidement que mon instinct de survie me le permet. La descente est longue et il faut franchir de nombreux passages difficiles. Je me concentre sur chaque enjambée pour demeurer vigilant malgré la lourdeur qui commence à m'envahir. Je sais qu'un seul faux pas me serait fatal. Je perds rapidement de l'altitude mais je ne ralentis toujours pas. Il est 11 h 00 et j'ai franchi environ la moitié du chemin de retour. Je pense que j'arriverai probablement à redescendre jusqu'au camp 2 aujourd'hui, tel que je l'ai souhaité.

Les deux courtes barrières rocheuses qui m'ont semblé si difficiles à la montée, en pleine noirceur, posent moins de problèmes à la descente. J'hésite un peu dans la première paroi, mais je saute littéralement la seconde et atterris dans l'épaisse couche de neige qui m'a demandé tant d'efforts à la montée. Les conditions de neige de la dernière pente sont excellentes et je me laisse glisser sur le derrière pour gagner encore du temps.

J'arrive sur le glacier du col sud, assuré que le pire est passé. Sans le réaliser d'abord, je relâche quelque peu la concentration et j'arrive à peine à tenir sur mes jambes. J'aperçois les tentes du camp 4 à 200 mètres. Un dernier effort et ça y est. Mais une seconde d'inattention et je m'enfonce soudain jusqu'à la taille dans une étroite crevasse recouverte de neige. Mon émoi ne dure qu'une fraction de seconde et je m'extirpe aisément de là. Je poursuis en scrutant plus attentivement la surface du glacier pour en déceler les faiblesses. Je regagne enfin l'apparente sécurité des tentes à midi et demie. Épuisé, je m'affale sur les sacs de couchage et je reste ainsi immobilisé un long moment. J'ai l'impression que mes forces m'ont quitté complètement. Je peux à peine bouger. Je sors de ma torpeur environ une heure plus tard, lorsque j'entends du bruit provenant de l'autre tente. Mark arrive. Je m'affaire alors lentement à allumer le réchaud pour préparer des boissons chaudes. Ma gorge est tellement sèche et enflée que j'ai de la difficulté à respirer. Tout est gelé et je n'arrive pas à allumer le poêle. Ce n'est qu'après avoir réchauffé quelque temps dans mon sac de couchage le réservoir de carburant que j'arrive à produire enfin une timide flamme et à entamer la fonte de la glace.

Vers 14 h 00, le vent se lève. J'aperçois dehors une silhouette à travers les bourrasques qui soufflent avec de plus en plus d'intensité. Trente minutes plus tard, Rick arrive à son tour au camp. Il nous explique que Barry et lui ont atteint le sommet vers 10 h 00. Comme nous, ils ont contacté le camp de base, pris des photos et, à peine 30 minutes plus tard, entrepris la descente. Rick a alors pris beaucoup de distance d'avec Barry, qui avançait de plus en plus lentement, apparemment à bout de forces.

Nous savons que la réserve d'oxygène dont Barry dispose va s'épuiser bientôt, si ce n'est déjà fait. Les bonbonnes de Rick et de Mark sont déjà vides. La mienne va durer encore une demi-heure, grâce à l'économie que j'en ai fait au début de l'ascension. Inquiets, nous assistons impuissants au commencement de la tempête. Nous sommes trop exténués pour tenter quoi que ce soit, surtout par ce temps. Nous ne pouvons qu'attendre et espérer...

À notre grande surprise à tous, Mike Sinclair arrive au camp 4 au milieu de l'après-midi. Nous n'attendions plus personne en provenance des camps inférieurs. Encore moins pensions-nous que certains songeaient à lancer une seconde tentative vers le sommet. Mike arrive au camp épuisé, tenant à peine sur ses jambes. Il a utilisé presque tout le contenu d'une des grandes bouteilles d'oxygène pour arriver jusqu'ici. C'est le point le plus élevé qu'il pourra atteindre. Nous le savons tous et il le sait aussi. C'est néanmoins une réussite importante pour cet amateur inconditionnel de montagne, qui, s'il avait découvert plus tôt sa passion, aurait pu réaliser de nombreux exploits.

Barry ne rentre toujours pas. Je repense aux confidences qu'il m'a faites un soir, au cours de la marche d'approche. Un de ses frères plus âgé était un alpiniste confirmé. Barry en avait parlé au passé car son frère s'est tué dans les montagnes de l'Himalaya. Il m'avait alors confié à quel point sa mère et sa compagne redoutaient cette expédition à l'Everest, de peur de perdre un autre des leurs.

Barry raconte dans son journal personnel les tourments qu'il a vécus à partir du moment où nous l'avons quitté, tout près du sommet :

« 10 h 00   Rick me précède. Il s'arrête et plante son piolet. Y a-t-il un problème ? Puis, il me voit et me fait

234

de grands signes. Il doit être au sommet. J'essaie de courir pour ces derniers pas. Finalement, ça ne monte plus. Dans chaque direction, on peut voir sur des centaines de kilomètres. Vers le sud, les vallées encaissées et verdoyantes qui s'étirent jusqu'à la plaine du nord de l'Inde. Au nord, l'immense plateau tibétain. On appelle le camp de base, on prend des photos et on jette un dernier coup d'œil avant de redescendre dans la tempête qui arrive. C'est pour ce moment parfait que nous avons tant enduré.

14 h 00   Je suis assis sur une vire sur l'arête sud-est du mont Everest, pris dans une tourmente à 8 300 mètres. La visibilité est presque nulle. Les vents grondent. On dirait un train de marchandises. Quelques heures plus tôt, seul et juste sous le sommet, j'ai pu observer cette tempête se précipiter sur la montagne et entendre le son de mon régulateur à oxygène s'interrompre. À partir de ce moment, la descente a été un cauchemar.

Ralenti par le manque d'oxygène et aveuglé par la neige, je me dois de mettre à profit 20 ans d'expérience de montagne pour solutionner une situation qui est en train de se gâter sérieusement. Les traces qui marquaient l'ascension de ce matin jusqu'au sommet du monde ont rapidement disparu dans la tourmente. La lumière est floue et quelque part, pas loin de cette arête, se trouve un vide de 3 000 mètres jusqu'au Tibet. Je repense à Mick Burke, le célèbre grimpeur britannique qui, en 1975, a disparu pour toujours tout près d'ici. Un peu plus bas, dans notre dernier camp au col sud, les 3 grimpeurs avec qui j'ai atteint le sommet un peu plus tôt dans la journée doivent m'attendre et se demander si je n'ai pas subi le même sort.

16 h 00   Le temps passe rapidement. Si je ne rentre pas au camp avant que la noirceur arrive, ma situation déjà pénible risque de prendre un tournant dramatique. Je commence déjà à sentir mes pieds

s'engourdir à cause du froid et cette tempête ne fait rien pour arranger les choses. Quelque part dans ce blizzard se trouve le couloir que nous avons emprunté avant l'aube pour monter. C'est la seule et unique façon de retrouver les tentes. Malheureusement, je n'ai aucune idée d'où il se trouve. J'aperçois quelque chose du coin de l'œil. Je tombe sur les corps d'un homme et d'une femme parfaitement conservés par le froid. J'ai entendu parler de ces deux-là. Ils ont fait face à leur destin sur cette petite vire quelques minutes après que leur approvisionnement en oxygène se soit interrompu. Je me demande si j'irai les rejoindre, me souvenant tout à coup que le médecin m'avait fortement suggéré, une semaine avant le départ, d'annuler mon voyage lorsqu'elle a trouvé des traces d'anémie dans mon dernier échantillon sanguin. «L'anémie est particulièrement dangereuse dans un lieu comme l'Everest», m'avait-elle dit. Mais je ne m'effraie pas outre mesure de ce mauvais signe. J'ai perdu un frère plus âgé dans l'Himalaya il y a plusieurs années. Je ne laisserai pas la même chose m'arriver. Avec un au revoir poli pour mes infortunés amis, je continue dans le blizzard, souhaitant avoir choisi le chemin qui me ramènera à la maison.

17 h 00 Les conditions commencent à devenir de plus en plus compliquées. La neige est molle, sans consistance, et mes crampons l'emprisonnent et se bourrent. Je dois me tourner, faire face à la pente et descendre de la même façon que je suis monté. Après ce qui m'a semblé une éternité, la pente diminue et je me sens soulagé. Soulagé au-delà de toutes mes expériences antérieures.

17 h 30 Suis-je enfin hors de danger, après avoir marché de si longues heures sur une corde raide tendue entre la vie et la mort? Oui! Pendant un très court instant, les nuages se lèvent. J'aperçois à moins de 200 mètres les tentes du camp 4. Elles

tiennent toujours le coup malgré les efforts des éléments pour les arracher de leur emplacement. Lorsque je titube jusqu'aux tentes, mes compagnons ont perdu l'espoir de me revoir, convaincus que j'avais dû tomber quelque part au cours de la descente. Quand je fais irruption dans la tente avec mes crampons et tout mon attirail, mes forces m'abandonnent. Je n'ai plus besoin de résister.

‹On est bien heureux que tu sois de retour, me dit Mark, manifestement soulagé de me voir arriver. Je commençais à me demander ce que j'étais pour dire à ton père.›

Dans ce moment de triomphe collectif, mes amis et moi, nous nous embrassons et rions. Nous réalisons que nous venons tout juste de survivre à l'Everest.»

Lorsque j'aperçois Barry surgir du blizzard, je pousse un soupir de soulagement. Je ressens à peine de l'apaisement, malgré la conclusion heureuse d'une situation qui aurait pu tourner au drame. Engourdi et épuisé par les heures d'intense concentration, mon esprit ne réussit pas à trouver le calme. Mon corps surtout commence à montrer des signes d'épuisement avancé. Au cours de la montée, je m'étais dit qu'il me faudrait redescendre jusqu'au camp 2 aujourd'hui même. Le retard de Barry m'en a empêché au début. J'étais trop fatigué, de toute façon. Aussitôt entré dans la tente, je me suis effondré, incapable de bouger. Maintenant, il est trop tard. Il va faire nuit dans moins d'une demi-heure.

Les minutes d'émotion vécues lors du retour de notre enfant prodigue terminées, chacun se prépare tant bien que mal à passer la nuit. Après avoir bu le peu d'eau que j'ai réussi à produire durant l'après-midi, Barry s'étend dans son sac de couchage et apparemment s'endort. Le silence s'installe. Pendant un court moment, je songe à descendre jusqu'à l'endroit où j'ai déposé une bonbonne d'oxygène pleine lors de la montée jusqu'au col sud. Elle doit se trouver à 15 minutes à peine des tentes. Mais la tempête fait toujours rage. Emmitouflé dans mon sac de couchage, je n'ose sortir braver une fois de plus les éléments. Je me résigne donc à attendre au lendemain.

Dans l'autre tente, Mark et Rick s'en tirent un peu mieux. Moins épuisé que je ne le suis, Mark résiste mieux à cette troisième nuit à 8 000 mètres. Rick a réussi à dénicher une autre bonbonne dans laquelle il restait un peu d'oxygène et il récupère lentement.

Pour moi, la nuit sera un cauchemar. Je ne peux rester étendu plus d'une quinzaine de minutes. Je ne parviens pas à respirer convenablement. Je dois m'asseoir et forcer l'air à pénétrer dans mes poumons. Après quelques respirations, la sensation d'angoisse s'atténue et je peux me recoucher. Lentement mon souffle se régularise mais, un quart d'heure plus tard, je manque d'air à nouveau. Je me redresse aussitôt pour reprendre les respirations. Ce petit jeu cruel me tient éveillé: couché pour tenter de récupérer, assis pour respirer. Mes muscles commencent à me faire souffrir. Stressées à la limite de l'imaginable pendant de trop longues heures, mes jambes sont torturées de crampes. Indépendantes de ma volonté, elles tressaillent sous mes vêtements. Pendant ce qui me semble des heures, ces convulsions m'épuisent au-delà de ce que j'aurais cru possible. Je consulte sans arrêt ma montre, impatient de voir arriver les premières lueurs du matin et d'entreprendre la descente. Durant ces longues heures d'insomnie, j'entends régulièrement du bruit en provenance de l'extérieur de l'autre tente. C'est Mike qui, malade, sort dehors pour vomir ou se soulager. Je n'arrive pas à me détendre. La présence toute proche d'un compagnon d'infortune plus mal en point que moi ne rend pas ma propre situation à peine plus tolérable.

Barry repose à mes côtés et, lorsque je prête attention, j'entends sa respiration régulière. Son calme apparent accentue encore un peu plus mon anxiété et, une heure avant que le soleil ne se lève, mon sac est bouclé et je suis prêt à partir. Vers quatre heures, je perçois les premières lueurs de l'aube. Sans perdre une seconde, je suis debout, trop heureux d'avoir survécu à cette nuit atroce. Il est impératif que je redescende au plus vite.

Tout le monde est encore dans son sac de couchage. Personne ne bouge. Je prends mon matériel personnel, mon sac de couchage et quelques autres petits trucs que j'ai déjà récupérés. Je ne pourrais porter un sac plus lourd. Je me rends dans la tente voisine pour annoncer à Rick et à Mark mon départ. La veille, un peu avant la nuit, Mark avait commencé à planifier le démontage du camp et le transport du matériel, mais le gros de la tâche était prévu pour ce matin. Me sentant tout à fait incapable de transporter une charge plus importante que celle dont je dispose déjà, je souhaite obtenir l'autorisation de quitter le camp sur-le-champ. Mark me rappelle la nécessité de participer à l'effort collectif de déménagement du camp. Mark et moi sommes dans deux mondes différents. Il est aux prises avec des problèmes d'ordre organisationnel: ramener le matériel, répartir les tâches, planifier les déplacements. Pour ma part, j'ai atteint la dernière de mes limites. Il me faut descendre. MAINTENANT. Dans un ultime effort de conciliation, je lui propose de défrayer de ma poche le coût d'une tente s'ils doivent la laisser là. C'est la seule chose que je puisse faire. Sentant monter en moi un état proche de la panique, Rick accepte de me laisser partir et me dit au revoir. Je n'entends pas ses dernières paroles et je quitte cet endroit désolé sans me retourner.

Mes premiers pas sont hésitants. Je suis à bout. Depuis des semaines, j'ai demandé à mon système de fonctionner en état d'asphyxie constante. Je lui ai demandé de tenir au-delà de ses capacités par moments. Je rassemble mes dernières énergies pour revenir vivant des limites du monde et alors seulement je pourrai me reposer. Il me reste encore un long chemin à parcourir avant de bénéficier de cette détente. Il y a si longtemps que je n'ai pas relâché l'attention, que mon organisme appréhende le repos. Je suis devenu presque intoxiqué par le niveau élevé d'adrénaline que l'intensité des dernières semaines a imposé à mes cellules.

Après quelques minutes, je prends un rythme de progression satisfaisant. Je croise bientôt la fameuse bonbonne d'oxygène qui m'aurait été si utile la nuit passée. Pas une seconde je ne songe à me charger de ce poids, même s'il me serait possible de respirer un surplus d'oxygène grâce au masque que je transporte. Je pense plutôt que l'an prochain, ou l'année d'après, un grimpeur aura peut-être la vie sauve lorsqu'il découvrira cette bouteille. Je retrouve aisément les cordes fixes qui marquent le début de la longue descente de l'éperon des Genevois. Je m'agrippe au mince filin et je me laisse glisser rapidement pour perdre le plus vite possible de l'altitude. Je sens le cuir de la paume de mes mitaines s'user à cause du frottement sur le nylon, mais cela n'a plus d'importance: je m'en sers pour la dernière fois. Lorsque j'aurai quitté le domaine des glaces éternelles, ce sera pour moi l'été.

22

LE RETOUR

La suite de la descente se déroule sans véritable difficulté. Vers 7 h 00, je croise l'emplacement abandonné du camp 3. Un peu avant 10 h 00, j'arrive au camp 2. J'y trouve l'air particulièrement dense. Ce surplus d'oxygène contribue à me revigorer, malgré l'état de faiblesse extrême dans lequel je me trouve. J'aperçois Marc Chauvin dans sa tente et je me dirige vers lui, heureux de revenir d'un si pénible cauchemar. Il est un peu surpris de me voir arriver si tôt. Il s'informe de l'état de nos trois autres compagnons, puis il pense à me féliciter. Gary se trouve aussi au camp 2 depuis son retour un peu précipité du col sud. Il semble déprimé et émet le souhait de quitter les lieux aussitôt que possible. Il me félicite et nous faisons le plan de redescendre ensemble vers le camp de base aussitôt que j'aurai pu avaler quelque chose. Je commence à prendre conscience de l'état d'où je reviens et j'en éprouve une très grande satisfaction. Je pénètre dans la tente-cuisine sous les démonstrations viriles de joie de la part des sherpas. Concha me prépare un chocolat chaud. L'estomac encore crispé, j'avale difficilement le breuvage. Je me force néanmoins. Il y a plus de 40 heures que je n'ai bu quelque chose de chaud. Au bord de la nausée, je n'arrive pas à manger d'aliments solides.

Je récupère tout mon matériel personnel. Ma charge est si lourde que j'ai du mal à mettre mon sac sur mes épaules. Impossible d'en prendre plus. Attendre à demain? Malgré l'effort supplémentaire que cela me demande, je tiens absolument à rentrer sans délai au camp de base. J'ai vécu des moments si pénibles ces derniers jours que j'ai atteint les limites de ma ténacité. Tout ce que je souhaite maintenant, c'est laisser mon organisme se reposer. Je refuse surtout d'avoir à combattre au cours de la nuit les conditions climatiques. Je dois quitter la montagne au plus tôt.

Je repense encore aux demandes exprimées par Mark presque sous la forme d'un commandement. Chacun doit participer au démembrement des camps. Mais mon corps impose à mon esprit ses limites. Je ne suis pas en mesure d'en faire plus. J'estime que les autres comprendront.

Je rassemble les forces qu'il me reste et, vers 13 h 00, je quitte définitivement le camp 2. Gary Scott m'accompagne, transportant lui aussi son matériel personnel, sans plus. Nous progressons ensemble à un rythme honnête et atteignons 1 heure et 30 minutes plus tard le défunt camp 1. Pour négocier la section la plus abrupte et dangereuse du glacier, je reprends la même tactique que plus tôt ce matin. Je me laisse glisser rapidement en empoignant fermement les cordes fixes. Au début, par contre, je me heurte à une crevasse qui, s'étant élargie, n'a plus d'échelle. Je la franchis d'un bond de près de 3 mètres. Le saut est rendu plus facile du fait que la lèvre inférieure de la crevasse se trouve beaucoup plus basse. Une échelle doit être ajoutée ici impérativement avant que le reste du groupe ne redescende, demain ou après-demain. Je pense à ceux qui auront de la difficulté à sauter cet obstacle et se retrouveront pris au piège de longues minutes en plein dans la zone à risque. Je me promets d'y voir dès mon retour au camp de base.

Je prends graduellement de l'avance sur Gary et je me retrouve fin seul dans la partie inférieure du glacier. Cette section est plus ardue à traverser que jamais. L'intensité du soleil de mai a formé des rivières plus profondes et en plus grand nombre. Le glacier est un véritable labyrinthe de crevasses et de cours d'eau tumultueux. Je dois faire un long détour sur la moraine latérale et atteins vers 16 h 00 le camp de base.

Au camp de base aussi, on est un peu surpris de me voir arriver si tôt, mais on me réserve un accueil des plus chaleureux. Brenda et Teresa se montrent soulagées de me trouver encore debout, considérant que la veille encore je me trouvais au sommet de l'Everest. Personnellement, je ne me sens pas en forme du tout. Mais le sommet vu d'ici semble si éloigné, presque un rêve. Plusieurs personnes du groupe de trekking organisé par Brenda se trouvent toujours au camp de base. Chacun tient à me féliciter personnellement et à me serrer la main. Je suis un peu abasourdi d'être ainsi tout à coup le centre d'attraction. Tout le monde est encore dans l'ambiance de la fête lorsque la radio se fait entendre. On reconnaît aisément la voix de Mark:

- Allô, camp de base. Ici le camp 2. Répondez, camp de base.

- Ici John, au camp de base. On vous reçoit très bien. Comment ça va au camp 2?

- Ça va. Avez-vous vu Yves et Gary?

- Yves est arrivé ici vers 16 h 00. Gary le suivait sur le glacier. On ne l'a pas encore vu, mais il ne devrait pas tarder.

Nous prenons tout à coup conscience qu'il y a plus de 1 heure et 30 minutes que je suis arrivé au camp de base et que Gary n'est toujours pas rentré. Quelqu'un remarque qu'il a dû se perdre une fois de plus, ce qui déclenche l'hilarité parmi tout le monde amassé autour du poste de radio.

- Passez-moi donc Yves. Voulez-vous bien me dire ce qu'il peut faire au camp de base à se la couler douce lorsqu'il y a encore tellement de travail à faire ici? Parce qu'il est parti du camp 4 ce matin sans faire sa part, nous avons dû transporter chacun d'entre nous une charge monstrueuse. Il a même fallu abandonner une des tentes au col sud. On arrive ici au camp 2 et il est parti! Passez-le-moi que je lui dise ma façon de penser!

Une douche plus glaciale n'aurait pu tomber sur le camp de base. Un silence sinistre s'installe. Personne n'ose respirer. Je reste moi-même sans voix, ne parvenant pas à formuler les mots qui conviendraient pour expliquer ma situation. Teresa prend l'appareil et vient à ma rescousse face à la colère qu'elle sent monter chez son mari. Au bout d'un moment, la voix de Mark s'apaise et nous convenons que je vienne à leur rencontre demain pour leur donner un coup de main. Au passage, je placerai une échelle à l'endroit où cette nouvelle crevasse s'est formée et m'a obligé à une acrobatie aérienne périlleuse. L'équipe de sherpas chargée de maintenir le passage ouvert sur le glacier ayant terminé son travail le 15 mai (nous nous étions entendus, il y a plus d'une semaine, sur la date ultime au-delà de laquelle le glacier ne serait plus entretenu), nous devons nous-mêmes nous en occuper.

L'ambiance n'est plus du tout à la fête, c'est le moins que l'on puisse dire. Chacun regagne sa tente afin de se préparer pour le repas du soir. Épuisé physiquement et moralement, j'ai les émotions à fleur de peau. Cet épisode peu glorieux m'a donné un choc. Être corrigé aussi sèchement devant tout le monde a heurté mon amour-propre. En y repensant plus clairement, je suis sûr de n'avoir ni exploité ni dupé mes compagnons. Soucieux de maintenir une bonne entente, je m'engage à en discuter avec Mark à la première occasion.

Gary rentre au camp au milieu du souper, quelques minutes à peine avant que la nuit ne s'installe tout à fait. Il s'est égaré dans le dédale des rivières et a perdu un temps fou à retrouver sa route. Nous sommes heureux qu'il soit rentré. Ses sorties nous ont fait vivre assez d'émotions.

Après un repas excellent, je me couche presque avec ravissement sur un matelas confortable. Le sommeil vient sans aucune peine et je passe la meilleure nuit depuis longtemps. Au matin, j'ai récupéré quelques forces et, après un solide déjeuner, j'envisage sans trop d'hésitation de remonter sur le glacier. Les jambes un peu tremblantes au début, je retrouve un peu de mon assurance aussitôt arrivé dans la zone dangereuse. À la descente, j'avais repéré des échelles libres déposées par les sherpas en cas de besoin. Je tombe rapidement sur un de ces dépôts, que je dépasse sans m'y arrêter. Plus haut, il y en a d'autres. Trente minutes plus tard, je trouve de nouvelles échelles. Croyant que ce sont les dernières avant la crevasse à équiper, j'en installe une sur mon sac à dos. En tentant de remettre mon sac sur mon dos, j'ai l'impression qu'il est soudé au sol et je n'arrive pas à me relever tellement la charge est lourde. Mes jambes me trahissent et je tombe à genoux, déséquilibré par ce fardeau encombrant. Je modifie la méthode d'attache et j'arrive enfin à me redresser. Je vacille d'abord quelque peu, puis je parviens à trouver l'équilibre avec l'échelle fixée en travers, tout en haut du sac, presque sur les épaules. Mon rythme est ramené à celui d'une tortue et péniblement je me rapproche de la crevasse. Il me faut parfois enfiler l'échelle de côté pour franchir des passages étroits entre les séracs. Le temps passe rapidement et je ne gagne que peu de terrain. Je songe à plusieurs reprises à abandonner, mais je continue en pensant que plusieurs seront peut-être bloqués par cet obstacle infranchissable. Il faut absolument que j'y arrive. Il est presque midi lorsque je croise les sherpas Tshering Lhakpa et Passang Tamang, qui descendent avec de lourdes charges. Passang Tamang tente de m'expliquer quelque chose par signes, mais je n'arrive pas à comprendre. Je m'en veux de ne pas l'avoir compris, car lorsque j'arrive à l'emplacement de la fameuse crevasse, je vois qu'une échelle y a déjà été placée, probablement par eux. Mais cette échelle n'est pas fixée et elle risque de tomber avec celui qui se trouvera dessus. J'en profite donc pour l'attacher solidement. Je suis encore à pied d'œuvre lorsque le reste du groupe arrive. L'échelle couvre à peine le précipice béant. Il aurait fallu en attacher deux bout à bout pour rendre le passage acceptable, mais je ne dispose pas de suffisamment de corde. Tout le monde réussit à passer tant bien que mal en retirant son sac et en me le relayant de l'autre côté. Marc Chauvin trouve l'opération trop lente à son goût et saute carrément l'obstacle. Nous nous regroupons tous en contrebas et nous échangeons les sacs. Je me charge du plus lourd, celui de Marc Chauvin, qui prend celui de Mike, qui à son tour prend le mien presque vide. Un peu plus bas, la section problématique franchie, du renfort nous rejoint. John et deux autres personnes du groupe de trekking sont venus nous accueillir avec de grandes gourdes d'eau fraîche. Familiers de la route, étant donné nos fréquents passages depuis hier, nous réussissons à traverser sans encombre le labyrinthe de rivières tout au bas du glacier.

Nous rentrons tous enfin au camp de base, fatigués, les traits tirés par l'effort excessif des derniers jours, mais victorieux. Libérés de nos sacs, nous nous retrouvons bientôt entourés de visages éclairés d'une joie sincère. On se donne mutuellement l'accolade. Cette fois, c'est bien vrai: tout le monde est revenu au camp de base sain et sauf. Le sommet a été atteint par quatre d'entre nous. La victoire est totale. Enfin presque. Lorsque j'embrasse Marc Chauvin, je fonds en larmes. Le surplus des émotions accumulées se déverse. À travers mes sanglots, je lui dis à quel point j'aurais souhaité qu'il puisse lui aussi atteindre le sommet. Il mérite le succès autant que chacun d'entre nous. Tout se mêle dans ma tête. Je n'arrive plus à y voir clairement. Ma sensibilité est à nu. Je me culpabilise même d'avoir songé à un moment donné qu'il puisse abandonner l'équipe de tête et que je prenne sa place. Je me reprends petit à petit et j'accepte le verdict du destin même s'il paraît injuste parfois.

Un intense sentiment d'exultation gagne tout le monde, irrésistible comme une immense vague de fond. Personne n'y résiste. Par contre, pas de cris de joie, pas de démonstrations exubérantes. Il n'est nul besoin de clamer sa joie. Les visages sont souriants, fatigués mais détendus. Les gestes dénotent la satisfaction du devoir accompli, de la réussite obtenue grâce au travail de chacun dans l'équipe. Les sherpas partagent aussi à leur façon la victoire. Réussir à atteindre le sommet de l'Everest sans aucune perte de vie et même sans accident est un très bon présage. Respectés, les dieux se sont montrés cléments. L'avenir se montre de bon augure pour le jeune sherpa qui ambitionnerait de faire une carrière comme porteur d'altitude ou guide de montagne. Pour le plus âgé, après une vie consacrée au dur labeur en altitude, la retraite semblera douce s'il accepte le verdict de la montagne qui lui a encore une fois refusé de fouler son sommet. Dans le cas contraire, il pourra s'y remettre bientôt.

Une autre fête, celle de la victoire cette fois, est planifiée. Quoique ayant le goût délicieux du succès, cette soirée d'adieu sera moins mémorable que les festivités organisées par Teresa lors de l'arrivée au camp de base. L'ambiance était alors chargée des espoirs de chacun et d'un esprit d'équipe renouvelé par la chaleur des contacts.

Ce soir, nous fêtons la réussite, l'aboutissement d'un grand rêve. Nous profitons pleinement de l'apaisement que cela nous procure, mais demain, la vie continue. Il faudra faire face à d'autres tâches, relever un autre type de défis: démonter et nettoyer le camp de base, redescendre jusqu'à Lukla, puis Katmandou, et revenir à une vie peut-être plus normale, mais sûrement différente et renouvelée.

Je profite d'un moment tranquille pour prendre Mark à part et faire le point sur les événements de la veille. Il convient avec moi que dans l'état proche de l'épuisement total où je me trouvais, il m'ait fallu redescendre sans tarder. Je comprends aussi sa réaction, normale face au surcroît de travail causé par mon désistement. Aucun tort irréparable n'ayant été causé à quiconque, nous décidons de ranger cet épisode désagréable dans la liste des contretemps vécus au cours de notre expédition passablement mouvementée.

Je vais me coucher tôt. Je souhaite être prêt à partir aussitôt que je le pourrai, dès demain si possible. Je suis impatient de rentrer.

Pour la première fois depuis notre arrivée au camp de base il y a 2 mois exactement, le rituel du matin est modifié. Chacun reste couché un peu plus longtemps. Même les sherpas de l'équipe de cuisine démarrent leurs brûleurs plus tard et le déjeuner est servi avec 1 heure de retard. L'atmosphère est détendue et des plans s'échafaudent pour préparer le retour. Sans imposer trop de pression, j'essaie de mon côté d'accélérer les choses. Nous sommes le 18. Nos réservations d'avion, à Mike, Gary et moi, sont pour le 21. Pour atteindre Lukla, il faut compter 3 bonnes journées de marche. Cela veut dire que nous devons partir aujourd'hui même, avant midi, pour couvrir l'étape de la journée.

Il faut avant toute chose nettoyer le camp de base, brûler les déchets combustibles, recueillir les autres ainsi que les cendres et préparer des charges qui seront transportées plus bas dans la vallée, là où on peut les enfuir. Nous sommes les derniers à quitter le camp de base. À notre départ, il ne restera aucune trace de notre passage ni d'aucune autre expédition.

Un problème majeur demeure: le règlement de nos comptes. Nous devons encore payer une bonne partie du salaire des sherpas, ainsi que les colonnes de porteurs dont le coût a été assumé en grande partie par le *sirdar* Urgen. Par un calcul rapide dont il est le seul à avoir le secret, Rick évalue à environ 1 000 $US par personne la cotisation qu'il faudra verser pour boucler le budget. Il prévoit que nous devrons vendre à des prix parfois dérisoires la quasi-totalité de notre matériel de groupe. La cagnotte est vide et il manque encore 8 000 $US. Nous avons investi avant le départ jusqu'au dernier sou dont nous disposions. Chacun essaie de trouver un moyen de produire la somme voulue: vendre son matériel personnel à Namche Bazar ou à Katmandou, emprunter, de retour à Katmandou, avec une carte de crédit pas encore surchargée, ou un mélange des deux.

Il est impératif de régler tous nos comptes avant de quitter le Népal: pas de crédit possible. Aussitôt mon travail effectué, je m'engage formellement à laisser la somme à l'intention de Rick à notre hôtel de Katmandou si jamais je quitte la ville avant leur arrivée. Je peux alors me préparer et quitter sans autre délai le camp de base. Rick et Mark, avec leurs épouses, sont moins pressés de rentrer. Avec Barry et Marc, ils vont compléter le démantèlement du camp et verront à la vente de l'équipement. La majeure partie sera bazardée à Namche Bazar, et le reste écoulé à Katmandou.

Mike et moi devons partir tout de suite pour ne pas manquer notre avion le 21 mai à Lukla. Une fois de plus, le compétent Urgen nous tire d'embarras. Il nous trouve des porteurs pour notre matériel personnel. Ces solides gaillards se chargent des sacs les plus lourds. Nous ne devrions les revoir que dans 3 jours, à Lukla. Il faut apprendre à faire confiance. Les porteurs quittent le camp vers midi, environ une heure avant nous. Après des adieux brefs mais touchants à ces compagnons avec lesquels nous avons partagé joies et souffrances, nous suivons la trace qui nous ramène vers la plaine. Un dernier regard sur les tentes qui ont abrité nos ambitions pendant 2 mois et déjà l'effort de la marche avec un lourd sac de 25 kilos se fait sentir.

Le chemin de retour ne pose pas de difficulté majeure, malgré les longues journées que nous devons faire pour rallier notre destination à temps. Mike et moi restons ébahis plusieurs minutes devant les premières petites fleurs que nous rencontrons à Lobuche. Notre paysage se résume depuis si longtemps à de la roche et de la glace que les plateaux arides couverts de buissons et de minuscules fleurs en cette fin de mai nous paraissent luxuriants. Les rhododendrons sont en fleurs à Tyangboche et nous prenons de nombreuses photos dans ce décor enchanteur. L'air est de plus en plus dense et doux à mesure que l'on perd de l'altitude, ce qui fait qu'on peut presser le pas. Épuisés mais contents, nous rejoignons Lukla en fin de journée du 20 mai. Gary nous y attend, lui qui était parti une journée avant nous.

Tout s'arrange pour le mieux, enfin presque. Nos sièges d'avion sont réservés pour le retour vers Katmandou. À l'heure dite, le temps est clair et l'avion se pose sans problème sur la courte piste toujours aussi pentue. La capacité de chargement des Twin Otter étant limitée, il nous faut laisser une partie de nos bagages à Lukla dans les mains d'un représentant de l'agence de trekking qui a négocié les permis en notre nom depuis les tout débuts de l'aventure. Il nous affirme pouvoir les placer sur un des vols suivants au cours de la journée et les faire transporter directement à notre hôtel à Katmandou. Je laisse un de mes sacs, à peine inquiet de son sort. Je suis trop heureux de rentrer. Je ne reverrai ce sac et son contenu que trois mois plus tard.

L'histoire de ce sac comporte de nombreux rebondissements et m'a causé bien des soucis. Je me suis rendu compte, une fois de retour à Montréal, qu'il contenait tous les films que j'ai utilisés durant l'expédition. Les 1 200 photos que j'ai prises au cours de l'aventure sont égarées. Pendant 6 semaines, personne ne sait où se trouve ce sac. L'histoire s'éclaicit lorsque Urgen (encore lui!) retrouve enfin le sac et son contenu intact. Les sacs sont effectivement arrivés plus tard, la même journée que nous, à Katmandou. Ils ont alors été livrés par un travailleur de l'agence de trekking à l'hôtel où séjournait Gary Scott. Celui-ci avait opté pour un établissement un peu moins bon marché que Mike et moi. Voyant mon sac avec les siens, il demanda au porteur de me le livrer à mon propre hôtel. Ce dernier s'acquitta de sa tâche, à ce détail près qu'il transporta le sac dans un établissement différent, au nom presque identique, mais dans un autre coin de la ville. Personne ne connaissait de Laforest à cet endroit. Le sac a alors été déposé à la consigne de l'endroit. «Le propriétaire du colis se montrera bien tôt ou tard», a-t-on pensé. Il était irrémédiablement perdu jusqu'à ce que Urgen ait la brillante idée d'aller jeter un coup d'œil à l'hôtel dont l'appellation a causé cette méprise. Je ne me doutais pas moi-même à ce moment-là que ce sac contenait toutes mes précieuses photos, car j'avais mes appareils photo dans un autre sac. Un fois retrouvé au cœur de Katmandou, le sac a connu encore bien des péripéties avant que je le récupère à Montréal le 28 août.

Mais tout ça n'est encore qu'un futur possible lorsque, le cœur léger, je prends l'avion pour revenir à Katmandou et me rapprocher des miens. J'observe attentivement, le nez collé au hublot, les villages à flanc de montagne. Les larges terrasses grignotées par l'homme à la sueur de son front sont verdoyantes, lourdes des promesses de récoltes abondantes. J'imagine les paysans bénissant les dieux d'envoyer cette année encore la mousson qui fera pousser légumes et céréales. Si la récolte est bonne à l'automne, peut-être le paysan pourra-t-il accueillir des trekkers dans sa maison. En échange du gîte et du couvert, il obtiendra quelques roupies et pourra améliorer ainsi sa maigre pitance. Les sommets de l'Himalaya surplombent ces champs où chaque saison se joue la survie d'un peuple. Ils demeurent toujours aussi majestueux. Plus encore désormais à mes yeux. Je suis heureux.

À mon retour, j'ai retrouvé dans la poésie tout le sens de ma quête et de mon amour de la montagne:

«Je ne parlerai pas, je ne penserai rien
Mais l'amour infini me montera dans l'âme.»

(RIMBAUD, SENSATION)

- L'ÉQUIPE -

Rick Wilcox

Chef d'expédition, propriétaire d'une boutique de matériel de sport et d'une école d'escalade, International Mountain Equipment, à North Conway, New Hampshire. À 43 ans, Rick a plus de 20 ans d'expérience en montagne et a organisé nombre d'expéditions et de randonnées de trekking dans l'Himalaya, les Andes, et en Alaska. La liste non exhaustive de ses ascensions inclut Ngojomba Khan (7 800 mètres), Aconcagua (6 959 mètres), Huascaran (6 768 mètres), McKinley (6 195 mètres), ainsi que des tentatives au Makalu (8 481 mètres) et au Cho Oyu (8 153 mètres).

Mark Richey

Chef-adjoint de l'expédition, responsable de l'escalade. Un des grimpeurs les plus prolifiques de l'Est des États-Unis. Déjà à 16 ans, il a grimpé le fameux El Capitan, paroi verticale de 1 000 mètres dans la vallée de Yosemite, en Californie. En 3 semaines, au cours de l'été 1981, il réussit les 3 grandes faces nord des Alpes: l'Eiger, le Matterhorn et les Grandes Jorasses, en plus du pilier Freney au mont Blanc. En 1983, il réalisa la première ascension de la face est de Cayesh, la voie la plus difficile des Andes à ce moment. Il n'y a pas

251

eu d'autre ascension de cette voie depuis. Mark a participé avec Rick a une expédition au Cho Oyu en 1988. Bien qu'ils n'aient pas atteint le sommet, ayant dû rebrousser chemin 200 mètres avant d'y arriver, ils ont fait l'ascension d'un sommet voisin, le Ngojomba Khan.

Marc Chauvin

Guide de montagne et directeur des expéditions à l'école d'escalade International Mountain Equipment depuis 1978. Marc a 32 ans. Il a guidé des groupes aux sommets du McKinley et de l'Aconcagua, respectivement les plus hauts sommets en Amérique du Nord et du Sud. Il a aussi été guide dans les Alpes, en Bolivie et en Équateur. Depuis 1989, il fait partie du comité d'accréditation de l'American Mountain Guide Association.

Yves Laforest

Ingénieur, alpiniste et formateur. Après des débuts en escalade plutôt lents, à 20 ans, Yves découvre les Rocheuses canadiennes en 1981 et franchit rapidement les étapes qui l'amèneront sur des sommets de plus en plus hauts et difficiles. En 1983, au cours d'une seule saison dans les Andes péruviennes, il fait l'ascension de l'Alpamayo (5 947 mètres), ouvre une nouvelle voie avec Gérard Bourbonnais dans la difficile face sud de Taulliraju (5 830 mètres), réalise en solo la première ascension de la très difficile face sud de Piramide (5 885 mètres) et gravit l'éperon ouest du Huascaran (6 768 mètres). Il revient l'année suivante au Huascaran pour grimper en solo une autre voie difficile, le *Shield*. Âgé de 35 ans, Yves enseigne l'escalade depuis 15 ans et forme des moniteurs en escalade pour la Fédération québécoise de la montagne depuis 1988.

Barry Rugo

Barry est un grimpeur de 32 ans très actif depuis ses débuts en 1973. Il est devenu un expert de toutes les facettes du sport. Il a réussi plusieurs des ascensions les plus difficiles en Amérique du Nord, dont El Capitan, Half Dome et Diamond. Il est l'un des piliers de la communauté des grimpeurs de la Nouvelle-Angleterre. Barry a aussi à son crédit l'ascension de plusieurs sommets dans les Andes péruviennes et les Rocheuses canadiennes, parmi lesquels figure le mont Clémenceau, qui est rarement grimpé. Au Québec, il a fait l'ascension de la Pomme d'Or, une voie de glace d'environ 300 mètres, avec ses confrères de l'Everest Mark Richey et Yves Laforest.

Gary Scott

Gary a 34 ans. Il a acquis son expérience en Nouvelle-Angleterre, il y a plus de 15 ans. Il a voyagé à la grandeur de l'Amérique, du sud au nord, et a fait l'ascension de ses plus hauts sommets. Il a réalisé l'ascension du mont McKinley en Alaska en moins de 24 heures. Il a vécu plus de 2 années au Népal, à guider randonneurs et grimpeurs dans les montagnes de l'Himalaya.

Dr Richard St-Onge

D'origine québécoise, Richard est affublé du diminutif Dick par ses compatriotes américains. Il a 45 ans. Il a commencé à grimper en Écosse dans les années soixante-dix, pendant ses études en chirurgie. Il a grimpé depuis plusieurs voies dans les Alpes et aux États-Unis. Sa plus belle réussite demeure la première ascension américaine de Himal Chuli (7 893 mètres), au Népal, en 1984. Malgré de nombreuses tentatives, ce sommet n'a pas été gravi depuis. Dick est un médecin diplômé des universités Harvard et Yale.

Dr Michael Sinclair

Mike a 49 ans. Il a débuté l'escalade à l'âge de 40 ans. Il a été très actif malgré un départ quelque peu tardif. Il a grimpé régulièrement dans les États de New York et du New Hampshire, au Québec, deux fois en Alaska, ainsi que dans la Cordillère des Andes au Pérou. Il était le seul membre de notre groupe à avoir déjà tenté l'Everest. Il a participé à une expédition avec un groupe d'Américains sur le versant nord, côté chinois, en 1988. Ayant dû rebrousser chemin une seconde fois sur l'Everest, cette fois à 8 000 mètres, Mike est de retour sur la montagne au printemps de 1993 et atteint finalement le sommet puis en redescend de justesse grâce au dévouement d'un sherpa.

John Villachica

Responsable du camp de base. Originaire du Colorado, John est mécanicien-entrepreneur et possède sa propre entreprise de remise à neuf de camionnettes tout-terrain. John, qui a 24 ans, est un grimpeur et un randonneur en plus d'être un travailleur débrouillard et efficace. Il saura mener à bien la tâche parfois difficile et ingrate qui lui incombe.

| Jane Gindin | Journaliste pigiste. Jeune femme de 27 ans possédant de l'expérience de randonnée dans les Rocheuses de l'Ouest américain. Des problèmes respiratoires l'ont tenue à l'écart du camp de base une bonne partie de l'expédition. |

Les sherpas utilisent le calendrier tibétain, qui, contrairement au calendrier romain, ne comporte pas de chiffres. Les années portent des noms d'animaux: année du cheval, du tigre, du bœuf, de l'oiseau, du serpent, etc. Il y en a 12 en tout, ce qui donne des cycles de 12 ans. L'année débute à la mi-février. Puisque les sherpas accordent peu d'importance à la date de leur naissance et ne fêtent pas leur anniversaire, il est difficile de connaître l'âge exact qu'ils ont. «Je suis né l'année du cheval.» L'âge que je leur ai attribué ne peut donc être qu'approximatif.

| Urgen Sherpa | À 34 ans, Urgen a gravi tous les échelons de la hiérarchie, à partir d'aide-cuisinier dans une expédition organisée par Rick en 1985, jusqu'à *sirdar* de notre expédition Everest 1991. Urgen, grâce à sa vive intelligence et à son talent d'organisateur hors pair, a pu s'acquitter avec succès de ses tâches et de ce fait est devenu un participant très important dans la réussite de notre aventure. |

| Ang Nima | Porteur de haute altitude. Doyen du groupe, à 50 ans, il a à son crédit plus d'une quinzaine d'expéditions à l'Everest avec des grimpeurs de toutes nationalités. Il est très expérimenté, connaît parfaitement le terrain et réussit à faire un excellent travail et à suivre le rythme des plus jeunes. |

Ang Passang

Porteur de haute altitude. À l'instar de beaucoup de sherpas, Ang Passang, 32 ans, a choisi ce métier comme source principale de revenus pour lui et sa famille.

Passang Tamang

Porteur de haute altitude. D'origine tamang, Passang a choisi de s'exiler de sa vallée pour la durée de la saison des expéditions afin de pratiquer le dur métier de porteur de haute altitude. À 27 ans, il peut bénéficier ainsi des revenus plus élevés qui sont habituellement réservés aux sherpas.

Tshering Lhakpa

Porteur de haute altitude. À 24 ans, le plus jeune et le plus costaud des sherpas. Tshering Lhakpa, qui a toujours vécu dans ces vallées de montagnes, n'en est pas à sa première expérience.

Concha

Cuisinier au camp 2. Vingt-huit ans. Frère de Passang Sherpa.

Ang Dawa

Cuisinier au camp de base. Trente ans.

Passang Sherpa

Courrier. Trente et un ans. Frère de Concha. Originaire de Khumjung, il a passé plusieurs années aux États-Unis afin de subir des interventions chirurgicales aux mains de notre ami le Dr Richard St-Onge.

Kame

Aide-cuisinier. Père de famille, à 42 ans, Kame participe à des expéditions pour subvenir aux besoins des siens. Il doit les laisser pour des périodes allant parfois jusqu'à deux mois.

Purba

Aide-cuisinière. Dix-huit ans. Fille d'Urgen Sherpa.

- REPÈRES HISTORIQUES -

MONT EVEREST
(8 846,2 mètres - 29 023 pieds)

Position géographique: À la frontière du Népal et du Tibet.
Latitude: 27° 59' Nord.
Longitude: 86° 55' Est.

1852   Le dépouillement des relevés de mesurage effectués à partir des Indes révèle le plus haut sommet de la planète. Quoique connu sous le nom népalais de Sagarmatha (la déesse mère de la Terre), il est renommé en l'honneur de Sir George Everest, responsable du service topographique indien.

1921-1938   Début des expéditions lancées par les Britanniques pour atteindre le sommet de l'Everest à partir du Tibet au nord. Sept expéditions se sont succédé jusqu'au début de la Seconde Guerre mondiale. Aucune n'est victorieuse. Mais la mort sévit très tôt au cours de ces premières tentatives. En 1922, 7 sherpas périssent dans une avalanche. En 1924, 2 Britanniques, George-Leigh Mallory et Andrew Irvine, ont été aperçus pour la dernière fois à plus de 8 500 mètres, en route vers le sommet. En 1934, un autre Anglais, Maurice Wilson, tente l'aventure, seul avec 3 sherpas. Il n'a pas de permis et dispose de peu de moyens et de matériel. Devant l'énormité de la tâche, les sherpas abandonnent l'ascension mais Wilson décide de continuer seul. On a retrouvé son corps l'année suivante aux environs de 6 000 mètres.

1947   Le premier Canadien à tenter l'ascension de l'Everest se nomme Earl Denman. Il se présente lui aussi seul, à Darjeeling, sans permis pour entrer au Tibet. Il réussit à convaincre 2 sherpas de l'accompagner: Ang Dawa et Tensing Norgay. Ils abandonnent eux aussi un peu au-dessus de 6000 mètres et rentrent en vitesse en Inde sans se faire arrêter. Leur expédition aura duré en tout 5 semaines. Denman revient l'année suivante, mieux équipé, mais toujours sans permis, avec l'intention de refaire un seconde tentative. Cette fois, Tensing Norgay refuse de l'accompagner et Earl Denman s'en retourne sans pouvoir réaliser son rêve.

1950   Le Tibet ferme ses portes aux étrangers pour 30 ans. Les expéditions se tournent vers le Népal qui, lui, ouvre les siennes. Le premier sommet de plus de 8 000 mètres, l'Annapurna, est gravi par une expédition française.

1952   Deux expéditions en provenance de la Suisse tentent l'ascension de l'Everest par le versant sud. Au printemps, Raymond Lambert et Tensing Norgay dépassent les 8 600 mètres, mais sont arrêtés par la neige profonde. À l'automne, les mêmes 2 grimpeurs doivent rebrousser chemin, la mort dans l'âme, 200 mètres plus bas, repoussés cette fois par le froid intense et les vents violents. L'Everest ne sera pas suisse!

1953   Les Britanniques sont de retour sur la montagne pour une dixième fois avec la ferme intention d'aller jusqu'au bout cette fois. L'expédition, très bien organisée, profite de l'expérience de ses prédécesseurs et, le 29 mai, deux hommes, Edmund Hillary et Tensing Norgay, atteignent le sommet tant convoité par l'arête sud-est. La vie ne sera plus la même pour ces deux grimpeurs qui sont instantanément propulsés au rang de héros planétaires.

Au lieu de diminuer l'intérêt pour son sommet, la première ascension de l'Everest a plutôt l'effet contraire. Toutes les nations veulent désormais atteindre le plus haut point du globe. Les Suisses réussissent à juste titre la seconde ascension en 1956.

En plus de l'atteinte du sommet pour des raisons de fierté nationale, d'autres versants de la montagne sont explorés, d'autres voies ouvertes. L'Everest redevient une montagne pour grimpeurs. Les défis qu'on peut y trouver sont nombreux. Plusieurs expéditions se retrouvent sur la montagne en même temps. On veut faire plus difficile, aller plus vite, utiliser moins d'équipement, etc. Deux styles se confrontent. Le style himalayen, celui des premières expéditions: soit installer plusieurs camps le long de la voie parcourue, relier ces camps par des cordes fixes pour faciliter le transport de matériel et grimper du dernier de ces camps jusqu'au sommet. Ensuite, il faut tout démonter. Puis le style alpin: soit celui des ascensions dans les Alpes. Les grimpeurs n'installent ni camps ni cordes fixes et ils grimpent en bivouaquant en cours de route. En général, les ascensions en style alpin sont plus rapides, mais plus risquées si le mauvais temps s'installe et que la retraite est coupée. Et il y a tous les styles entre les deux!

1963	Willy Unsoeld et Thomas Hornbein réalisent la première traversée de l'Everest au cours d'une expédition américaine, c'est-à-dire qu'ils montent un versant et redescendent de l'autre côté de la montagne.
1975	Une Japonaise, Mme J. Tabei, avec le sherpa Ang Tshering, est la première femme à atteindre le sommet de l'Everest.
	Une expédition britannique menée par Chris Bonington trace une nouvelle voie dans la difficile face sud-ouest.
1978	Reinhold Messner et Peter Habeler deviennent les premiers à atteindre le toit du monde sans l'aide d'oxygène d'appoint.
1979	Une expédition yougoslave ouvre une voie très difficile sur l'éperon ouest.
1980	Des grimpeurs polonais réalisent la première ascension de l'Everest en hiver. Dans des conditions de température et de vent extrêmes, Leszek Cichy et Krzysztof Wielicki atteignent le sommet en février par l'arête sud-est, la voie de la première ascension.
	Reinhold Messner revient sur la montagne, par le versant nord cette fois, et réalise l'ascension seul, sans oxygène. Son équipe est des plus réduites. Une seule autre personne demeure au camp de base pendant son ascension. Aucune autre équipe ne se trouve alors sur ce versant.
1982	La première expédition canadienne à l'Everest allie succès et tragédie. L'équipe était formée de 16 grimpeurs supportés par 29 sherpas et elle était dotée d'un budget de plus de 3 000 000 $. Un caméraman et 3 sherpas sont tués sur le

glacier du Khumbu dans les premières semaines de l'ascension. Deux grimpeurs canadiens, d'abord Laurie Skreslet accompagné de 2 sherpas, Sungdare et Lhakpa Dordje, puis Pat Morrow lui aussi avec 2 sherpas, Tshering Lhakpa et Pema Dordje, atteignent le sommet successivement les 5 et 7 octobre.

1983 Durant la même journée d'octobre, plusieurs cordées atteignent le sommet de l'Everest: des Américains par la face est, des Japonais par le pilier sud, d'autres Japonais par l'arête sud-est. Le lendemain, une autre cordée américaine complète son ascension de la face est.

1986 Deux autres Canadiens — Sharon Wood (la première Nord-Américaine) et Dwayne Congdon — atteignent le sommet, avec une petite expédition cette fois, *Everest light*.

Deux Suisses, Eric Loretan et Jean Troillet, réalisent l'ascension en style alpin, en un temps record de 40 heures, par le couloir Hornbein sur le versant nord.

1986-1987 Pendant quelques mois, l'Everest a été le deuxième plus haut sommet du monde, dépassé par le K2 de quelques mètres! Au cours de l'été 1986, une expédition américaine a mesuré le sommet du K2 à 8 859 mètres en utilisant une nouvelle technologie de positionnement par satellite (GPS). L'année suivante, une nouvelle expédition, italienne cette fois, entreprend de vérifier ces données et mesure à la fois l'Everest et le K2 en utilisant les deux technologies, l'ancienne et la plus récente par satellite. Ils obtiennent: Everest 8 872 mètres et K2 8 616 mètres. Les plus récentes mesures (avril 1993) indiquent pour l'Everest 8 846,1 mètres.

Même si l'erreur de mesurage de 1986 a été corrigée plusieurs fois depuis, il circule encore aujourd'hui des communiqués basés uniquement sur cette donnée établissant faussement le K2 comme le plus haut sommet de la Terre.

1988   Le Français Marc Batard, supporté par une équipe et des camps en place, établit le record de vitesse d'ascension de l'Everest, soit du camp de base jusqu'au sommet, en 22 heures et 29 minutes.

1990   Le premier sommet de 8 000 mètres gravi par des Québécois est le Gasherbrum I (8 035 mètres), au Pakistan. Pierre Bergeron et Christian Bernier l'atteignent le 29 août.

1991   Le 15 mai, Yves Laforest est devenu le premier Québécois à atteindre le plus haut sommet de notre planète.

LEXIQUE

Bakchich

Pourboire versé à un fonctionnaire pour accélérer le traitement de votre dossier.

Combe

Du gallois *cwm*. Cirque, vallée encaissée et fermée à une extrémité par des montagnes.

Corde fixe

Corde attachée à des ancrages fixes, vis à glace, pitons et coinceurs de rocher ou autres et dont on se sert pour progresser avec de lourdes charges ou dans des passages très difficiles qu'on doit traverser souvent.

Gringo

Appellation donnée habituellement avec humour, mais parfois avec une pointe de mépris, à tous les visiteurs *aux visages pâles* par les habitants de l'Amérique du Sud.

Jet-stream

Couloir de vents qui soufflent continuellement de 150 à 250 kilomètres/heure dans la troposphère, au-dessus de 8 000 mètres.

Jumar

Mécanisme autobloquant en forme de poignée et comportant une came dentelée qui coince la corde. La poignée glisse librement sur la corde vers le haut, mais la came l'empêche de descendre. On s'en sert pour monter le long des cordes fixes.

Moraine

Dépôt de pierre et de sable laissé par un glacier, habituellement lorsqu'il se retire. Ces amoncellements peuvent atteindre plusieurs centaines de mètres de hauteur et se couvrir de végétation avec le temps.

Rétablissement

Mouvement où on doit se hisser, à force de bras, sur une plate-forme. Plus la plate-forme est étroite, plus la paroi qui se continue est abrupte, plus le mouvement est périlleux.

Rickshaw

Tricycle mû par la force des jambes de son conducteur et dans lequel peuvent monter deux passagers.

Rimaye

Large crevasse, très souvent surplombante, formée entre la glace accumulée sur un flanc de montagne et le glacier qui débute à ses pieds.

Sérac

Dans un glacier, mur ou bloc de glace qui se forme là où la pente change brusquement d'inclinaison.

Sirdar

C'est le responsable de tous les aspects logistiques de l'expédition, une fois au Népal. Il s'occupe de l'obtention des permis et visas, il coordonne les déplacements de l'équipe jusqu'au camp de base, il recrute le personnel engagé au Népal, cuisiniers, porteurs de vallée et d'altitude, il organise le transport du matériel et il est le porte-parole des

264

porteurs d'altitude auprès du chef d'expédition au cours de l'ascension.

Trekking (trek) Randonnée sportive dans les sentiers de haute montagne de l'Himalaya.

Yourte Tente des nomades tibétains. Elle est circulaire, avec un toit en pente légère. La structure est faite de bois et les parois sont en peaux de yacks. Il n'y a qu'une seule pièce, au centre de laquelle se trouve le poêle. La température à l'intérieur se maintient à des niveaux acceptables, même au plus froid de l'hiver.

L'ACCLIMATATION À L'ALTITUDE

Ce qui rend difficile l'ascension des hautes montagnes en général, et de l'Everest en particulier, ce sont les changements qui se produisent dans l'air qu'on y respire. Quand on monte en altitude, on sort graduellement de la couche d'air qui enveloppe la Terre et la pression atmosphérique diminue. Au niveau de la mer, la pression atmosphérique dite normale est de 760 mm de mercure. À 3 000 mètres, elle n'est que 69 % de la pression normale, soit 526 mm de mercure; à 6 000 mètres 47 %; à 8 000 mètres 35 %; et 30 % seulement au sommet de l'Everest.

Les effets de ces changements sont doubles:

1. **La diminution de pression modifie de façon importante le processus de respiration.** L'oxygène capté par les poumons est littéralement poussé par la pression initiale de l'air, à travers les artères, les veines et les capillaires jusqu'aux cellules. Si on monte trop vite, le cycle de respiration risque de s'inverser: le sang traverse la paroi des poumons au lieu que ce soit l'oxygène qui pénètre dans le sang. On appelle ce phénomène l'œdème pulmonaire et il peut être mortel.

2. **La pression atmosphérique diminuant avec l'altitude, cela entraîne une diminution de la quantité d'oxygène disponible.** L'oxygène étant directement responsable de la production d'énergie, moins d'oxygène implique moins d'énergie. On a l'impression que l'air est dilué. Au moindre effort, on n'a plus de forces. Monter avec un sac sur le dos devient aussitôt épuisant. Même au repos, on se sent fatigué à toujours forcer la respiration.

Ces deux effets s'additionnent. Évidemment, plus l'altitude est grande, plus les conséquences sur l'organisme sont aiguës.

L'organisme réagit à la raréfaction de l'oxygène par un processus complexe connu sous le nom d'**acclimatation à l'altitude.** Cette acclimatation s'accompagne toujours de désagréments plus ou moins prononcés, regroupés dans l'expression *le mal des montagnes*: maux de tête, nausées, insomnies, étourdissements, difficultés respiratoires. Le mal des montagnes indique que l'organisme n'est pas encore adapté à la pression ambiante. Continuer à monter malgré ces symptômes peut provoquer *le mal aigu des montagnes*: œdème pulmonaire, œdème cérébral. La mort peut alors survenir en quelques heures.

C'est à partir de 3 000 mètres d'altitude que commence à se faire sentir la diminution de pression atmosphérique. Il faut laisser à l'organisme le temps de s'ajuster. Les différentes étapes de l'acclimatation sont les suivantes:

1. **L'augmentation du rythme respiratoire: l'***hyperventilation*. Lorsqu'on sent que l'air se raréfie, on commence par forcer la respiration pour maintenir l'apport en oxygène. Évidemment, on s'épuise vite et l'augmentation du rythme de la respiration a ses limites.

2. **L'augmentation du nombre de globules rouges dans le sang.** Pour mieux capter l'oxygène, l'organisme augmente le nombre des transporteurs d'oxygène: les globules rouges. La production de globules rouges demande un certain temps. Il faut attendre sans monter plus haut. Par contre, cette augmentation des globules rouges accroît la viscosité du sang. L'effet combiné du froid et du sang plus épais augmente grandement les risques d'engelures aux pieds et aux mains.

3. **L'adaptation de tout le système cardio-respiratoire à la nouvelle pression ambiante.** Avec l'altitude, la pression atmosphérique diminue. Le cœur et les poumons doivent réagir et s'ajuster à la baisse pour permettre à

l'oxygène de pénétrer dans le sang. L'oxygène ne se déplace que de la pression plus élevée vers la plus basse, tout comme l'eau ne coule que du haut vers le bas. Encore là, il faut éviter de monter plus haut tant que ce processus n'est pas complété. Plus l'altitude est élevée, plus le temps nécessaire à cet ajustement sera long. Si la montée est trop rapide, l'œdème pulmonaire se déclare. Seuls remèdes possibles: respirer de l'oxygène sous pression, disposer d'une chambre pressurisée portative ou DESCENDRE.

4. De la même façon, **le cerveau doit s'adapter à la nouvelle pression ambiante.** Le cerveau est très sensible à la pression de l'air et au manque d'oxygène. Les premiers symptômes sont les maux de tête. Si on persiste à monter en prenant des analgésiques pour ne plus sentir son mal de tête, on risque l'œdème cérébral, qui est aussi dangereux que l'œdème pulmonaire. Encore une fois, le remède est de DESCENDRE.

5. Une fois acclimaté à une certaine altitude, on monte plus haut et tout est à recommencer!

La prévention est la seule façon sûre de survivre en altitude... Il faut savoir ajuster sa progression au rythme d'acclimatation à l'altitude de son organisme.

Il y a un consensus chez les spécialistes de l'altitude, médecins et grimpeurs, pour suggérer un rythme d'ascension lent et progressif:

- gain d'altitude maximum 350 à 400 mètres par jour au-delà de 3 000 mètres;

- prendre des journées de repos à chaque 1 000 mètres d'ascension au-delà de 3 000 mètres:

à	3 000 mètres	1 journée
	4 000 mètres	2 journées
	5 000 mètres	3 journées
	6 000 mètres	4 journées

faire à l'occasion des excursions plus haut durant la journée d'acclimatation et revenir dormir au point de départ.

Par contre, on ne peut s'acclimater au-delà de 7 500 mètres d'altitude. On parvient à survivre quelques heures, quelques jours au mieux, puis on est forcé de redescendre.